Collection «Mémoire des Amériques»

En couverture: photographie de Pierre Charrier
(Galerie Éric Devlin, Montréal)

Révision: DANA

Publié avec le concours du Conseil
des Arts du Canada et de la SODEC

Dépôt légal: 1er trimestre 2000
Bibliothèque nationale du Québec
Bibliothèque nationale du Canada

c.p. 129, succ. de Lorimier
Montréal, Québec H2H 1V0

ISBN: 2-922494-16-0

Les Patriotes de 1837-1838

Œuvre d'un homme politique passionné par le sort fait aux Canadiens français, *Les Patriotes de 1837-1838* témoigne des soulèvements infructueux qui déchirèrent le pays durant ces deux terribles années de révolte contre le joug de la couronne britannique, alors symbole d'oppression sur tous les hémisphères du globe. Malgré le romantisme et les inexactitudes historiques que ce travail a contribué à colporter au fil du temps, ce livre est indispensable à qui veut comprendre le destin de ces hommes portés par l'idéal de liberté et de justice.

Les Patriotes de 1837-1838 a connu plusieurs éditions. La présente est soigneusement établie à partir de l'originale, publiée en 1884 à Montréal, chez Eusèbe Senécal & fils.

Laurent-Olivier David

Élève de l'historien Maximilien Bibaud, journaliste, avocat et député, Laurent-Oliver David (1840-1926) est l'auteur d'un nombre considérable d'ouvrages historiques. Il défendit tout d'abord les positions des conservateurs avant d'adhérer à des idées libérales modérées. En 1896, sa brochure, *Le Clergé, sa mission, son œuvre*, est mise à l'index par l'Église. David fut président de la Société Saint-Jean-Baptiste ainsi que l'un des fondateurs du Monument national. Enfin, le gouvernement de Sir Wilfrid Laurier lui attribua un siège de sénateur en 1903.

Avant-propos

Il y avait, en 1837, cinquante ans que les Canadiens français luttaient pour les droits religieux, politiques et nationaux qui leur avaient été garantis par les traités. Au lendemain même de la conquête, la lutte avait commencé, lutte de tous les jours et de tous les instants contre des gouvernements et des fonctionnaires arrogants qui avaient entrepris de faire de la province de Québec un pays anglais, une autre Irlande.

La justice souillée par toutes les infamies; la malversation protégée par le pouvoir; la domination de la Chambre d'assemblée par un conseil législatif composé d'hommes nommés par la Couronne, irresponsables au peuple et antipathiques à tout ce qui était français et catholique; les places, les honneurs et les gros traitements prodigués à une orgueilleuse faction, au détriment des droits de la majorité; la proclamation audacieuse des projets les plus effrontés d'anglicisation; l'infériorité de tout ce qui n'était pas anglais et protestant passée à l'état de principe; la violation constante de toutes les lois constitutionnelles et parlementaires; le contrôle sur les dépenses publiques refusé à la Chambre d'assemblée.

Voilà un coin seulement du tableau que l'histoire déroule à nos regards pendant trois quarts de siècle.

Nous étions insultés, méprisés, humiliés et volés par des gens qui se moquaient de toutes les lois divines et humaines. Nous avions trouvé heureusement pour nous défendre des hommes d'État, des orateurs puissants qui avaient prouvé à nos ennemis qu'il serait aussi difficile de nous vaincre dans l'arène parlementaire que sur les champs de bataille. Après Bédard et Papineau père, nous avions eu Papineau fils, le tribun dont la voix puissante fut pendant trente ans la gloire et le bouclier de notre nationalité.

Un jour vint où l'Angleterre, effrayée de l'attitude de la Chambre d'assemblée, que soutenait la population, parut vouloir lui accorder ce qu'elle demandait, mais il était trop tard. La jeunesse, dont le sang bouillonnait depuis longtemps dans les veines, soulevait le sentiment national, et poussait M. Papineau sur la pente de la violence. Ce n'étaient plus des lambeaux de concessions qu'il fallait au peuple; car il réclamait à grands cris l'adoption des quatre-vingt-douze résolutions préparées par M. Papineau lui-même et rédigées par M. Morin.

La Chambre d'assemblée, malgré trois dissolutions dans l'espace d'une année, avait persisté à refuser les subsides au gouvernement, tant qu'elle n'aurait pas obtenu le redressement des griefs contenus dans les quatre-vingt-douze *résolutions*.

Lord John Russell avait cru trancher la difficulté en faisant autoriser par le parlement anglais lord Gosford à prendre de force dans le coffre public l'argent dont il avait besoin pour le service civil. Ce procédé arbitraire et humiliant pour la Chambre d'assemblée fit déborder la mesure; le peuple partout s'assembla pour protester contre les procédés de lord Russell et approuver la conduite de la Chambre.

Il n'y a pas de doute que ces procédés étaient illégaux et inconstitutionnels, et le digne couronnement de la politique arbitraire et tyrannique dont les Canadiens étaient victimes depuis tant d'années. Ce fut l'opinion exprimée en Angleterre, au sein de la Chambre des communes, par les hommes les plus distingués, par les Warburton, les Hume et les Stanley.

Citons pour la réfutation et la confusion de ceux qui ne veulent voir dans l'insurrection de 1837 qu'un acte de rébellion injustifiable, les paroles éloquentes du célèbre lord Brongham :

« On blâme, dit-il, avec véhémence, les Canadiens ; mais quel est le pays, le peuple qui leur a donné l'exemple de l'insurrection ? Vous vous récriez contre leur rébellion, quoique vous ayez pris leur argent sans leur agrément et anéanti les droits que vous vous faisiez un mérite de leur avoir accordés... Toute la dispute vient, dites-vous, de ce que nous avons pris vingt mille livres, sans le consentement de leurs représentants ! Vingt mille livres sans leur consentement ! Eh bien ! ce fut pour vingt shillings qu'Hampden résista, et il acquit par sa résistance un nom immortel, pour lequel les Plantagenets et les Guelfes auraient donné tout le sang qui coulait dans leurs veines ! Si c'est un crime de résister à l'oppression, de s'élever contre un pouvoir usurpé et de défendre ses libertés attaquées, quels sont les plus grands criminels ? N'est-ce pas nous-mêmes, qui avons donné l'exemple à nos frères américains ? Prenons garde de les blâmer trop durement pour l'avoir suivi. »

Le fameux lord Durham, venu exprès dans le pays pour faire une enquête sur les causes de l'insurrection, a admis la légitimité de nos plaintes et la nécessité de remédier aux abus du pouvoir. Il condamne les prétentions ridicules et tyranniques du Conseil exécutif et du Conseil législatif, et admet que la Chambre d'assemblée n'avait pas d'autre moyen de faire respecter ses droits que de refuser les subsides au gouvernement.

« La Chambre, dit-il, était parfaitement justifiable de demander les pouvoirs pour lesquels elle luttait. Il est difficile de concevoir quelle aurait été la théorie gouvernementale de ceux qui s'imaginent que, dans une colonie anglaise, un corps portant le nom et le caractère d'une assemblée représentative, pouvait être privé d'aucun des pouvoirs qui, dans l'opinion des Anglais, sont inhérents à une législature populaire. »

Lord Gosford, qui devait plus que tout autre condamner une insurrection dont on cherchait naturellement à lui faire porter en partie la responsabilité, a fait dans le parlement anglais l'aveu suivant :

« Il y a, à Montréal et dans ses environs, une certaine classe d'Anglais à qui tous les hommes libéraux et indépendants ne peuvent qu'être hostiles, et dont les actes et la conduite ont été caractérisés par un esprit de domination insupportable ; ils ont toujours aspiré à posséder le pouvoir et le patronage, à l'exclusion des habitants d'origine française. C'est à eux surtout qu'il faut attribuer les troubles et les animosités. »

Un soir, il y a quelques années, M. le Dr Dumouchel, membre du sénat, dînait à Rideau Hall. Se trouvant placé à côté de lord Dufferin, la conversation s'engagea entre eux et tomba sur la loyauté des Canadiens français.

– Je pense, disait le gouverneur du Canada, qu'il n'y a pas de sujets plus loyaux que les Canadiens français.

– Très certainement, répondit M. Dumouchel; il y eut, il est vrai, en 1837, un mouvement de nature à compromettre la réputation des Canadiens français sous ce rapport...

Lord Dufferin ne le laissa pas achever:

– Avec un gouvernement corrompu comme celui que vous aviez alors, ajouta-t-il, il est bien surprenant que les choses n'aient pas été plus loin.

En face de pareils témoignages donnés en faveur des patriotes par des hommes aussi désintéressés, le moins que nous puissions faire, nous pour qui ces patriotes ont combattu et tout sacrifié, est bien de défendre leur honneur, et de rendre hommage à leur courage.

Qu'on ait les idées qu'on voudra sur les révolutions, qu'on soit fils de bureaucrate ou de patriote, il est un fait qu'on ne devrait pas nier, au moins, c'est que l'insurrection de 1837 a été la conséquence d'une lutte glorieuse d'un demi-siècle, l'explosion de sentiments nobles et patriotiques.

À quoi bon discuter si strictement, les patriotes avaient le droit de se révolter? Que resterait-il dans l'histoire, si on en faisait disparaître tous les actes condamnables au point de vue de la loi et de la froide raison? Que deviendraient tous ces héros dont les exploits font l'orgueil des nations et l'honneur de l'humanité?

On voyait à la tête du mouvement les hommes les plus honorables, les plus recommandables par leurs talents, leur patriotisme ou leurs vertus: les Morin, les Girouard, les Lafontaine, les Fabre, les Duvernay, les Perrault et les Rodier. Ajoutons MM. Berthelot, le D^r O'Callaghan, Cherrier, Meilleur, Viger, Roy et même quelques-uns des hommes les plus éminents parmi la population anglaise: MM. Leslie, De Witt,

W. Scott, et surtout les deux frères Nelson, Robert et Wolfred, deux médecins distingués.

On peut blâmer ces hommes estimables de n'avoir pas su s'arrêter à temps dans la voie de l'insurrection, mais on ne peut nier sans mentir à l'histoire, la noblesse de leurs motifs et la sincérité de leur patriotisme.

Dans le testament politique que de Lorimier écrivit, la veille de sa mort, il dit :

« Pour ma part, à la veille de rendre mon esprit à mon Créateur, je désire faire connaître ce que je ressens et ce que je pense. Je ne prendrais pas ce parti, si je ne craignais qu'on ne représentât mes sentiments sous un faux jour ; on sait que le mort ne parle plus, et la même raison d'État qui me fait expier sur l'échafaud ma conduite politique pourrait bien inventer des contes à mon sujet... Je meurs sans remords ; je ne désirais que le bien de mon pays dans l'insurrection et l'indépendance ; mes vues et mes actions étaient sincères. »

Dans une lettre écrite, quelques jours auparavant, de Lorimier disait : « Ô ma patrie, à toi j'offre mon sang comme le plus grand et le dernier des sacrifices. »

On doit croire que de Lorimier a exprimé les sentiments et les dernières volontés de ses compagnons d'infortune, de tous ceux qui en 1837-1838 sont morts sur les champs de bataille et les échafauds.

Le seul but de ce livre est de montrer qu'ils ont droit à notre reconnaissance, et que nous devons accepter l'offrande de leurs sacrifices et de leur sang pour l'honneur de notre nationalité et le triomphe de la liberté.

Première partie

L'ASSEMBLÉE DE SAINT-OURS

La première assemblée eut lieu à Saint-Ours, le 7 mai 1837, sous la présidence de M. Séraphin Cherrier, de Saint-Denis. Wolfred Nelson fut le principal orateur de la circonstance; il parla énergiquement en faveur des propositions suivantes, qui furent adoptées par l'assemblée avec enthousiasme:

« Que la mesure de lord John Russell qui prive la Chambre de tout contrôle sur le revenu, est une violation flagrante de tous les droits accordés au Bas-Canada par la capitulation et les traités:

« Que le gouvernement qui peut avoir recours à des moyens si violents, détruire le droit par la force et la violence, est un gouvernement méprisable, indigne de tout respect et même de soumission;

« Que le peuple du Bas-Canada ne peut plus compter que sur son énergie, et que ses alliés naturels sont les citoyens de la république voisine;

« Que le parlement anglais n'a pas le droit de faire des lois pour l'administration intérieure de cette province, et que toute législation ainsi faite doit être considérée comme nulle et tyrannique;

« Que le peuple du Bas-Canada s'abstiendra autant que possible de consommer des articles importés, mais fera usage de produits fabriqués dans le pays, afin de priver le gouvernement des revenus qu'il espère obtenir en collectant les droits imposés sur les marchandises étrangères;

« Que pour parvenir plus efficacement à la régénération de cette province, le Bas-Canada doit comme l'Irlande se rallier autour d'un seul homme;

« Que cet homme a été marqué par Dieu, comme O'Connell, pour être le chef politique, le régénérateur d'une nation; *qu'il a été doué pour cela d'une force d'esprit et d'une éloquence incomparables, d'une haine de l'oppression et d'un amour pour sa patrie que rien, ni promesses, ni menaces, ne pourront jamais ébranler.* »

Voilà, en substance, quelles furent les propositions adoptées à l'assemblée de Saint-Ours. Elles devinrent le programme politique du temps, le canevas de toutes les propositions qui furent adoptées dans les autres assemblées, le thème fécond qui inspira les orateurs du temps.

Effrayé de ces démonstrations, lord Gosford lança, le 15 de juin, une proclamation exhortant le peuple à s'abstenir de ces réunions *séditieuses,* et ordonnant aux magistrats et officiers de milice de les empêcher.

Cette proclamation ne fit qu'augmenter l'effervescence populaire; elle fut dénoncée comme un attentat de plus aux droits des habitants du Canada. *À bas la proclamation!* fut le cri général, et les assemblées se multiplièrent sur tous les points du pays.

LES FILS DE LA LIBERTÉ

C'était dans le mois de juin mil huit cent trente-sept. Des groupes de citoyens se formaient sur les places publiques, à Montréal, pour lire la fameuse proclamation, et partout éclataient des murmures d'indignation. « Il n'y a qu'un moyen de répondre à cette insultante proclamation, cria du sein de la foule, M. Pierre Jodoin, c'est de convoquer immédiatement une assemblée. »

Les patriotes commencèrent dès lors à discuter la nécessité de s'organiser pour faire respecter leurs droits de citoyens et repousser la violence. Ce projet n'eut pas de suite immédiate, mais après la dissolution de la Chambre d'assemblée, au mois d'août, on résolut de le mettre à exécution. L'excitation des patriotes, les menaces des bureaucrates et le langage de leurs journaux faisaient croire que des conflits auraient lieu bientôt.

On crut que le meilleur moyen de réussir était de s'adresser à la jeunesse de Montréal, de la décider à former une puissante association et d'inviter les jeunes gens à en faire autant partout ailleurs. La jeunesse accueillit avec transport ce projet. Depuis longtemps déjà elle brûlait de manifester son zèle pour la cause nationale, de prendre une part plus active dans les événements de l'époque.

Le cinq septembre mil huit cent trente-sept, l'association des Fils de la liberté était solennellement proclamée dans une assemblée nombreuse tenue à l'hôtel Nelson, sur la place Jacques-Cartier. Ce fut une grande démonstration; des discours véhéments furent prononcés par MM Robert Nelson, André Ouimet et Édouard Rodier; une musique militaire mit le comble à l'enthousiasme en faisant entendre après chaque proposition de patriotiques fanfares.

Les Fils de la liberté ne voulurent pas se séparer sans aller offrir leurs hommages à l'honorable Louis-Joseph Papineau et à l'honorable D.-B. Viger. Ils allèrent, musique en tête, sous les fenêtres des deux patriotes, qui les félicitèrent chaleureusement d'avoir si patriotiquement répondu à l'appel de leurs chefs.

«En avant», fut la devise choisie par les Fils de la liberté. C'était une organisation moitié civile moitié militaire, composée de deux branches qui devaient travailler, l'une par les discours et les écrits, et l'autre par la force des armes, si c'était nécessaire, au progrès et au triomphe de la cause populaire, préparer le peuple à la conquête de son indépendance.

M. André Ouimet fut nommé président de la division civile, avec MM. Jean-Louis Beaudry et Joseph Martel, comme vice-présidents. M. T.-S. Brown fut fait général de la division militaire ; le général avait sous ses ordres six officiers ou chefs de sections représentant chacun une division militaire de la ville. Les chefs de sections étaient MM. Chamilly de Lorimier, avocat, George de Boucherville, avocat, le docteur H. Gauvin, Rodolphe Desrivières, et François Tavernier.

Plusieurs des membres les plus ardents de l'association des Fils de la liberté sont aujourd'hui des citoyens paisibles qu'on ne soupçonnerait pas d'avoir été aussi terribles dans leur jeunesse ; plusieurs même sont devenus les colonnes du trône, les sujets les plus fidèles de Sa Majesté.

Dans les premiers jours d'octobre, le comité des Fils de la liberté lança un manifeste ou une adresse au peuple pour faire connaître leurs vues et leurs sentiments. Ce manifeste, au style diffus et aux théories scabreuses, renfermait beaucoup d'idées justes, de nobles sentiments. Il proclamait qu'il fallait attribuer à l'état colonial tous les maux et les abus dont le Canada avait à se plaindre, que le peuple canadien devait donc se tenir prêt à profiter de la première occasion qui lui serait donnée d'obtenir son indépendance.

Les Fils de la liberté promettaient de mettre de côté les frivolités de la jeunesse pour se consacrer à l'étude de la politique, des besoins et des ressources du pays, d'augmenter la richesse publique en encourageant les manufactures et les produits du sol.

Cette idée, qu'on doit chercher la prospérité du pays dans l'encouragement de l'industrie nationale, n'est pas nouvelle, comme on voit; les Fils de la liberté la mirent en pratique en s'habillant pour la plupart d'*étoffe* du *pays* de pied en cap.

Ils contribuèrent beaucoup à surexciter les esprits et à fortifier les espérances des patriotes. Des associations se formèrent à leur exemple, et les jeunes gens de la campagne s'organisèrent pour être en état de se défendre ou d'attaquer au besoin.

Les Fils de la liberté avaient des assemblées publiques presque toutes les semaines, se livraient avec ardeur à l'étude de l'art militaire et paradaient de temps à autre dans les rues, bannières déployées, musique en tête. Ils étaient quelquefois cinq ou six cents; leur tenue militaire, leur bonne mine et leurs chants patriotiques étaient pour les Canadiens un sujet d'orgueil et d'espérance.

Malheureusement ils n'avaient pas d'armes, et c'était bien là ce qui préoccupait le plus. Ils avaient tout ce qu'il fallait pour être de bons soldats, excepté des armes; ils se demandaient ce qu'ils pourraient faire avec des bâtons et une centaine de fusils de chasse. Il fut question, pendant quelque temps, d'acheter des armes aux États-Unis, mais M. Papineau combattit cette idée.

Toutefois ces pacifiques démonstrations n'en produisirent pas moins d'émoi parmi les bureaucrates. Un soir, la veille de la grande assemblée de Saint-Charles, ils paradèrent en grand nombre sur le Coteau Barron, à l'endroit maintenant occupé par MM. Lacroix et Dorion. Ils étaient mille à douze cents hommes, mais les yeux des bureaucrates, agrandis par la peur et la colère, en virent plusieurs milliers; une armée de Vandales descendant sur Montréal n'aurait pas produit plus d'effet. Messieurs les Anglais, leurs épouses et leurs enfants ne dormirent pas de la nuit.

Le lendemain et les jours suivants, ce fut un déluge d'injures, d'imprécations et de menaces contre les Fils de la liberté, qu'on vouait aux gémonies, à tous les dieux de l'enfer. Les journaux anglais publièrent des écrits et des correspondances où l'on faisait les appels les plus échevelés au fanatisme de la population anglaise.

« Où sont donc les carabins, s'écriait dans le *Herald* un correspondant, où est la garde aux manches de hache? où est ce *Doric Club* qu'on avait l'habitude de voir chaque fois qu'il s'agissait de défendre la constitution et l'honneur britannique? Jusque à quand laisserons-nous faire ces scélérats révolutionnaires?»

Messieurs les Anglais ont la parole rude, il parait, en temps de révolution; tous les jours ils avaient de pareilles aménités à l'adresse des Canadiens et surtout des Fils de la liberté. Pourtant, si c'était un si grand crime de s'assembler, de voter des propositions énergiques, et de parader dans les rues, ils étaient coupables de ce crime autant que les Fils de la liberté, et même davantage, car ils ne se gênaient pas, eux, de porter des armes et de provoquer l'émeute et le désordre par leurs menaces et leurs imprécations. Les Fils de la liberté heureusement ne répondaient à ces provocations que par le mépris ; plusieurs fois, cependant, les chefs eurent de la peine à les empêcher de se ruer contre leurs insulteurs.

Les Anglais avaient une association qui répondait à celle des Fils de la liberté, mais une association secrète composée de grands Écossais et de jeunes gens bien faits qui s'étaient distingués déjà dans les émeutes. Ils n'étaient pas pressés de se mesurer avec les Fils de la liberté, mais les appels sanguinaires des bureaucrates finirent par produire leurs fruits, et les membres du *Doric Club* crurent qu'ils devaient frapper un grand coup.

Les Fils de la liberté devaient s'assembler, le 6 novembre, ainsi qu'ils avaient l'habitude de le faire, le premier lundi de chaque mois. Comme ils avaient l'intention d'ajourner leurs réunions au mois de mai suivant, ils voulurent que leur dernière démonstration eut un grand succès, et pour montrer qu'ils n'avaient rien à craindre ni à cacher, ils annoncèrent que l'assemblée aurait lieu au cœur de la ville, dans une grande cour de la rue Saint-Jacques, à côté de l'endroit où se trouve maintenant l'hôtel d'Ottawa.

Les membres du *Doric Club* crurent que le moment d'agir était arrivé. Ils firent afficher partout des placards dans lesquels on disait qu'il fallait *écraser la rébellion à sa naissance* ; on invitait les loyaux à se réunir, le même jour à la Place-d'Armes.

Les magistrats effrayés ne savaient que faire pour éviter la lutte qui se préparait. MM. Brown et Ouimet les avertirent que rien n'empêcherait leur assemblée d'avoir lieu. « C'est notre droit, dirent-ils, et nous ne l'abandonnerons pas sous le coup des menaces; ce n'est pas nous qui créerons le désordre et commencerons la bagarre; contrôlez vos gens comme nous saurons contrôler nos amis; pour montrer notre désir de garder la paix, nous n'aurons ni musique ni drapeaux, nous nous réunirons sans armes comme citoyens et nous nous séparerons paisiblement si nous ne sommes pas attaqués. »

Une grande agitation régna dans la ville toute la journée du samedi et du dimanche.

Le lundi, vers midi, les rues de la ville étaient animées et remplies de groupes nombreux. C'étaient, outre beaucoup de curieux, les Fils de la liberté et les membres *du Doric Club* qui se rendaient, les premiers, à leur lieu de réunion sur la rue Saint-Jacques, et les autres sur la Place-d'Armes.

Les Fils de la liberté furent tous fidèles au rendez-vous; ils s'y trouvèrent en grand nombre.

Plusieurs propositions furent adoptées, et des discours vigoureux furent prononcés par MM. Brown et Édouard Rodier. M. Édouard Rodier, qui était l'orateur le plus populaire et le plus entraînant de l'époque après M. Papineau, fit un discours chaleureux où, après avoir dit que les Canadiens trouveraient dans l'union et dans le patriotisme de la jeunesse les moyens de vaincre la bureaucratie, il ajouta: « Nous sommes maintenant les Fils de la liberté, mais on nous appellera bientôt les Fils de la victoire. »

Tout à coup un grand bruit se fait entendre dans la rue, et des pierres commencent à tomber dans la cour où se tenait l'assemblée. Les deux tiers des Fils de la liberté étaient alors partis; il pouvait en rester deux à trois cents.

C'étaient les membres du *Doric Club*, qui venaient troubler la réunion si paisible des Fils de la liberté, et créer une bagarre dont les bureaucrates se prévaudraient ensuite pour appeler la vengeance des autorités sur les patriotes. D'ailleurs, ils n'avaient rien à craindre, car ils savaient qu'au premier signal la troupe sortirait pour les soutenir.

Les Fils de la liberté exaspérés par la conduite des bureaucrates, résolurent de se faire un chemin en leur passant sur le corps, s'il le fallait, et de se disperser paisiblement à la Place-d'Armes avant l'arrivée des troupes. Ils s'armèrent de bâtons – les deux partis en avaient toujours à leurs lieux de réunion – formèrent quatre colonnes de deux de front, et ouvrant les portes de la cour, s'élancèrent dans la rue au pas de charge. À la vue de ces hommes déterminés, la foule s'ouvrit pour leur livrer passage, et les membres du *Doric Club* s'enfuirent à toutes jambes du côté de la Place-d'Armes. On aurait dit une bande de lièvres poursuivis par des chasseurs. Mais ils se rallièrent, et par trois fois essayèrent d'entamer le petit bataillon des Fils de la liberté. Les pierres pleuvaient de tous côtés, il y eut plusieurs coups de pistolet, mais personne ne fut tué.

Les Fils de la liberté ayant chassé devant eux les membres du *Doric Club* jusqu'à la Place-d'Armes, se séparèrent à cet endroit, comme ils en avaient convenu. Ils firent bien, car ils étaient à peine dispersés que la troupe et les volontaires arrivaient de tous côtés pour *arrêter le désordre* en prêtant main forte à ceux qui l'avaient crée.

Un petit groupe des Fils de la liberté fut odieusement maltraité à l'entrée de la rue Saint-Laurent, et plusieurs personnes inoffensives furent attaquées.

C'est ainsi que M. Brown, qui s'en retournait tranquillement, seul, fut lâchement attaqué au coin des rues Saint-Jacques et Saint-Francois-Xavier, et frappé sur la nuque d'un coup de bâton qui l'étendit sans connaissance. On l'aurait tué là si quelqu'un ne l'avait arraché à ces forcenés en le couvrant de son corps. Les coups qu'il reçut sur la tête furent si violents qu'il en perdit un œil.

N'ayant plus d'ennemis à combattre, les membres du *Doric Club*, groupés derrière les troupes, paradèrent dans les rues et parcoururent la ville en triomphateurs, aux applaudissements des bureaucrates. Ils se vengèrent d'avoir fui devant des hommes de cœur, en s'attaquant à des personnes sans défense et aux propriétés. Ils brisèrent les vitres de la maison de M. Papineau, et allèrent ensuite saccager l'imprimerie de M. Louis Perrault sur la rue Saint-Vincent, où ils détruisirent les presses du *Vindicator*, dans l'espoir de réduire au silence cet organe puissant de la cause nationale, ce terrible adversaire de la tyrannie bureaucratique.

Les Fils de la liberté s'étaient réunis, le 6 novembre, pour la dernière fois, car, quelques jours après, leurs chefs étaient jetés en prison sur accusation de haute trahison, et les Canadiens prenaient les armes pour s'opposer à l'exécution des mandats d'arrestation.

Pendant que quelques-uns des Fils de la liberté languissaient dans les cachots, on trouvait les autres sur les champs de bataille de Saint-Denis, de Saint-Charles et de Saint-Eustache.

Assemblée de Saint-Charles

De toutes les assemblées publiques qui précédèrent l'insurrection, celle de Saint-Charles fut la plus importante. Elle précipita le dénouement en activant l'agitation et en décidant les autorités à intervenir. C'était l'assemblée des six fameux comtés confédérés de Richelieu, de Saint-Hyacinthe, de Rouville, de Chambly, de Verchères et de l'Acadie. Papineau, O'Callaghan, les chefs les plus distingués et les orateurs les plus populaires de la cause libérale, y avaient été invités.

Tous les centres d'agitation populaire y étaient représentés par des délégués. On y comptait treize représentants du peuple, et cinq ou six mille personnes venues de dix et douze lieues à la ronde, malgré des chemins affreux. Un grand nombre se rendirent au village de Saint-Charles, la veille, le dimanche. On y voyait des femmes et des enfants que tourmentait depuis longtemps le désir de voir et d'entendre parler Papineau.

M. Papineau était alors au zénith de sa popularité, dans toute la splendeur de son talent; on ne jurait que par lui; son nom remplissait toutes les bouches, et ses paroles étaient des oracles. On l'appelait l'O'Connell du Bas-Canada, et on avait pour lui autant d'enthousiasme que les Irlandais en ont pour leur immortel tribun.

L'endroit choisi pour l'assemblée était une vaste prairie appartenant à M. le Dr Duvert.

On y avait élevé une colonne surmontée du bonnet de la Liberté, et portant cette inscription : « À Papineau, ses compatriotes reconnaissants, 1837. » À midi, quand l'assemblée s'ouvrit, le coup d'œil était imposant. On ne pouvait regarder, sans être impressionné, ces milliers de têtes pressées les unes contre les autres – mer immense qu'agitait le souffle puissant de la liberté – au-dessus de laquelle flottaient de nombreuses bannières aux couleurs les plus brillantes, aux inscriptions les plus patriotiques.

L'élite des patriotes du Bas-Canada était là, représentée par des hommes au corps vigoureux, à la figure énergique et intelligente, presque tous habillés d'*étoffe du pays*. Ils étaient là, tous ceux qui devaient, quelque temps après, prouver sur les champs de bataille, dans les prisons et sur l'échafaud, la sincérité de leurs convictions, l'amour de leur pays et de la liberté, les gens de Saint-Denis comme ceux de Saint-Charles, Ovide Perrault et Chénier, Cardinal et de Lorimier.

Une compagnie de miliciens, sous le commandement des capitaines Lacasse et Jalbert, entourait la colonne de la liberté, et donnait à la démonstration un cachet militaire qui ne manquait pas de signification.

Le Dr Wolfred Nelson fut nommé président de l'assemblée ; M. le Dr Duvert et M. F. Drolet, vice-présidents ; MM. Girod et Boucher Belleville, secrétaires.

Alors, M. Girod s'avança vers l'estrade, à la tête de la députation du comté de l'Acadie, et présenta au président de l'assemblée une adresse pour demander que le comté fut admis dans la confédération. La proposition souleva une tempête d'acclamations enthousiastes et fut saluée par des salves de mousqueterie.

Le Dr Nelson prit ensuite la parole. Il exposa le but de l'assemblée, dans un langage véhément, et donna le ton aux discours qui suivirent, en déclarant que les procédés de lord John Russell et la proclamation de lord Gosford qui interdisait les assemblées publiques, devaient engager le peuple à s'organiser pour résister à la violence par la violence. Il termina en présentant M. Papineau à l'assemblée.

Lorsque le chef populaire du Bas-Canada parut, il fut accueilli par une immense acclamation; l'enthousiasme illumina toutes les figures, souleva toutes les poitrines.

Il parla longtemps et fut souvent interrompu par les applaudissements. Il exposa, suivant son habitude, les griefs du pays, protesta en termes sarcastiques contre la conduite violente et les menaces du gouvernement impérial et de lord Gosford; mais il fut plus modéré que les autres orateurs, et conseilla aux gens de rester sur le terrain de l'agitation constitutionnelle. Ce fut à ce moment, dit-on, que M. Nelson s'écria:

– Eh bien! moi, je diffère d'opinion avec M. Papineau; je prétends que le temps est arrivé de fondre nos cuillères pour en faire des balles.

Après M. Papineau, vinrent M. L.-M. Viger, «le beau Viger» comme on l'appelait, représentant du comté de Chambly, M. Lacoste, M. Ed. Rodier, député de l'Assomption, le Dr Côté, T.-S. Brown et Girod.

M. Rodier, le tribun populaire des Fils de la liberté, fut très éloquent comme de coutume. Le plus violent fut le Dr Côté, de l'Acadie, qui termina une harangue échevelée en disant: «Le temps des discours est passé, c'est du plomb qu'il faut envoyer à nos ennemis maintenant.»

Treize propositions furent faites et *secondées* par les patriotes dont les noms suivent:

1° Le Dr Wolfred Nelson et le Dr Davidson, de Sainte-Marie;

2° René Boileau, de Chambly, et le capitaine Vincent, de Longueuil;

3° Louis Marchand, de Saint-Mathias, et Jean-Marie Tétreau, de Saint-Hilaire;

4° L. Lacoste, de Longueuil, député, et Timothé Franchère, de Saint-Mathias;

5° J.-T. Drolet, de Saint-Marc, député, et le Dr Duchesnois, de Varennes;

6° Le Dr Duvert, de Saint-Charles, et le Dr Allard, de Belœil;

7° P. Amiot, député, de Verchères, et le capitaine Bonin, de Saint-Ours;

8° Frs Papineau, de Saint-Césaire, et le lieutenant Bonaventure Viger, de Boucherville;

9° Jean-Marie Cormier, de Contrecœur, et M. Gosselin, de Saint-Hilaire;

10° Ls Blanchard, de Saint-Hyacinthe, député, et Jos. Séné;

11° Laurent Bédard, de Saint-Simon, et S. Boudreau, de Sainte-Marie;

12° Come Cartier, de Saint-Antoine, et Siméon Marchesseault, de Saint-Charles;

13° Le Dr Dorion, de Saint-Ours, et Eustache Gratton, de Sainte-Marie.

Chaque proposition fut accueillie par des hourras frénétiques, et saluée par une salve de mousqueterie.

Ces propositions commençaient par une déclaration des droits de l'homme, affirmant le droit et a nécessité de résister à un gouvernement tyrannique, engageaient les soldats anglais à déserter l'armée, encourageaient le peuple à ne pas obéir aux magistrats et aux officiers de milice nommés par le gouvernement, et à s'organiser à la manière des Fils de la liberté.

Elles cadraient peu, il faut l'avouer, avec les déclarations pacifiques de M. Papineau et de quelques autres chefs patriotes, qui voulaient rester sur le terrain constitutionnel.

L'adoption des propositions fut suivie d'une scène qu'appelait les fêtes démocratiques du Champ-de-Mars pendant la révolution française.

M. Papineau fut invité à se rendre auprès de la colonne de la Liberté, et le Dr Côté faisant, par instinct, les fonctions de pontife, se prosterna devant le monument et en fit l'offrande à M. Papineau. M. Papineau répondit en quelques mots, et un chœur de jeunes gens chanta un hymne en l'honneur de la liberté. Le Dr Côté s'avança alors à la tête de ces enthousiastes jeunes gens, et tous tendant la main vers la colonne, ils jurèrent d'être fidèles à leur pays, de vaincre ou de mourir.

Il était tard quand l'assemblée se dispersa. Les fusils des miliciens étaient brûlants, les voix fatiguées, mais l'enthousiasme avait toujours été augmentant. On ne pouvait se lasser d'acclamer et d'écouter les orateurs patriotes.

Cette assemblée eut un immense retentissement ; elle activa le feu populaire et fut suivie de plusieurs autres réunions bruyantes et d'émeutes qui décidèrent le gouvernement à lancer des mandats d'arrestation contre la plupart des chefs patriotes du district de Montréal.

LES PREMIERS COUPS DE FEU

Le 22 novembre 1837, le capitaine Vincent de Longueuil faisait savoir à Bonaventure Viger, qui demeurait à Boucherville, que des officiers de police accompagnés d'un détachement de cavalerie étaient passés sur le chemin de Chambly.

Viger se rendit en toute hâte chez le capitaine Vincent, où il trouva vingt à trente hommes armés.

Vincent lui raconta ce qui s'était passé. Voyez, dit-il, comme je suis couvert de boue ; si je ne m'étais pas caché dans un fossé, la troupe m'aurait arrêté.

S'adressant ensuite aux gens réunis dans sa maison, Vincent leur conseilla de se préparer à faire le coup de feu et à passer le reste de la nuit à fondre des balles.

À la pointe du jour, un homme arrive à toute bride, et annonce que Demaray et Davignon avaient été arrêtés.

– Qu'y a-t-il à faire ? dit Vincent.

– Délivrer les prisonniers, dit Viger, et aller du côté du village attendre la troupe.

– Qui a un bon cheval ? dit Vincent.

– Moi, répondit Viger.

– Eh bien ! en avant ! arrangez les choses comme vous l'entendrez.

On se mit en marche, Viger en tête, recrutant tous ceux qu'on pouvait rencontrer sur la route.

Au village, Viger apprend qu'un détachement de réguliers était arrivé pour prêter main forte à la cavalerie, et on lui dit que le village serait mis à feu et à sang si la lutte avait lieu là.

– Eh bien ! retournons sur nos pas, dit Viger.

Ils se remirent en marche et s'arrêtèrent à deux ou trois milles de là, vis-à-vis de la ferme d'un nommé

Jos. Trudeau. Ils entrèrent dans le champ, et résolurent d'attendre la troupe en cet endroit.

Viger disposa sa petite troupe de manière à produire le plus d'effet possible; mais les préparatifs ne furent pas longs, car un nuage de poussière et un bruit de voiture et de pas de chevaux apprirent que la cavalerie arrivait.

— Suivez-moi, dit Viger à ses hommes!

La cavalerie n'était qu'à quelques pas.

— Halte! cria-t-il en même temps à la troupe; livrez-nous les prisonniers au nom du peuple.

— *Attention!* dit Ermatinger en jurant, *Go on! make ready! fire!*

— Halte! reprend Viger, livrez-nous les prisonniers.

— Pour toute réponse, la troupe tire sept ou huit coups de fusil. Viger est atteint par deux balles; l'une lui effleure la jambe, et l'autre lui coupe l'extrémité du petit doigt. Viger n'avait alors autour de lui qu'une dizaine d'hommes; il ordonne de tirer, et lui-même, ajustant celui qui était à la tête de la cavalerie, lui envoie une balle qui le frappe au genou.

Les chevaux effrayés par les coups de fusil se cabrent et s'emportent; les bureaucrates sont convaincus qu'ils ont affaire à une centaine d'hommes déterminés. Viger profite de la confusion de l'ennemi. Debout sur la clôture, il parle, crie, commande comme si partout des hommes cachés attendaient ses ordres.

En avant! dit-il, mes braves; à mort les Chouayens! Feu!

Plusieurs chevaux, atteints par les balles, partent au grand galop, toute la troupe prend la fuite.

Viger saute de la clôture dans le chemin, se jette, l'épée à la main, sur les deux chevaux qui traînaient la voiture des prisonniers, et les frappe à coups redoublés; l'un des chevaux tombe. Un vieil huissier canadien accourt avec quelques hommes de la cavalerie et tire sur les prisonniers.

– Tu n'en tueras jamais d'autres, lui crie Viger, en lui enfonçant dans la cuisse son épée qui passe à travers le corps du cheval; le cheval s'abat et tombe sur son cavalier. Pendant que le vieil huissier se tire péniblement de la mauvaise position où il se trouve, et parvient à se traîner jusque dans un four où il se cache, Viger brise les fers qui attachaient les prisonniers, fait sortir ceux-ci de voiture, et les emmène chez Vincent, où l'on célébra avec enthousiasme le premier triomphe des patriotes sur les bureaucrates.

La bataille de Saint-Denis

Le 22 novembre 1837, vers dix heures du soir, le colonel Gore partait de Sorel, à la tête de cinq compagnies de fusiliers, d'un détachement de cavalerie avec une pièce de campagne, pour aller à Saint-Charles joindre le colonel Wetherhall, disperser les patriotes et arrêter leurs chefs. Il avait avec lui le député-shérif, M. Juchereau-Duchesnay, porteur des mandats d'arrestation. Il était en marche depuis environ une demi-heure, lorsque le lieutenant Weir arriva de Montréal par la voie de terre, avec une dépêche à l'adresse du capitaine Crompton, commandant la garnison à Sorel.

Comme le capitaine Crompton était parti avec le colonel Gore, le jeune lieutenant monta dans la calèche d'un nommé Lavallée et lui donna ordre de fouetter du côté de Saint-Denis. Ayant pris une autre route que celle suivie par les troupes, il les devança et arriva, vers dix heures du matin, à Saint-Denis, où il fut fort surpris de ne pas trouver ses gens. Arrêté par des patriotes, il fut conduit auprès du Dr Nelson, répondit froidement et avec répugnance aux questions qu'on lui posa, et confirma la nouvelle de l'arrivée prochaine des troupes. Le Dr Nelson le mit sous la garde du Dr Kimber, ordonna qu'on eut pour lui tous les égards possibles, et s'occupa des préparatifs de défense. Il mit son fils Horace et son élève Dansereau à fabriquer des balles, eut une longue conversation avec MM. Papineau et O'Callaghan, qui s'étaient réfugiés chez lui depuis plusieurs jours, et monta à cheval, le matin, vers six heures, pour faire une reconnaissance sur le chemin de Saint-Ours. Le temps était si sombre qu'il faillit tomber au milieu de l'avant-garde des troupes ; il revint au grand galop, ordonna de couper les ponts, afin de retarder la marche de l'ennemi, et donna partout l'éveil.

Les cloches de l'église, sonnant à toute volée, appelèrent les patriotes au combat.

Ils accoururent de partout, ces braves, la plupart n'ayant pour armes que des faux, des fourches ou des bâtons ; troupe héroïque où l'on voyait le père avec ses fils, l'enfant à côté du vieillard. Spectacle toujours émouvant du paysan transformé par l'amour de la liberté en soldat, et se battant avec les instruments de son travail, sans s'occuper du nombre de ses ennemis et de la puissance de leurs armes.

Parmi ces braves, il y en avait peut-être une centaine qui avaient des fusils, des fusils à pierre qui rataient souvent et ne portaient pas loin. Ceux-là se barricadèrent, la plupart au deuxième étage d'une grosse maison en pierre appartenant à

Mme Saint-Germain, et située sur le chemin du roi où les troupes devaient passer; vingt-cinq à trente dans la distillerie du Dr Nelson, à quelques pas plus loin, et une dizaine dans un magasin. Ceux qui n'avaient pas de fusils se placèrent à l'abri des murs de l'église; ils avaient ordre de se ruer sur l'ennemi avec leurs faux et leurs fourches à la première occasion qui se présenterait.

Pendant ce temps-là, deux Canadiens français, faits prisonniers par l'avant-garde des réguliers, apprenaient au colonel Gore qu'il ne passerait pas à Saint-Denis sans combattre. Le colonel anglais, vieux militaire décoré à Waterloo, ne pouvant croire à tant d'audace de la part de simples paysans, donna à peine le temps à ses troupes épuisées de se reposer; il les harangua, les exhortant à prouver une fois de plus la valeur du soldat anglais, et les engageant à ne pas se laisser faire prisonniers, vu que les paysans ne leur feraient aucun quartier; et, les divisant en trois détachements, il leur donna l'ordre de marcher en avant.

L'une des colonnes se dirigea vers un bois situé à l'est du village, une autre prit le bord de la rivière, et la troisième, la principale, munie d'un canon, reçut l'ordre de continuer sa route sur le chemin royal, et de faire le siège de la maison de Mme Saint-Germain.

Dans ce moment, se passait, à quelques arpents plus loin, un événement tragique et regrettable pour l'honneur des patriotes. Le lieutenant Weir, que quatre hommes conduisaient en wagon au camp de Saint-Charles, apercevant de loin ses gens, crut qu'il pourrait les rejoindre; il se jeta en bas de la voiture et essaya de s'échapper. Ses gardiens, excités par les coups de fusil qui commençaient à se faire entendre, se jetèrent sur lui et le tuèrent à coups de sabre.

Il était alors entre neuf et dix heures du matin; il faisait froid; le temps était sombre, triste. «Un bon temps pour se battre», disaient les patriotes.

De quel côté partirent les premiers coups de fusil? Il est difficile de le dire, les récits des témoins oculaires diffèrent.

Le Dr Nelson en entrant dans la maison de Mme Saint-Germain, après une reconnaissance qu'il avait faite sur le chemin de Saint-Ours, dit aux patriotes: «Mes amis, je ne veux forcer personne à rester avec moi, mais j'espère que ceux qui resteront feront leur devoir bravement. Je n'ai rien à me reprocher dans ma conduite politique et je suis prêt à faire face à toutes les accusations qui seront légalement et justement portées contre moi, et si on me somme de me remettre entre les mains des autorités, conformément à la loi et aux usages, je me rendrai; mais je ne permettrai pas qu'on m'arrête comme un malfaiteur, qu'on me traite comme on vient de traiter Demaray et Davignon.»

Il avait à peine fini de parler, qu'un boulet abattit deux Canadiens qui se trouvaient à côté de lui: «Vous voyez, mes amis, s'écria le Dr Nelson, qu'il faut se battre; soyez fermes, visez bien, ne vous exposez pas inutilement, et que tout coup porte.»

Plusieurs témoins oculaires affirment que les premiers coups de fusil furent tirés de la maison de Mme Saint-Germain et tuèrent deux soldats qui marchaient en avant comme éclaireurs; d'autres assurent que le premier boulet ne tua personne. Une chose certaine, c'est qu'au commencement de la bataille, un boulet de canon pénétra dans le deuxième étage de la maison de Mme Saint-Germain, passant à travers les patriotes qui y étaient massés, et couvrant de sang, de morceaux de chair et de cervelle les murs et les planchers de la maison, et même les vêtements et la figure des compagnons de ces trois malheureux. Une balle tuait en même temps un nommé Minet, qui s'était montré à l'une des fenêtres.

C'était le baptême de sang de l'insurrection, baptême tragique et douloureux qui frappa d'abord de stupeur les patriotes. À ce sentiment bien naturel succédèrent bientôt cependant la colère et l'excitation de la lutte.

Les soldats anglais, certains que la lutte serait l'affaire d'un moment, le temps de lancer une dizaine de boulets et une trentaine de coups de fusil, se battaient à découvert et s'avançaient avec une insouciance dédaigneuse.

Leurs habits rouges offraient aux balles des patriotes d'excellents points de mire qu'elles ne manquèrent pas ; de la distillerie et de la maison de Mme Saint-Germain, ils reçurent une grêle de balles qui les décima ; trois canonniers furent tués l'un après l'autre, la mèche à la main, avant d'avoir pu mettre le feu à l'amorce du canon.

La trouée faite dans le mur de la maison s'élargissait, les pierres tombaient, la situation devenait dangereuse.

« Mes amis, dit Nelson, descendons, nous serons moins en danger. » Ils descendirent ; les murs épais du rez-de-chaussée leur faisaient un rempart impénétrable derrière lequel ils purent se battre à l'aise. Nelson apercevant, vis-à-vis la maison de Mme

Saint-Germain, des patriotes qui s'exposaient inutilement aux balles des soldats, envoya C.-O. Perrault, son aide-de-camp, leur dire de s'éloigner. Perrault partit aussitôt et reçut, en traversant le chemin, deux balles, dont l'une l'atteignit au talon et l'autre lui passa au travers des intestins. Nelson eut tort de choisir pour accomplir une mission aussi dangereuse, un homme de la valeur de Perrault.

À midi, les soldats anglais, jugeant à propos de se mettre à l'abri comme les patriotes, s'embusquaient derrière les clôtures, des piles de bois de corde et une grange.

Ainsi retranchés, à quelques pas de la maison de Mme Saint-Germain, ils continuèrent à tirer avec plus d'ardeur que jamais; mais chaque fois qu'un habit rouge paraissait, il recevait une balle. L'habileté des patriotes et la précision de leur tir déconcertaient les soldats.

Parmi ceux dont les balles faisaient le plus de ravages, citons les patriotes Lafloche, Bourdages, Pagé, le capitaine Blanchard, Dupont, père du présent député de Bagot, et Allaire.

Le père Laflèche, un vieux chasseur, était dans la maison de Mme Saint-Germain; quelques instants avant la bataille, il récita son chapelet; lorsqu'il aperçut les troupes, il étendit le bras de leur côté et leur cria à tue-tête: « Hue-donc ! » En un clin d'œil, une balle partait de son fusil et tuait l'un des deux éclaireurs envoyés en avant.

David Bourdages, fils du célèbre patriote, et membre de l'ancienne Chambre d'assemblée, avait à côté de lui deux jeunes gens qui chargeaient des fusils et les lui passaient; il tirait, et presque chaque coup portait. Son sang-froid et sa bravoure étaient admirables. Après avoir tiré presque sans interruption pendant deux heures, vers midi, il alluma tranquillement sa pipe, et recommença à tirer en fumant.

M. Pagé est un riche marchand de Saint-Denis, connu de vingt lieues à la ronde. Lorsqu'il partit, le matin, pour le combat, sa femme eut l'idée de lui faire une cuirasse; elle lui mit sur sa poitrine une main de papier M. Pagé doit à cette bonne idée l'avantage de vivre encore. Dans la mêlée, une balle laboura en passant de gauche à droite la main de papier qu'il avait sur la poitrine et s'arrêta à la quatorzième feuille.

Le capitaine Blanchard, ancien voltigeur de De Salaberry, faisait charger des fusils comme Bourdages, et tirait. Un autre voltigeur couché dans un sillon, à quelques pas des soldats, leur envoyait des balles meurtrières.

Le capitaine Roussford, un brave officier anglais, exprimait, un jour, dans un dîner public donné en son honneur par des citoyens de Saint-Hyacinthe, l'impression que l'habileté des patriotes avait faite sur lui à Saint-Denis.

Il était à la tête des soldats retranchés derrière la grange de Mme Saint-Germain.

Ayant vu tomber un officier, l'un de ses amis, il voulut courir à son secours; mais, comme il lui fallait s'exposer, il eut la bonne pensée de faire une expérience: il mit sa casquette à la pointe de son épée, et la présenta un instant en dehors de la grange; quand il la retira, elle avait déjà une demi-douzaine de trous de balles.

Le colonel Gore enrageait de se voir arrêté par des *paysans*, comme il les appelait; il y avait quatre ou cinq heures que la bataille durait, ses troupes étaient décimées, ses munitions s'épuisaient, et cependant le feu des patriotes était toujours aussi vif, aussi sur. Voulant en finir, il donna ordre au brave capitaine Markman de tourner la position des patriotes. C'était important ; si l'attaque eut réussi, les patriotes se seraient trouvés cernés. Mais, pour exécuter ce mouvement, il fallait passer à la portée des fusils des Canadiens retranchés dans les maisons voisines.

Par trois fois, Markman et ses hommes s'élancèrent au pas de course, par trois fois ils furent obligés de reculer ; ils tombaient drus comme des mouches.

Ils allaient réussir, dans une dernière tentative désespérée, lorsque le brave capitaine tomba, blessé sérieusement, à bas de son cheval ; ses hommes le relevèrent et retraitèrent, l'emportant dans leurs bras. Ils avaient à peine rejoint leurs camarades derrière la grange et les piles de bois, qu'ils étaient attaqués avec fureur par de nouveaux combattants.

C'étaient les patriotes de Saint-Antoine, de Saint-Ours et de Contrecœur qui arrivaient, au nombre de cent environ, au secours de leurs frères de Saint-Denis. Ils avaient traversé de Saint-Antoine à Saint-Denis en chantant. Les troupes les ayant aperçus, tirèrent sur eux avec fureur. Le passeur Roberge conduisait la principale embarcation, un bac, où s'étaient massés une vingtaine de patriotes. Un boulet de canon emporta un morceau de son bac et brisa l'aviron qu'il avait à la main. Roberge ne bougea pas : « Couchez-vous », dit-il aux patriotes ; et debout, impassible, il continua à ramer comme si de rien n'était.

Encouragés par l'arrivée de ce renfort, les patriotes redoublèrent d'ardeur, et ceux qui n'avaient pas de fusils se jetèrent comme une trombe sur les habits rouges. Attaquées de tous côtés, épuisées par la faim, les troupes lâchèrent pied et reprirent le chemin de Sorel, poursuivies par les patriotes qui leur enlevèrent leur canon et trois ou quatre prisonniers, avec lesquels ils revinrent en triomphe à Saint-Denis, à travers une population remplie d'enthousiasme. Ils avaient perdu, dans cette poursuite, un brave, un jeune homme de dix-sept ans, François Lamoureux, de Saint-Ours, qui, dans son ardeur, s'était trop rapproché des troupes. Un soldat lui avait envoyé, en se retournant, une balle dans la poitrine.

Il était tard, le soir du 23 novembre 1837, quand les braves de Saint-Denis se décidèrent à se séparer et à se reposer ; ils ne pouvaient se lasser de se raconter les incidents de la journée, et de se féliciter de la victoire qu'ils avaient remportée. La nouvelle que les patriotes avaient battu les troupes courut, comme une traînée de poudre en feu, des rives du Richelieu à celles du Saint-Laurent, faisant jaillir partout des éclairs de joie, des sentiments d'orgueil et d'espoir patriotiques. Après l'affaire du chemin de Chambly, la victoire de Saint-Denis, c'était d'un bon augure ; l'insurrection ne pouvait mieux débuter.

Les vainqueurs de Saint-Denis n'oublièrent pas, dans l'exaltation du triomphe, les braves qui avaient succombé dans la journée. Ils constatèrent que douze de leurs camarades avaient été tués ; voici leurs noms :

Chs Saint-Germain,
Pierre Minet,
Jos. Dudevoir,

J.-B. Patenaude,

Eusèbe Phaneuf,

François Lamoureux, de Saint-Denis;

L. Bourgeois,

Benjamin Durocher (père du Dr Durocher, de Montréal),

Honoré Boutillier,

A. Lusignan (grand-père de l'écrivain du même nom),

F. Mandeville, de Saint-Antoine;

C.-O. Perrault, de Montréal.

Quatre avaient été blessés grièvement.

Du côté des Anglais, il y eut une trentaine de tués et autant de blessés, dont huit furent faits prisonniers. Ces malheureux étaient bien convaincus, après ce qui avait été dit, qu'ils allaient être massacrés sans pitié par leurs vainqueurs; aussi, ils furent agréablement surpris de voir tout le monde, hommes et femmes, rivaliser à les entourer de soins. Ils furent transportés chez les demoiselles Darnicourt, et ces nobles filles, aidées de quelques amies, les traitèrent avec une délicatesse et un dévouement qui les émurent profondément.

Lorsque, huit jours après, les vaincus du 23 novembre revinrent à Saint-Denis pour venger leur défaite par le pillage et l'incendie, les demoiselles Darnicourt s'adressèrent au colonel Gore pour le prier d'épargner le village. Mais déjà les soldats et les volontaires avaient commencé à mettre partout le feu, s'acharnant spécialement aux maisons et constructions qui avaient été le théâtre de leur défaite. Cruelle et mesquine vengeance qui ajoutait l'odieux de la barbarie à l'humiliation de la défaite! Cependant, ces sauvages eurent assez de cœur pour

reconnaître un peu ce que les demoiselles Darnicourt avaient fait pour leurs blessés, en épargnant
leur maison, celle de leur voisine, Mlle Chalifou, et
une grange qui renfermait toute la récolte de la
veuve de l'infortuné Saint-Germain.

C'est à peu près tout ce qui reste encore aujour-
d'hui du village de Saint-Denis tel qu'il était en
1837 ; la vieille grange autour de laquelle on s'est
battu, est là encore pour attester, par les déchirures
et les trous que les balles lui ont faits, ce qui s'est
passé.

LA BATAILLE DE SAINT-CHARLES

Pendant que les patriotes de Saint-Denis battaient les troupes du colonel Gore, ceux de
Saint-Charles se préparaient à repousser le colonel
Wetherall, qui s'avançait de Chambly avec six
compagnies d'infanterie, deux pièces d'artillerie et
un détachement de cavalerie.

Saint-Charles, joli village situé sur la rive sud du
Richelieu, à six milles de Saint-Denis, était, en
1837, le principal foyer de l'insurrection. C'est là
que l'assemblée des six comtés avait eu lieu, et
depuis cette grande démonstration, l'effervescence
ne s'y était pas ralentie. Dans les premiers jours de
novembre, M. Debartzch, le seigneur de l'endroit,
était obligé de quitter sa maison avec sa famille et
de se réfugier à Montréal. Les patriotes lui repro-
chaient d'avoir abandonné et même trahi la cause
populaire. Ils s'étaient réunis, un soir, au nombre de
deux cents, autour de sa maison et l'avaient sommé
de s'éloigner. Lorsque le mandement de Mgr Lar-
tigue fut lu, la plupart des hommes sortirent de

l'église en maugréant. Le curé de la paroisse lui-même, M. l'abbé Blanchet, qui devint évêque de Nesqualy, était patriote et ne cachait pas ses sentiments.

Après l'émission des mandats d'arrestation du 16 novembre, les chefs patriotes se dispersèrent ; Papineau, O'Callaghan, Perrault et plusieurs autres allèrent à Saint-Denis ; T.-S. Brown, Rodolphe Desrivières et Gauvin se rendirent à Saint-Charles pour y établir un camp ; ils y trouvèrent la population bien décidée à défendre ses chefs et à empêcher, par la force des armes, qu'ils fussent arrêtés.

Brown fut nommé général, et on se mit aussitôt à l'œuvre.

Gauvin alla, à la tête d'une escouade de dix-sept hommes, prendre possession de la maison de M. Debartzch, une grosse maison de pierre située au sud du chemin et à quelques pas de la rivière. C'était l'endroit choisi pour le camp, le lieu de bataille où les patriotes devaient se battre contre les troupes. La maison fut percée de meurtrières et entourée d'un rempart d'arbres renversés, qui s'étendait depuis une colline en arrière jusqu'à la rivière.

C'était absurde.

De la colline, l'artillerie pouvait balayer le camp, et les patriotes n'avaient pas d'issue pour fuir en cas de défaite.

Le 25, vers deux heures de l'après-midi, les troupes anglaises furent signalées ; composées de trois ou quatre cents hommes bien équipés et armés, elles offraient un spectacle imposant. Le temps était froid, sec, les chemins durs ; elles s'avançaient rapidement, mettant le feu aux maisons et aux granges, à celles surtout d'où on tirait sur elles.

Les piquets que Brown avait placés de distance en distance leur envoyèrent plusieurs balles qui leur tuèrent un homme et en blessèrent un autre ; mais, à l'exception d'une dizaine de patriotes qui continuèrent à tirer en retraitant, les autres s'enfuirent rapidement vers le camp.

Les champs étaient couverts de femmes et d'enfants affolés, fuyant devant les troupes ; une femme n'ayant pas eu le temps de se sauver, fut trouvée morte après la bataille, au milieu des ruines fumantes de sa demeure Brown, voyant parmi les fuyards un certain nombre de ceux qui avaient pour armes des piques et des bâtons ordonna à Desrivières d'aller les placer à l'entrée du bois. Il donnait en même temps à Gauvin l'ordre de conduire à Saint-Hyacinthe quelques prisonniers. Lui-même, remettant le commandement à Marchessault, partait en disant qu'il allait au village chercher les patriotes qui y étaient disséminés. On prétend qu'une fois parti, il ne s'arrêta que lorsqu'il fut rendu à Saint-Denis ; mais il paraît qu'ayant parcouru le village, il reprit le chemin du camp, poussant devant lui quelques hommes mal armés. C'est alors qu'il rencontra un *habitant* qui le cherchait pour lui dire, de la part du colonel Wetherall, que si les patriotes laissaient tranquillement les troupes continuer leur route vers Saint-Denis, il ne leur serait fait aucun mal. Brown, ne sachant pas ce qui se passait, s'imagina que le général anglais devait se trouver dans un grand embarras pour lui faire une pareille proposition ; il lui écrivit qu'il laisserait les troupes passer si elles déposaient les armes. Il confia son message à un nommé Durocher, et continua à galoper vers le camp.

Il raconte que, s'étant arrêté un instant près de l'église pour voir quel usage il pourrait faire d'un ravin qui se trouvait là, trois décharges d'artillerie le forcèrent à s'écarter du chemin. Il vit que la bataille était commencée, essaya de rallier les gens qui commençaient à fuir, et s'apercevant que tout était fini, il prit le chemin de Saint-Denis.

En effet, il avait à peine quitté le camp que le colonel Wetherall, qui n'avait pas reçu de réponse à son message, arrivait, tournait les retranchements, et prenant possession de la colline qui les dominait, y plaçait son artillerie.

On dit que Wetherall prit son temps avant d'attaquer les retranchements, dans l'espoir que le déploiement de ses forces ferait réfléchir les insurgés et les déciderait à mettre bas les armes.

Mais les hommes renfermés dans le camp étaient l'élite des patriotes, des braves bien décidés à se battre. Ils étaient environ deux cents dont une centaine armés de fusils, de vieux fusils à pierre tout délabrés; les autres étaient munis de faux, de bâtons et de piques. Deux vieux canons rouillés avaient été transportés dans les retranchements, mais ils ne furent d'aucun service: l'un ne rendit pas sa charge, et l'autre ne partit qu'une fois.

Que pouvait faire cette poignée d'hommes mal armés, sans chefs, contre des forces si imposantes? Cependant, ces hommes, comme ceux de Saint-Denis avaient résolu de se battre, rien ne pouvait les en empêcher. La nouvelle de la victoire de Saint-Denis avait achevé de leur monter la tête, de les enthousiasmer; ils voulaient en faire autant.

Le colonel Wetherall donna le signal de l'attaque; la lutte commença. Les premières décharges des patriotes jetèrent le désordre parmi les troupes, qui ne s'attendaient pas à un feu aussi vif et aussi nourri. Des témoins oculaires prétendent qu'une trentaine de soldats furent tués ou blessés en quelques instants. Tant que les retranchements tinrent bon, la victoire sembla indécise ; mais ils s'écroulèrent sous les coups répétés de l'artillerie, et le colonel Wetherall donna l'ordre de charger à la baïonnette. Ce fut alors une véritable boucherie. Quelques-uns des patriotes parvinrent à s'échapper ; la plupart soutinrent la charge avec héroïsme ; n'ayant plus de munitions, ils se battaient à coups de crosse de fusil. Parmi ceux-là, on remarquait M. Amiot, député de Verchères, Augustin Papineau, de Saint-Hyacinthe, Amable et J.-Bte Hébert, qui furent tués tous deux en se battant comme des lions. Siméon Marchessault put échapper en lançant son cheval par-dessus les retranchements, et reçut une balle qui alla se loger dans la poche de son habit.

Antoine Maynard conserva la vie en faisant le mort ; les soldats le trouvèrent étendu sur la terre près des remparts ; voulant s'assurer s'il était bien mort, ils lui tirèrent un coup de fusil dans le poignet et le lardèrent avec leurs baïonnettes à divers endroits du corps. Maynard était fortement trempé, il ne bougea pas, et, aussitôt les soldats partis, il se traîna jusqu'à la rivière et traversa à Saint-Marc.

On a beaucoup exagéré le nombre des patriotes tués à Saint-Charles ; on l'a porté jusqu'à cent et cent cinquante, mais des témoins oculaires le fixent à trente ou trente-deux, et ils disent à l'appui de leur opinion que les gens de Saint-Charles ayant obtenu le droit de réclamer les corps des patriotes tués et de les enterrer, on n'en trouva que vingt-quatre sur le champ de bataille, et trois autres plus tard sous les décombres d'une maison. On prétend, il est vrai, qu'il y en eut beaucoup de jetés à la rivière; mais, tout considéré, il parait certain qu'on ne peut porter à au-delà de quarante le nombre des morts. Ajoutons à cela une trentaine de blessés et autant de prisonniers.

Du côté des troupes, les rapports officiels constatent *trois tués*, *dix blessés sérieusement* et *huit blessés légèrement*. Cependant, des témoins oculaires s'accordent à affirmer emphatiquement que les premières décharges seules des patriotes abattirent une quarantaine de soldats. Ce qui prouve qu'il y a eu exagération des deux côtés.

Après avoir brûlé le camp et tout ce qu'il contenait, ainsi que quatre ou cinq maisons voisines, les troupes entrèrent avec leurs chevaux dans l'église de Saint-Charles où elles passèrent la nuit. Le lieu saint fut livré à toutes sortes de profanations qu'il est inutile de décrire.

Après Saint-Denis, Saint-Charles! Après l'exaltation de la victoire, la désolation de la défaite! En deux jours, quel changement! Au loin, on apprenait en même temps le glorieux début et la triste fin de l'insurrection sur les bords du Richelieu.

Comme les événements, la plupart du temps, tiennent à peu de chose, au hasard, à un simple accident! Si les courriers envoyés par sir John Colborne de Montréal au colonel Wetherall pour lui dire de retraiter immédiatement sur Montréal, n'avaient pas été arrêtés par des patriotes, à quelques milles du village de Saint-Charles, la bataille du 25 novembre n'aurait pas eu lieu; les paroisses du Sud, électrisées par la victoire de Saint-Denis, se seraient levées, les armes qu'on attendait des États-Unis seraient peut-être arrivées, et qui sait ce qui serait advenu ? L'Angleterre ne pouvant envoyer de nouvelles troupes avant le printemps, les patriotes auraient été maîtres jusqu'alors de la situation. Et qui dit que, dans l'intervalle, ils n'auraient pas obtenu de l'aide des États-Unis ?

Il n'y a pas de doute que c'était là l'espoir des chefs patriotes, et il faut en tenir compte pour s'expliquer ce qui s'est passé.

BATAILLE DE MOORE'S CORNER

Après le désastre de Saint-Charles, Côté, Rodier Duvernay, Bouchette, le Dr Beaudrault, le Dr Kimber et plusieurs autres, se dirigeant vers Swanton, rencontrèrent, sur la baie de Missisquoi, Papineau et O'Callaghan. On délibéra sur la situation et on fut d'opinion qu'il fallait lutter tant que le Nord ne serait pas soumis, et organiser sur le sol américain, une expédition.

Un homme se chargea de retourner au Canada pour enrôler des patriotes, pendant que ceux de Swanton et des environs feraient des préparatifs. Cet homme était un riche cultivateur de Saint-Valentin ; on l'appelait « Gagnon l'habitant ». Son patriotisme, son intelligence et son courage étaient connus de tout le monde. Son offre fut acceptée ; il parcourut les villages canadiens situés près de la frontière, et ranima tellement le courage et les espérances de ses compatriotes, qu'il se trouvait, au bout de quelques jours, à la tête d'une cinquantaine de braves.

Il part à la tête de cette vaillante cohorte, traverse à la Pointe-à-la-Mule à la faveur de la nuit, et se dirige vers la frontière. Trois corps de gardes lui barrent le chemin ; il leur échappe par la ruse et l'audace. À un certain endroit, une sentinelle le couche en joue ; il lui enlève son fusil, le brise et lui en jette les morceaux à la figure. La troupe arrive à Swanton, où elle est accueillie avec enthousiasme par les Canadiens réfugiés et par les Américains, qui faisaient en cet endroit tout ce qu'ils pouvaient pour aider l'insurrection. Jusqu'aux dames américaines qui, s'étant mises de la partie, avaient fait des souscriptions, organisé des démonstrations en faveur des insurgés, distribué même des drapeaux qu'elles avaient fabriqués et brodés de leurs propres mains. Il n'en fallait pas plus pour porter jusqu'à son comble l'enthousiasme chez des hommes déjà si bien disposés.

L'armée d'invasion se compta ; elle se composait de 70 à 80 hommes. Papineau avait dit à ces patriotes qu'ils trouveraient à Saint-Césaire un camp considérable, sous le commandement de Nelson, le vainqueur de Saint-Denis.

Malhiot, un brave et hardi jeune homme, joli et grand garçon, qui venait de Saint-Pierre-les-Becquets, fut nommé général ; Gagnon agissait comme son aide de camp, et les autres officiers étaient : Bouchette, Duvernay, Rodier et Beaudreault.

Bouchette avait le commandement de l'avantgarde, qui se composait de 10 hommes. Les patriotes avaient deux canons. Le 6, ils franchirent la frontière sans être molestés et prirent le chemin du Canada. À trois quarts de mille environ de la frontière, à Moore's Corner, près de l'endroit où les chemins de Swanton et de Saint-Armand se croisent, ils aperçurent, rangés en ordre de bataille, sur une éminence, quatre cents volontaires qui les attendaient.

La lutte était impossible, mais les patriotes ne voulurent pas reculer sans avoir combattu. Les volontaires avaient l'avantage du nombre, de l'armement et surtout de la position ; ils tiraient à bout portant sur les patriotes, qui étaient obligés de s'approcher et de s'exposer pour les atteindre. Les insurgés se battirent avec courage pendant quelque temps, mais ils s'aperçurent bientôt que la lutte était ridicule, et, pour ne pas être cernés, ils reprirent le chemin des États-Unis.

Julien Gagnon, au premier rang tout le temps, reçut deux blessures ; il put fuir en s'appuyant sur les bras de deux amis. Un jeune Patenaude, cousin de M. Bourassa, député de Saint-Jean, fut tué ; un nommé Constant Cartier fut blessé. M. Bouchette, qui avait reçu une balle à travers le pied, fut fait prisonnier dans la maison de M. Moore, où on l'avait transporté.

Les patriotes réfugiés aux États-Unis furent sensibles à cet échec, qui permettait aux autorités militaires de concentrer toutes leurs forces dans le Nord. En effet, quelques jours après, avaient lieu la bataille de Saint-Eustache et le sac de Saint-Benoît.

SAINT-EUSTACHE – CHÉNIER

Les deux principaux foyers de l'insurrection dans le Nord en 1837 furent Saint-Benoît et Saint-Eustache. Les habitants de ces deux paroisses avaient pour les stimuler l'exemple d'hommes dont la position, le jugement et le patriotisme leur inspiraient la plus grande confiance. C'étaient, à Saint-Benoît, les Girouard, les Dumouchel, les deux Masson, et le curé de la paroisse, M. Chartier dont les paroles enthousiastes remuaient profondément les esprits.

À Saint-Eustache, c'était Chénier.

Il y en avait d'autres, mais Chénier était l'âme du mouvement et son influence se faisait sentir dans toutes les parties du comté des Deux-Montagnes. N'oublions pas les Scott, les Féré, les Barcelo. Nulle part les assemblées publiques n'avaient été plus enthousiastes.

Pendant que les Papineau, les Perrault, les Gauvin, les Brown et les Desrivières se dirigeaient vers la rivière Chambly pour échapper aux poursuites, de Lorimier, Ferréol Peltier, Papineau de Saint-Martin, et plusieurs autres se rendaient dans le comté des Deux-Montagnes. Ils étaient accueillis à bras ouverts à Saint-Eustache, par le Dr Chénier, et le récit enflammé qu'ils faisaient de ce qui se passait à Montréal portait au comble l'exaspération des esprits.

Girod arriva ; il se disait envoyé par Papineau pour organiser le Nord et le mettre en état de défendre, comme le Sud, ses droits, sa liberté, ses chefs. Alors se formèrent les camps de Saint-Eustache et de Saint-Benoît, dans le but de tenir tête aux volontaires de Saint-André, de Gore et de Chatham, et d'empêcher l'arrestation des chefs patriotes.

Le 6 novembre, on afficha dans le comté des Deux-Montagnes une proclamation de lord Gosford, offrant \$2,000 de récompense pour l'arrestation du Dr Chénier. Mais, au lieu de se laisser tenter par les récompenses offertes à la trahison, les patriotes du comté des Deux-Montagnes accoururent de toutes parts autour du Dr Chénier pour s'opposer à son arrestation. Pendant plusieurs jours, il y eut de mille à quinze cents hommes dans le camp de Saint-Eustache.

Girod fut nommé commandant en chef, malgré l'opposition de quelques patriotes, qui voulaient que ce fut Chénier. Mais l'expérience militaire que prétendait avoir Girod, et les conseils de Chénier lui-même, déterminèrent ce choix malheureux.

Chénier prit le titre de colonel.

Il se multiplia et déploya la plus grande activité pendant les jours qui précédèrent la bataille. Ce n'était pas chose facile que de loger, nourrir et satisfaire tant d'hommes, de fortifier leur courage et leur confiance. Un grand nombre, ne pouvant se procurer d'armes, s'en retournèrent dans leurs familles ; beaucoup cédèrent aux conseils de M. Paquin, curé de Saint-Eustache, et de M. Desève, son vicaire, qui les convainquirent que la résistance aux troupes serait inutile et désastreuse.

Ces deux prêtres essayèrent plusieurs fois d'engager Chénier lui-même à renoncer à ses projets, mais tout fut inutile. Un dimanche après-midi, le 3 décembre, M. Turcotte, curé de Sainte-Rose, qui allait d'un camp à l'autre, apporta à M. Paquin la nouvelle que les patriotes avaient été battus à Saint-Charles. Croyant que cette nouvelle aurait l'effet désiré, M. l'abbé Turcotte et le curé de Saint-Eustache firent mander le Dr Chénier au presbytère, lui racontèrent ce qu'ils savaient et tachèrent de le convaincre que tout était perdu. M. W. Scott, M. Neil Scott et M. Eméry Féré, qui étaient présents, joignirent leurs instances à celle des trois prêtres, pour le décider à écouter les conseils qu'on lui donnait. Chénier répondit que les nouvelles apportées par M. Turcotte étaient fausses. «Dans tous les cas, dit-il, je suis décidé à mourir les armes à la main, plutôt que de me rendre. La crainte de la mort ne changera pas ma résolution. Autant vaudrait essayer de calmer la mer en fureur que de m'arrêter.»

M. Paquin rapporte, néanmoins, que plusieurs fois, pendant la conversation, Chénier parut ému, qu'on vit même les larmes couler sur ses joues.

Plus le moment fatal approchait, plus Chénier devenait grave et pensif. Il était brave, il ne craignait pas la mort, mais la bravoure ne détruit pas le sentiment; au contraire, les soldats les plus intrépides sont souvent les hommes les plus sensibles. Or, Chénier avait une femme et un enfant que sa mort devait laisser sans ressources. À trente et un ans, dans toute la sève et la force de la jeunesse, on ne songe pas sans tristesse à quitter la vie, à se séparer de ceux qu'on aime. Il n'y a pas de doute qu'il pensait aussi au sort des braves qui le suivaient. Il savait que la victoire coûterait cher et que la défaite serait la ruine et la mort d'un grand nombre de ses compatriotes.

Mais le Dr Chénier avait résolu, comme Nelson, de ne pas se laisser arrêter sans résistance, et le succès des patriotes de Saint-Denis avait naturellement affermi sa résolution. Persuadé que toutes les révolutions demandent, dans le commencement, des sacrifices et des actes d'énergie, d'audace même, il crut que tout le Nord se soulèverait en masse, si les troupes anglaises étaient battues à Saint-Eustache. La nouvelle de la défaite de Saint-Charles ne le découragea pas; il n'y crut qu'à demi, et, d'ailleurs, c'était un de ces hommes de fer que rien n'arrête, que rien ne détourne de leur but.

Le 13, M. Chartier, curé de Saint-Benoît, vint visiter les patriotes au camp de Saint-Eustache, et les encouragea à marcher courageusement dans la voie où ils étaient entrés. Girod prit aussi la parole avec une énergie qu'il aurait dû déployer sur le champ de bataille.

Le 14, l'alarme fut donnée; on sonna le tocsin, et les patriotes se préparèrent au combat. Deux mille hommes d'infanterie, avec neuf pièces d'artillerie, cent vingt hommes de cavalerie et une compagnie de volontaires de quatre-vingts hommes, sous le commandement du capitaine Maxime Globenski, arrivaient à Saint-Eustache.

La compagnie du capt. Globenski ayant fait, la première, son apparition à Sainte-Rose, vis-à-vis de Saint-Eustache, les patriotes crurent que c'était la seule force qu'ils auraient à combattre. Cent cinquante hommes partirent, sous le commandement de Chénier, pour la déloger. Ils s'élancèrent sur la glace, mais ils avaient à peine franchi la moitié de la rivière, qu'ils recevaient, par derrière, une décharge à mitraille. Ils furent stupéfiés quand ils aperçurent, en se retournant, les deux mille hommes de Colborne qui s'avançaient sur le côté nord de la rivière. À cette vue, la plupart perdirent courage et s'enfuirent dans toutes les directions à travers la mitraille qui en blessa plusieurs. Chénier eut de la peine à retourner avec les plus braves au village. Bientôt, les boulets commencèrent à tomber dans le village. Pendant que les patriotes se retranchaient dans le presbytère, le couvent, l'église et quelques-unes des maisons avoisinantes, leur général, le vantard Girod, s'enfuyait, à course de cheval, du côté de Saint-Benoît.

À ce moment, il ne restait plus, pour lutter contre les deux mille soldats de Colborne, que cinq ou six cents hommes, dont la moitié à peu près avaient de bons fusils ; les autres étaient armés de bâtons, de faux ou de pieux. Sur deux cents cinquante hommes enfermés dans l'église avec Chénier, soixante à quatre-vingts seulement avaient des fusils.

– Qu'allons-nous faire ici, dirent quelques-uns de ces braves à Chénier, nous n'avons pas d'armes ?

– Soyez tranquilles, leur répondit-il gravement, il y en aura de tués, vous prendrez leurs fusils.

Paroles héroïques qui méritent d'être conservées !

Chénier avait le calme énergique des martyrs ou des héros en face de la mort. Il commandait, et il y avait dans son regard, dans sa voix, dans ses gestes, une telle détermination, qu'on lui obéissait machinalement.

Pendant que les boulets de Colborne ébranlaient les mûrs des édifices où les patriotes étaient renfermés, la cavalerie et l'infanterie cernaient le village et s'emparaient de toutes les issues. À la vue de ce cercle de fer et d'acier qui se resserrait sur eux, Chénier et ses hommes virent bien que tout était perdu ; un bon nombre se hâtèrent de s'enfuir, mais les plus braves ne songèrent plus qu'à vendre chèrement leur vie.

Ceux qui étaient dans la maison de M. Scott forcèrent un détachement d'artillerie à retraiter. Ce fut la seule fois pendant la canonnade que les troupes anglaises s'exposèrent aux balles des insurgés. Enfin, le signal de l'assaut fut donné et on fit feu de tous côtés en s'avançant sur les édifices occupés par les patriotes. Ceux-ci répondirent vigoureusement pendant quelque temps; mais leurs balles se perdirent et ils furent bientôt enveloppés dans un nuage de fumée entre les murs qui croulaient, au milieu d'une grêle de balles qui leur arrivait de partout.

Les troupes s'étant emparées du presbytère, un poêle qui se trouvait au milieu de la grande salle fut renversé; le feu prit et, dans un instant, tout fut en flammes. Chénier et ses hommes continuaient de se défendre avec plus d'énergie que d'effet, tirant plus ou moins au hasard du clocher et des fenêtres de l'église.

On peut se faire une idée de ce que ces pauvres gens devaient éprouver. Ils avaient vu s'écrouler au milieu des flammes tous les édifices où leurs compatriotes se défendaient; ils avaient entendu les cris des blessés et des mourants; ils avaient vu dévorer par les flammes ceux que les balles ou les baïonnettes avaient épargnés. Entourés de tous côtés, ils savaient bien que le même sort les attendait. Plusieurs voulurent s'enfuir en se jetant par les fenêtres du côté de la rivière, mais la plupart furent tués en sautant. Bientôt il ne resta plus autour du Dr Chénier qu'une poignée de braves qui, imitant l'héroïsme de leur chef, se battaient en désespérés.

Le feu était à l'église et les flammes se propageaient avec rapidité.

Chénier se décida à sortir. Il fit appel à ses gens et leur dit de le suivre, qu'il fallait essayer de passer au travers de l'ennemi. Il sauta avec eux par les fenêtres du côté du couvent, et s'élança, son fusil à la main, vers la porte du cimetière. Une balle le jeta par terre ; il se releva sur un genou, fit feu sur les

Anglais, et reçut une autre balle en pleine poitrine, au moment où il essayait de recharger son fusil. Le brave Chénier tomba pour ne plus se relever.

Soixante-dix patriotes périrent par le fer et le feu, la plus grande partie du village fut consumée. Du côté des troupes, il n'y eut que trois hommes tués et quelques blessés. Des bandes de soldats et de volontaires parcoururent le village et couronnèrent leur victoire par le vol et le pillage ; ils fouillèrent les morts et volèrent jusqu'aux vases sacrés.

Parmi ceux qui se distinguèrent pendant la bataille, l'histoire doit mentionner Guitard, Deslauriers et Major, qui combattirent jusqu'au dernier moment à côté de Chénier.

Charles Forget, Étienne Forget et Jean-Baptiste Forget, de Saint-Janvier, furent tués tous les trois. Ils étaient partis, la veille du combat, avec deux Montigny, Régis Desjardins, Charles Maurice et Vannier. Rendus à Saint-Eustache, ils s'enfermèrent, à l'arrivée des troupes, les uns dans l'église, sous le commandement de Chénier, les autres dans le presbytère. Charles Forget commandait les patriotes retranchés dans le presbytère et se battit toute la journée avec le plus grand courage.

Lorsque le presbytère fut tout en flammes, Forget sortit avec ses braves au milieu des balles. Le fameux Porteous, qui était à la tête d'une compagnie de volontaires, l'ayant aperçu, lui cria :

— Forget, qu'êtes-vous venu faire ici ?

— Me battre pour mon pays, répondit Forget.

Là-dessus, un volontaire tira sur lui et la balle passa à travers la tuque bleue du père Forget. Celui-ci tira à son tour et le volontaire tomba pour ne plus se relever ; mais, presqu'en même temps, le vieux patriote recevait une balle en pleine poitrine et expirait, quelques heures après, en prononçant les paroles suivantes: «Je meurs pour ma patrie.»

Il faut voir dans l'affaire de Saint-Eustache une protestation plutôt qu'un combat. On y trouve plus de courage et d'héroïsme que d'habileté. Avec cinq cents hommes déterminés, Chénier aurait pu tenir tête aux troupes envoyées pour l'arrêter. Il aurait été si facile de surprendre les troupes sur le chemin, de briser la glace sous leurs pieds, ou bien encore de faire en face de l'église de Saint-Eustache des terrassements qui, joints aux maison avoisinantes, auraient formé un système de défense formidable.

Mais n'oublions pas que les conseils du curé et du vicaire de la paroisse et l'exemple de quelques-uns des chefs avaient réduit le nombre des patriotes à une poignée d'hommes, que Chénier, improvisé général au dernier moment, lorsque le canon déjà se faisait entendre, eut à peine le temps de se renfermer dans l'église avec les braves restés autour de lui pour partager son sort.

Plus on critique la conduite de ces braves gens au point de vue de l'art militaire et même des plus simples règles de la prudence, plus on doit au moins rendre hommage à leur valeur, à leur indomptable énergie. Aussi, Saint-Eustache sera toujours un lieu sacré pour ceux qui croient que le mérite des actions n'est pas dans le succès, mais dans la sincérité des motifs, la noblesse des convictions et la grandeur du dévouement.

L'étranger lui-même ne peut passer devant la vieille église qui fut le théâtre de la lutte que nous venons de raconter sans s'arrêter, sans contempler avec respect les cicatrices des blessures que les boulets de Colborne lui ont faites en 1837. L'indifférent veut voir l'endroit où Chénier est tombé. Comment les Canadiens français pourraient-ils jamais oublier de mentionner parmi les souvenirs qui honorent leur nationalité Saint-Eustache et Chénier?

SAINT-BENOÎT ET M. GIROUARD

Lorsqu'il ne resta presque plus rien à brûler à Saint-Eustache, les soldats et les volontaires prirent la route de Saint-Benoît, magnifique village situé à quelques milles plus au nord. On croyait que c'était là que se trouvait le principal camp retranché des patriotes et que la résistance y serait plus sérieuse. Mais après la défaite de Saint-Eustache, la lutte n'était plus possible. Laissons M. Girouard raconter les tristes choses qui se passèrent à Saint-Benoît. Personne n'osera jamais mettre en doute la vérité de ses assertions et la sincérité de ses opinions. Il était en prison, lorsqu'il écrivit à son digne ami, M. Morin, la lettre qui suit:

« Nouvelle prison
« Montréal, 28 avril 1838

« Il avait été décrété par les autorités que les forces considérables qui composaient l'expédition préparée contre les Canadiens du comté des Deux-Montagnes n'étaient pas destinées seulement à s'emparer des chefs de la prétendue révolte ou rébellion, mais bien à détruire de fond en comble, s'il était possible, le patriotisme dans le comté, en portant le fer, le feu et le pillage chez tous nos braves bonnets-bleus. Aussi, se garda-t-on bien de faire aucune sommation préalable; c'eut été donner aux chefs patriotes l'occasion de prévenir d'aussi grandes calamités.

«Que faisaient alors les bons patriotes de Saint-Benoît, qui, comme je vous l'ai dit, n'avaient pas quitté leurs postes, menacés qu'ils étaient à tout moment d'une attaque du côté de Saint-Andrew? À l'exception d'un seul, personne de Saint-Benoît que je sache n'était allé à Saint-Eustache et ne se trouva au feu. Il en fut de même à Saint-Hermas et dans plusieurs des concessions de Sainte-Scholastique. Ils se tenaient donc tous sur leurs gardes et se préparaient à combattre vaillamment ceux qui viendraient les attaquer, lorsque leur parvint la nouvelle des désastres de Saint-Eustache, et en même temps de la marche des troupes et de tous les habitants de Saint-Andrew, Chatham, Grenville et surtout du Gore, au nombre de plus de deux mille hommes, se dirigeant simultanément sur Saint-Benoît par Saint-Andrew, tandis que les victorieux de Saint-Eustache allaient nous tomber sur les bras de l'autre côté.

«Il n'y avait pas de temps à perdre. J'étais à visiter nos postes, quand on vint nous dire que tout était perdu à Saint-Eustache, et que Girod était rendu chez moi. Je pris le parti qui me parut le plus sage en engageant les habitants à se retirer chez eux, et à demeurer tranquilles après avoir fait disparaître leurs armes et leurs munitions. Et en effet, à quoi aurait servi une défense aussi inutile qu'elle eut été sanguinaire et désastreuse dans ses suites? Protégés par nos ouvrages de défense, et quelque bien préparés et résolus que nous fussions, nous aurions sans doute fait périr un très grand nombre d'ennemis, mais à la fin, il eut fallu succomber et céder au grand nombre et à des forces supérieures, pressés que nous eussions été entre deux feux par l'armée de Saint-Eustache et celle venant de Saint-Andrew. Remarquez ensuite que, par suite de la prise de Saint-Eustache, Saint-Benoît se trouvait nécessairement réduit à ses seules forces pour soutenir une double attaque, sans pouvoir espérer aucun secours des étrangers. Je vis, en ce moment, de nos braves, les larmes aux yeux et la rage dans le cœur, protester qu'ils voulaient combattre en désespérés, parce que, disaient-ils, l'ennemi n'en ferait pas moins parmi nous les ravages commis à Saint-Eustache. J'eus beaucoup de peine à leur persuader que ce serait un parti plus téméraire que sage d'entreprendre de défendre nos postes ; que la raison et l'humanité devaient nous engager à essayer d'éviter une ruine totale et l'effusion de sang ; qu'enfin, je ne voyais pas comment sir John Colborne pourrait ordonner ou permettre de mettre le feu et de piller, ni même souffrir que l'on fît le moindre mal à une population qui ne lui offrirait aucune résistance. Combien je me trompais !

« La première personne que je vis en arrivant au village de Saint-Benoît fut Girod. Je lui adressai quelques reproches sanglants, et je lui conseillai d'éviter, non l'ennemi qu'il avait lâchement fui en sacrifiant nos braves, mais l'effet d'un juste ressentiment de la part de ceux qu'il avait ainsi exposés. Il fondit devant moi, et je ne le revis plus.

« Vous savez qu'elle a été sa fin malheureuse ; atteint par ceux qui le poursuivaient pour le faire prisonnier, il se fit sauter la cervelle d'un coup de pistolet pour éviter les suites d'une double vengeance.

« Tout était en confusion lorsque j'arrivai. Je trouvai ma maison remplie des principaux citoyens qui m'engagèrent à chercher sans délai mon salut dans la fuite. Je voulus que madame Girouard restât chez elle, lui faisant entendre qu'assurément l'invasion étant conduite par des officiers de haut rang qui avaient une réputation et un honneur à conserver, il ne lui serait point fait de mal, et que l'on respecterait chez moi les papiers publics dont j'étais le dépositaire. Elle n'y voulut point consentir, et force me fut de vider ma maison. Il fallut, en un instant tout empaqueter. Je choisis comme lieu le plus sûr la vieille maison inhabitée de Richer, voisine de ma terre, à environ neuf arpents derrière le village. Là furent transportés mes minutes, mes livres et tous mes autres papiers, sans oublier mes nombreux papiers, notes et documents historiques, et surtout, l'histoire du Canada, par feu le Dr Labrie, le tout bien renfermé dans des coffres et des valises. Après avoir donné quelques ordres et fait les recommandations que je crus nécessaires dans une circonstance aussi pénible, je joignis mes amis, nous nous embrassâmes, et chacun prit son parti comme il put. Cependant, je fus sur le point de prendre la résolution de rester chez moi, dans l'espoir que je pourrais peut-être prévenir de grands malheurs en me jetant entre le vainqueur et mes braves bonnets-bleus, mais il se faisait déjà tard ; les moments étaient précieux, et il fallut céder aux pressantes sollicitations de ceux qui m'entouraient et qui craignaient, avec raison, que si je tombais entre les mains de l'ennemi, je ne fusse mis en pièces au premier moment. Je pris donc ma route par les Éboulis.

« Je n'ai voulu jusqu'à présent vous parler de moi, mon sensible ami, qu'en autant que cela a été indispensable pour vous mettre au fait des événements. Je passerai donc sous silence les aventures de mon voyage, mes pertes et mes souffrances individuelles. De grandes calamités doivent faire taire les plaintes particulières. C'est sur les malheurs de la patrie que nous devons verser des pleurs. Sans doute, un ami et un bon ami comme vous, y trouverait de l'intérêt, mais je ne veux point interrompre ma narration, non que mes barbouillages soient faits avec ordre et sur un plan convenable, comme vous vous en apercevrez bien en les lisant; ce que je veux dire, c'est que j'ai voulu entrer le moins possible dans les petits détails qui ne se rattachent pas directement aux grands événements, quoiqu'ils en dépendent. Je crains beaucoup que vous ne me trouviez déjà trop long. Je suivrai le plan que je me suis proposé en vous écrivant les tristes événements qui se sont passés dans mon comté et dont je vais vous continuer le récit.

« Les troupes stationnées à Carillon avec les volontaires et loyaux d'Argenteuil, Chatham, Grenville et les orangistes de Gore, tous, ou au moins la plupart armés et ammunitionnés par le gouvernement, se divisèrent en deux bandes pour donner sur Saint-Benoît. Le même soir de mon départ de chez moi, une partie de l'expédition bivouaqua dans la baie de Carillon pour déboucher par les Éboulis, et j'aperçus leurs feux de l'endroit où j'étais arrêté; l'autre partie chemina par la rivière Rouge et Saint-Hermas.

« Le lendemain matin, vendredi 15 décembre, les ennemis ne tardèrent pas à entrer dans les Éboulis le long du lac des Deux-Montagnes. Ils parcoururent lentement cette côte, s'arrêtant aux maisons marquées de proscription pour y commettre toutes sortes de brigandages, pillant tout ce qu'ils trouvaient sous leurs mains. Tous y prirent part, le ministre Abbott fit sa provision de dindes et autres choses, et M. Forbes que vous connaissez, se chargea de butin. Arrivés à la belle maison de pierre du capitaine Mongrain, d'où sa dame s'était sauvée avec ses enfants, ils pillèrent cette maison et y mirent le feu. J'étais a quelques arpents de là dans le petit bois qui se trouve non loin du chemin, et je pus voir de mes propres yeux toutes ces horreurs. Je les vis, ces sauvages, danser, gambader et jouer de la trompette devant la maison en jetant des cris féroces. Ils mirent ensuite le feu à la grange du capitaine Mongrain et à la maison voisine appartenant à la veuve Laframboise, près de la terre du père Payen que vous connaissez, et ils prirent le chemin de Saint-Étienne.

« Il me serait impossible de vous peindre la désolation que cette marche et les scènes barbares dont elle était accompagnée, répandirent dans les familles. Je fus obligé de passer une partie de la même nuit dans une maison nouvellement bâtie dans le fond de la grande anse des Éboulis. Cette maison était entièrement remplie de femmes et d'enfants qui s'y étaient réfugiés avec quelques couvertures soustraites aux envahisseurs. Un grand nombre de jeunes filles se réfugièrent dans la maison de ferme du séminaire à la Pointe-des-Anglais, pour se soustraire aux poursuites et à la brutalité des loyaux et des soldats. J'aurai peut-être occasion de vous raconter plus au long ce qui se passa dans la maison où j'étais, les larmes et les angoisses dont je fus témoin. Oh! que je passai de pénibles moments!

Que de douleurs et de chagrins, mais en même temps que de fermeté, de courage et de grandeur d'âme chez nos femmes canadiennes! Ah! s'il m'était jamais donné d'aller quelque jour à Saint-Benoît, oui, je veux rassembler toutes ces généreuses patriotes pour leur témoigner ma reconnaissance; elles qui m'entourèrent des soins les plus touchants et refusèrent l'or qu'on leur offrait à pleines mains pour découvrir ma retraite.

« Le même jour au soir arriva à Saint-Benoît sir John Colborne, à la tête de toute l'expédition de Montréal; il y fut rejoint par les troupes et les loyaux venus par Saint-Andrew et Saint-Hermas. Le jour suivant, il se trouva à Saint-Benoît entre cinq à six mille hommes. Son Excellence et plusieurs des gens de sa suite couchèrent dans ma maison.

« Un fait à remarquer avant d'aller plus loin, c'est que, peu après son départ de Saint-Eustache, sir John Colborne avait reçu une députation d'habitants de Saint-Benoît pour l'informer qu'ils n'avaient aucune résistance à lui opposer, et le prier d'épargner les personnes et les propriétés. M. James Brown parut comme entremetteur, et, d'après ce qu'il a rapporté lui-même, ou ce que l'on m'a dit, il ne devait être commis aucun acte de violence à Saint-Benoît non plus qu'à Saint-Hermas et à Sainte-Scholastique. C'est à M. Dumouchel même que M. Brown a communiqué ceci avec d'autres choses que je ne puis rapporter ici.

« Quoi qu'il en soit, l'on fit rassembler dans ma cour, qui est très large, comme vous savez, un nombre considérable d'habitants; ils y furent mis en rang, et l'on braqua sur eux deux canons par la porte-cochère, en leur disant qu'on allait les exterminer en peu de minutes. Il n'est point d'injures et d'outrages dont on ne les accabla, et de menaces qu'on ne leur fit pour les intimider et les forcer à déclarer la retraite de tous ceux que l'on appelait leurs chefs. Aucun d'eux ne put ou ne voulut donner le moindre indice, et les indignités que les officiers leur firent endurer furent en pure perte. Des officiers avaient appris que Paul Brazeau m'avait conduit jusqu'aux Éboulis. Ils le mirent pour ainsi dire à la question pour le forcer à indiquer ma retraite. Ils lui mirent le pistolet sur la gorge le firent plusieurs fois étendre sur un billot en menaçant de lui couper la tête, mais le généreux patriote resta ferme et nos barbares en furent pour leurs violences. Je ne sais pourquoi ils firent prendre les noms de tous ceux que l'on fit rassembler chez moi et qui furent ensuite congédiés.

« Alors commencèrent des scènes de dévastation et de destruction comme on n'en vit jamais de plus atroces, le meurtre seul excepté, dans une ville prise d'assaut et livrée au pillage après un long et pénible siège. Ayant complètement pillé le village, l'ennemi y mit le feu et le réduisit d'un bout à l'autre en un monceau de cendres. Il se dirigea ensuite de divers côtés, pillant et brûlant sur son passage toutes nos concessions de Saint-Benoît. À Saint-Hermas, il eut un nombre considérables d'animaux et d'effets emportés, la superbe maison et les dépendances du capitaine Laurent Aubry furent incendiées, et l'église de cette paroisse ne fut sauvée, dit-on, que par l'entremise du curé. À Sainte-Scholastique, la maison et la grange de M. Barcelo et une bonne partie de la côte Saint-Joachim devinrent la proie des pillards et de la flamme. L'ennemi continua ses dévastations dans plusieurs autres concessions, et surtout dans la côte Saint-Louis, et porta le feu jusque dans le village de Sainte-Scholastique, où l'église et la majeure partie des maisons ne furent sauvées que par la conduite ferme de Messire Bonin, curé du lieu.

« Il n'en fut pas de même à Saint-Benoît. L'église et le presbytère ne furent pas épargnés et furent consumés par les flammes avec toutes leurs dépendances. Avant de mettre le feu à l'église, les soldats y étaient entrés et y avaient commis des profanations de toutes sortes. Ils n'y mirent pas leurs chevaux comme en celle de Saint-Charles, mais les uns montèrent sur l'autel pour briser les reliquaires, les autres s'emparer des vases sacrés et les firent servir à satisfaire leurs besoins naturels, après avoir percé, déchiré et foulé les hosties à leurs pieds. On en vit ensuite se revêtir des ornements sacerdotaux qu'ils avaient volés dans la sacristie et attacher des étoles autour du cou de leurs chevaux.

« Je n'en finirais point, mon cher ami, si j'entreprenais de vous rapporter tous les actes de vandalisme, d'inhumanité et de cruauté dont les soldats et les volontaires se sont rendus coupables. Qu'il vous suffise de savoir qu'un grand nombre de familles perdirent, en cette occasion, tout ce qu'elles possédaient et qu'on leur arracha jusqu'à leurs vêtements.

« Après avoir pillé tout ce qui se trouvait dans la maison et les bâtiments d'une ferme, et s'être emparé de tous les animaux, les barbares faisaient déshabiller les hommes, les femmes et les enfants, que l'on laissaient presque nus à la porte de leur maison embrasée. Les dames Dumouchel, Lemaire, Girouard, et Masson ne furent pas exemptes ; à peine resta-t-il à ces dernières de quoi couvrir leur nudité. Je ne sais encore comment ces infortunées dames ont pu survivre à tant de misères et de malheurs. On avait défendu, sous peine d'incendie, aux habitants de donner l'hospitalité à ces pauvres dames, et elles seraient mortes de froid, sans le courage de quelques bons citoyens qui leur offrirent un logement au risque de subir la vengeance loyale. Elles ont, néanmoins, montré une fermeté et un courage au-dessus de leur sexe, et paraissent avoir conservé leur santé, à l'exception de Mlle Olive Lemaire et de Mlle Cléophé Masson.

« La pauvre Olive, ma chère fille, elle que je chérissait tant et qui m'aimait si tendrement ! Elle n'a pu survivre longtemps au froid et aux misères qu'elle a endurés. J'ai appris, ces jours derniers, la nouvelle de sa mort, et je vous avoue que ma sensibilité l'a emporté dans cette catastrophe ; j'ai été affecté jusqu'à en être sérieusement malade, moi qui avais supporté avec tant de courage tous les autres malheurs dont nous avons été les victimes. Quant à Mlle Masson, son frère, le docteur Masson, vient d'apprendre qu'elle est dangereusement malade.

« Ces barbares entrèrent dans la maison de Benjamin Maynard, à la côte Saint-Jean de Saint-Benoît. Sa femme y était et avait mis un enfant au monde deux jours auparavant. Ils lui arrachèrent son lit et l'effrayèrent tellement qu'elle en mourut le lendemain.

« Les volontaires et les loyaux furent ceux qui commirent le plus de cruautés et de déprédations. Ils s'en retournèrent chez eux avec un nombre considérable d'animaux et de voitures chargées de lits, meubles, grains et autres provisions, instruments d'agriculture et autres effets. Ainsi des familles nombreuses auxquelles ils avaient arraché tout ce qu'elles possédaient, jusqu'à leurs vêtements, ont été obligées de mendier quelque nourriture pour subsister et quelques couvertures pour se garder du froid.

« Sans doute, mon bon ami, vous allez me demander comment sir John Colborne, un officier supérieur, le commandant des forces de Sa Majesté et le gardien de l'honneur du soldat anglais, ait pu ordonner ou permettre tant de carnage et d'atrocités. Il nous répondra sans doute lui-même que tout cela s'est fait malgré les ordres exprès qu'il avait donnés de respecter les propriétés et qu'il ne peut être responsable des œuvres de quelques volontaires d'Argenteuil. C'est ce que vous ont dit les gazettes loyales, c'est ce qu'on crié les loyaux de Montréal, parmi lesquels plusieurs avaient une bonne part du butin ; car l'on sait où Arnoldi, fils, a fait sa provision de beurre, où un autre a pris une guitare qu'il a rapportée de l'expédition suspendue à son cou. Si le lieutenant-général avait donné des ordres exprès que les propriétés fussent respectées, comment donc a-t-il pu permettre qu'elles fussent pillées et brûlées sous ses yeux à Saint-Eustache, et principalement à Saint-Benoît où il n'y eut un coup de tiré ? Là, dans ma maison, où il prenait ses quartiers avec plusieurs autres officiers, les lits et autres meubles que madame Girouard avait laissés furent volés. Les soldats firent un tel usage des boissons que renfermait ma cave que plusieurs restèrent profondément endormis et y furent consumés par les flammes, car on m'a rapporté qu'il avait été trouvé plusieurs crânes humains dans les cendres de ma maison.

« Comment se fait-il donc que l'église et le village de Saint-Benoît furent mis en feu pendant que Son

Excellence y était, si bien qu'il eut de la peine, en sortant de ma maison (qui fut incendiée une des dernières) à gagner le grand chemin et que ses chevaux en eurent les poils grillés.

« Pourquoi aussi des officiers supérieurs ordonnèrent-ils l'incendie et le pillage en plusieurs endroits et y présidèrent-ils ? N'ai-je pas déjà dit que l'église de Saint-Hermas et celle de Sainte-Scholastique ne furent sauvées des flammes que par l'intervention des curés et de quelques citoyens qui réussirent à calmer la fureur des officiers des troupes de ligne, de leurs soldats et des volontaires surtout ? Et, je le tiens de M. Scott lui-même, à Sainte-Thérèse, n'est-il pas de fait que le colonel Maitland ordonna l'incendie des maisons de M. Neil Scott, du docteur Lachaine et autres patriotes du village, et que sans les pressantes prières de Messire Ducharme, ces ordres barbares eussent été exécutés ? Maitland souffrit même que Messire Ducharme se jetât à deux genoux devant lui pour implorer sa clémence.

« Mais, si véritablement Son Excellence eut donné des ordres contraires, comment est-ce donc encore que le major Townsend, qui commandait les troupes à Carillon, et qui faisait partie de l'expédition de Saint-Benoît, comment se peut-il faire qu'en s'en retournant par Saint-Vincent, il soit arrêté chez Richer et François Ouellet, que vous connaissez, et leur ait dit de mettre des couvertes mouillées sur le toit de leurs maisons, car il allait faire brûler la maison de pierre de Joseph Fortier, laquelle, comme vous devez vous en souvenir, n'est séparée des premières que par le chemin du roi ? En effet, les soldats exécutèrent les ordres du major et y mirent le feu. Ensuite les troupes reçurent l'ordre de continuer leur route. Heureusement que le pauvre Fortier fut averti à temps. Il réussit à sauver sa maison en jetant par les fenêtres les paillasses où les soldats avaient mis le feu. Mais il faillit lui en coûter la vie, parce que des soldats de l'arrière-garde ayant aperçu son mouvement, lui tirèrent leurs mousquets et le manquèrent. Le brave Fortier en fut quitte pour cinq beaux lits qui lui furent enlevés en cette occasion avec nombre d'autres effets. »

LES PRISONNIERS DE 1837

Lord Gosford, qui fut gouverneur du pays pendant les troubles de 1837, était un excellent homme. Venu parmi nous avec une mission de paix et de conciliation, il prit son rôle au sérieux et demanda son rappel dès le mois de septembre, avant les troubles, quand il s'aperçut qu'il ne pouvait accomplir son œuvre d'apaisement. Sa demande n'ayant pas été acceptée immédiatement, il fut obligé de rester ici pendant l'insurrection, et de prendre des mesures de rigueur qui lui répugnaient. Enfin, on acquiesça à son désir, et il partit de Québec dans le mois de février 1838, laissant l'administration du pays entre les mains du commandant des forces, le trop célèbre Colborne.

Pendant ce temps-là, on délibérait en Angleterre sur l'état des choses en Canada, et on avisait aux mesures que les circonstances requéraient. La suspension de la constitution du pays, la nomination d'un conseil spécial et la mission donnée à Durham de venir au Canada étudier la situation, furent le résultat des délibérations du gouvernement.

Le programme ministériel souleva de vifs débats dans le parlement anglais. On accusa les ministres d'avoir, par leur conduite arbitraire et imprudente, poussé les Canadiens à la révolte, et le célèbre Lord Brougham fit un magnifique discours pour démontrer que les Canadiens, en résistant à un gouvernement arbitraire, qui avait pris des deniers dans le coffre public sans le consentement des représentants, n'avaient fait qu'imiter les exemples donnés par le peuple anglais en maintes circonstances. Plusieurs orateurs demandèrent pourquoi on suspendait la constitution, puisque l'insurrection était terminée.

Les ministres, serrés de près, furent obligés d'avouer que ce qu'ils voulaient au fond, c'était l'union des deux Canadas.

La mission de Lord Durham fut approuvée, et le rusé gouverneur arriva au Canada, avec une suite brillante, dans le mois de mai.

La première chose dont il eut à s'occuper fut de décider du sort des prisonniers qui attendaient depuis six mois qu'on fît leur procès. Mais, sachant que des procès politiques devant des jurés n'auraient d'autre effet que de surexciter les esprits et de nuire à sa mission, voulant, de plus, donner une certaine satisfaction à la majesté de la Couronne et au fanatisme des bureaucrates, il eut recours à un expédient.

Il crut que s'il pouvait engager quelques-uns des principaux prisonniers, les chefs, à s'avouer coupables, il pourrait sévir contre eux et amnistier tous les autres. Dans ce but, le colonel Simpson se rendit de sa part à la prison de Montréal, et engagea quelques-uns des prisonniers à signer un document, par lequel ils s'avouaient coupables de haute trahison, et se mettaient à la disposition du gouverneur. Il fut très insinuant et chercha à les convaincre qu'il s'agissait d'une simple formalité destinée à sauver leurs compatriotes, et dont le résultat serait pour eux moins grave, dans tous les cas, que la situation où ils se trouvaient.

M. Girouard empêcha ses compagnons de signer le document que leur avait présenté le colonel Simpson, mais ils consentirent à écrire à lord Durham une lettre dont les termes furent trouvés trop vagues. Simpson étant retourné les voir, réussit à leur faire signer le document qui suit :

« Votre Excellence, Nous avons lieu de craindre que les expressions dont nous nous sommes servis dans une lettre que nous vous avons adressée, le 18 courant, peuvent vous avoir paru trop vagues et ambiguës.

« Notre intention, Votre Excellence, était d'avouer formellement, qu'en poursuivant des fins chères à la grande masse de la population, notre conduite a eu pour effet de nous mettre sous le coup d'une accusation de haute trahison.

« Nous avons manifesté la volonté de plaider "coupables", pour éviter la nécessité d'un procès, et rendre par là, autant que c'est en notre pouvoir, la paix à notre pays ; mais, tout en voulant contribuer au bonheur des autres, nous ne pouvions pas condescendre à nous mettre à l'abri des dispositions d'une ordonnance passée par le ci-devant Conseil Spécial de la province.

« Permettez-nous alors, Mylord, d'accomplir cet important devoir, pour manifester notre entière confiance en Votre Excellence et nous mettre à votre discrétion, sans nous prévaloir de dispositions qui nous dégraderaient à nos propres yeux, et indiqueraient de la défiance de part et d'autre.

« Avec cette explication de nos sentiments, nous nous mettons de nouveau à votre discrétion, et prions que la paix du pays ne soit pas mise en danger par des procès.

« Nous avons l'honneur d'être, Mylord, avec le plus profond respect, les très-humbles serviteurs de Votre Excellence, »

« R.-S.-M. Bouchette,

« Wolfred Nelson,

« B. DesRivières,

« L.-H. Masson,

« H.-A. Gauvin,

« S. Marchessault,

« J. -H. Goddu,

« B. Viger. »

Quelques jours après, le 28 juin, Lord Durham lançait une proclamation dans laquelle il disait que les signataires de la lettre plus haut mentionnée, s'étant reconnus coupables de haute trahison, et s'étant soumis à la volonté et au bon plaisir de Sa Majesté, il les exilait aux Bermudes pour y rester aussi longtemps qu'il plairait à Sa Majesté. Par la même proclamation, il était défendu à Louis-Joseph Papineau, Cyrille-Hector-Octave Côté, Edmund-Burke O'Callaghan, Édouard-Étienne Rodier, Thomas-Storrow Brown, Ludger Duvernay, Étienne Chartier, ptre., Georges-Étienne Cartier, John Ryan, père, et John Ryan fils, Louis Perrault, Pierre-Paul Demaray, Joseph-François d'Avignon et Louis Gauthier, alors absents du pays, d'y revenir, sous peine d'être arrêtés et condamnés à mort pour haute trahison. Tous les autres prisonniers et tous ceux qui avaient pris part à l'in-surrection étaient amnistiés, à l'exception de François Jalbert, Jean-Baptiste Lussier, Louis Lussier, François Mignault, François Talbot, Amable Daunais, François Nicolas, Étienne Langlois, Gédéon Pinsonnault, Joseph Pinsonnault, et autres accusés d'avoir mis à mort le lieutenant Weir et Joseph Chartrand.

Les signataires de la lettre comprirent alors la sagesse des conseils de M. Girouard, et protestèrent vainement contre la ruse et la condamnation illégale dont ils étaient victimes.

Ils reçurent ordre de se tenir prêts à partir au premier jour, et eurent à peine le temps de dire adieu à leurs parents et amis.

Le 2 juillet, vers cinq heures de l'après-midi, ils étaient conduits sous bonne escorte à bord du *Canada*, qui les attendait au Pied-du-courant. Les fers aux mains, ils passèrent, le cœur gros, mais le regard haut, à travers une foule silencieuse. Des larmes coulèrent de bien des yeux, et ceux même qui n'avaient pas de sympathie pour les pauvres exilés ne pouvaient s'empêcher d'admirer leur bonne mine, leur contenance fière et digne.

C'étaient tous aussi des hommes fortement trempés, et dont les traits accusaient l'énergie et l'intelligence.

À Québec, on les embarqua à bord d'un bâtiment de guerre, la *Vestale*, et on mit à la voile du côté des Bermudes.

Triste voyage !

Presque tous jeunes, à l'âge des nobles illusions, des sentiments énergiques qui rendent l'homme capable de tout, ils se voyaient jetés

ent dans l'isolement, réduits à l'inaction,
tout ce qu'ils aimaient. Ils avaient les
yeux sans cesse tournés du côté de la patrie et
chaque mouvement du navire qui les en éloignait
les faisait tressaillir.

Ils furent bien traités, heureusement, durant la
traversés; lord Durham avait fait mettre à bord, pour
eux, toutes espèces de provisions, les meilleurs vins.
Le 24, après vingt jours de traversée, la *Vestale* entra
dans le port d'Hamilton.

Ils étaient arrivés au terme de leur voyage, au lieu
de leur exil. Nelson et Gauvin eurent la liberté de
choisir le logement qui leur conviendrait; les autres
furent installés dans un hôtel.

On les laissa libres de sortir, de parcourir l'île, après
leur avoir fait promettre de ne pas chercher à s'évader ;
on leur défendit de travailler, même de pratiquer
comme médecins. Sans l'assistance qu'ils reçurent de
leurs parents et amis du Canada, ils auraient été obligés de mendier pour vivre.

Qu'allaient-ils faire ? Comment allaient-ils passer
leurs temps, chasser l'ennui ?

L'île où ils étaient ne leur offrait qu'un amusement, une distraction, la chasse. Aussi, s'en don-
nèrent-ils; le gibier ne subit jamais, dans ces parages,
une guerre plus acharnée. Quand ils ne chassaient
pas, ils passaient le temps à lire, à fumer et à parler
du pays.

Ayant obtenu la permission de louer une maison
aux portes de la ville, ils s'y installèrent et purent y
vivre plus en famille qu'à l'hôtel. Il y avait quatre
mois qu'ils vivaient ainsi, se demandant tous les
jours quand ils pourraient revoir le sol natal,
lorsqu'un jour le gouverneur leur fit transmettre un
message, leur annonçant qu'ils étaient libres.

«Lorsque cette nouvelle nous arriva, dit l'un des exilés, nous n'étions pas tous au *cottage* ; les uns étaient à la chasse, les autres à la campagne, et aussitôt qu'un de nous arrivait, il était attendu sur le seuil de la porte, et on lui criait le plus haut possible : "Tu ne sais pas la grande nouvelle ?" Et lui de répondre : "Ma foi, non." Ne pouvant retenir le secret plus longtemps, nous criions ensemble : "Nous sommes libres." Quelle douce parole pour un exilé ! »

Voici ce qui s'était passé.

La proclamation de lord Durham avait été portée devant le parlement anglais et y avait soulevé des débats orageux. Lord Brougham, lord Ellenborough et les hommes les plus éminents du parlement anglais demandèrent, dans les termes les plus énergiques, l'annulation d'une proclamation qui violait les lois les plus élémentaires de la justice, en condamnant à la transportation, sans procès, des sujets anglais, et allait même jusqu'à décréter la peine de mort contre une quinzaine d'autres, s'ils revenaient dans le pays. Lord Brougham demanda quand on avait vu condamner sans procès des criminels à l'exil ou à la mort, qu'ils se fussent ou non reconnus coupables ?

La proclamation avait été annulée, et lord Durham, blessé profondément dans son amour-propre, avait demandé et obtenu son rappel en Angleterre.

Nos huit exilés se hâtèrent, comme on le pense bien, de quitter le plus tôt possible le lieu de leur exil. Or, ce n'était pas chose aussi facile qu'on le croirait ; car, si on leur permettait de s'en aller, on ne leur en donnait pas les moyens ; ils devaient se rapatrier à leurs frais et dépens. Ils n'avaient presque pas d'argent, et il leur fallait attendre un mois s'ils voulaient prendre le prochain paquebot. Incapables de rester plus longtemps dans l'exil, quand ils étaient libres, ils songèrent, délibérèrent, comptèrent plusieurs fois leurs fonds et s'informèrent de tous côtés.

Le hasard les favorisa.

Une goélette mettait à la voile, ils la louèrent, et, deux jours après, ils partaient. Le capitaine s'était engagé à les débarquer à New-York ou à Boston. La traversée fut longue et orageuse, la tempête faillit plus d'une fois engloutir la petite goélette et ses passagers.

Enfin, ils mirent pied à terre, le 9 novembre, au fort Monrœ, où la population, prévenue de leur arrivée, se pressa sur les quais pour leur souhaiter la bienvenue. La garnison du fort leur donna un excellent dîner qui leur fit oublier les privations qu'ils avaient endurées durant la traversée.

Après quelques jours de repos, ils se séparèrent, et s'établirent dans différentes parties des États-Unis, attendant le jour où ils pourraient revenir dans la patrie.

Biographies et portraits
LUDGER DUVERNAY

Ludger Duvernay descendait d'une famille française établie depuis longtemps dans le pays. Son grand-père était notaire royal et son père, cultivateur. Sa mère était alliée à la famille distinguée des de La Morandière. Il naquit à Verchères, le 22 janvier 1799.

Après avoir reçu la petite instruction qu'on donnait alors dans les écoles élémentaires, il vint à

Montréal en juin 1813 et entra comme apprenti dans l'établissement de M. Chs-B. Pasteur, qui publiait alors le *Spectateur*. Il se livra au travail avec ardeur et entreprit de se faire un chemin dans une carrière bien ingrate aujourd'hui, mais qui alors était presqu'inaccessible.

Après quatre ans d'apprentissage, M. Duvernay allait en 1817 fonder aux Trois-Rivières un journal qu'il appelait la *Gazette des Trois-Rivières*, et qu'il parvint à faire vivre jusqu'en 1822. En 1823, il publia le *Constitutionnel* qui vécut deux ans. Le 14 février, il épousa Dlle Marie-Reine Harnois, de la Rivière-du-Loup. En 1826, il établit, dans la ville des Trois-Rivières, l'*Argus*, et en 1827 il vint se fixer à Montréal et se joignit à l'un des plus grands patriotes et des hommes les plus remarquables de l'époque, l'hon. A.-N. Morin, pour fonder la *Minerve*.

À partir de cette époque, le nom de M. Duvernay est inscrit sur toutes les pages de l'histoire émouvante de nos luttes politiques. Emprisonné trois fois pour avoir eu le courage de publier dans son journal des articles énergiques à l'adresse des bureaucrates, sa popularité devint très considérable et il ne s'en servit que pour faire triompher la cause de ses compatriotes. Il fut l'un des chefs du parti populaire, l'un des patriotes les plus ardents de cette époque. Sa générosité et sa libéralité, quoiqu'il fut pauvre, son dévouement pour ses amis et pour son pays, le rendaient cher au peuple.

Élu membre de la Chambre par le comté de Lachenaye en 1837, il était obligé, quelques mois après, de s'expatrier pour échapper à l'emprisonnement. Il se réfugia à Burlington où il fonda en 1839 le *Patriote*. Il revint en Canada en 1842 et rétablit, grâce en grande partie à la générosité de son ami Fabre, la *Minerve* qu'il continua de publier jusqu'en 1852 dans l'intérêt de la cause libérale dont M. Lafontaine était alors le porte-étendard.

Il mourut le 28 novembre 1852, au milieu des regrets de toute la population canadienne qui n'avait cessé de le regarder comme l'un des compatriotes les plus distingués et les plus utiles à la patrie.

L'une de ses plus belles œuvres est la fondation de la société Saint-Jean-Baptiste. Avec quelle satisfaction il doit contempler aujourd'hui de sa tombe les résultats admirables de son œuvre ! C'est en 1833 que M. Duvernay jeta les fondements de cette noble société et la Saint-Jean-Baptiste fut célébrée pour la première fois, l'année suivante. C'est lui qui eut la belle pensée de donner à la société qu'il fondait, dans l'intérêt de notre nationalité, le nom même que nos ennemis nous donnaient par dérision. C'est lui aussi qui choisit la feuille d'érable comme notre emblème national.

Édouard-Raymond Fabre

Né le 15 septembre 1799, mort le 16 juillet 1854, deux ans après son ami et son émule en patriotisme et en charité, Ludger Duvernay.

L'une des figures les plus sympathiques et les plus estimables d'une génération si féconde en vertu et en patriotisme. L'un des caractères les plus purs, les plus nobles, des esprits les plus droits qui aient orné notre société. L'âme, pendant trente ans, avec M. Duvernay, d'une foule d'œuvres religieuses, charitables et nationales. Le protecteur des pauvres, l'ami et le conseiller des Papineau, des

Morin, des Girouard, des hommes les plus distingués de cette époque.

C'est à lui que M. Duvernay s'adressait dans les moments difficiles pour sauver la *Minerve* en danger ; c'est lui qui soutint pendant plusieurs années le *Vindicator*.

Après un voyage en France et un an passé dans la maison Bossange, de Paris, il avait fondé, à Montréal, en 1823, la maison qui porte encore son nom.

Il demeurait sur la rue Notre-Dame, en face du Palais de justice, et sa maison et son magasin étaient le rendez-vous de l'élite de la société, des hommes de la finance, du barreau et de la politique. On y a discuté des questions bien importantes, on y a formé des projets et adopté des propositions d'un grand intérêt national.

Emprisonné en 1837, il fut bientôt relâché, faute de preuve. La mort de son beau-frère, Chs-O. Perrault tué à Saint-Denis, les désastres de Saint-Charles et de Saint-Eustache et les malheurs de 1838 l'affligèrent profondément.

Quand tout fut fini et que les patriotes furent à la merci de leurs vainqueurs, personne plus que M. Fabre ne s'intéressa à eux et à leurs familles et ne chercha à les soulager. Nommé secrétaire-trésorier du comité chargé de secourir les pauvres exilés de 1838 et de leur procurer les moyens de revenir dans leur patrie, il se dévoua pendant cinq ans à cette bonne œuvre. On ne peut se faire une idée de la peine qu'il se donna, du travail qu'il s'imposa et des désagréments qu'il eut à souffrir. Après l'union des Canadas, il s'éloigna de la politique et resta neutre jusqu'au retour de M. Papineau dont il fut toujours l'ami et le partisan.

Nommé maire de Montréal, en 1849, et réélu, malgré lui, en 1850, il ne cessa de mériter jusqu'à sa mort l'estime, la confiance et la reconnaissance de ses compatriotes. Il fut victime du choléra de 1854 et sa mort provoqua dans le pays entier les regrets les plus profonds.

Mgr Fabre est le fils de cet homme de bien.

ÉDOUARD RODIER

Rodier avait trente-deux ans en 1837 ; il était avocat, plein de talent et d'esprit, joli garçon, aimable, galant, gentilhomme et brave. Il était l'un des chefs et l'orateur chéri des Fils de la liberté.

C'est lui qui parlait, à la grande assemblée de la rue Saint-Jacques, le 6 novembre, lorsque les membres du *Doric Club* attaquèrent les Fils de la liberté.

– On nous attaque s'écria-t-il, eh bien ! c'est bon, bientôt on ne nous appellera pas seulement les « Fils de la liberté », mais encore les « Fils de la victoire ».

Il avait prouvé, quelques jours auparavant, qu'il était aussi brave en actions qu'en paroles.

Se trouvant, le 29 octobre, dans un hôtel avec quelques amis, quelqu'un lui dit que les sentinelles postées aux corps de garde de la vieille prison et du coin des rues Notre-Dame et Gosford, avaient reçu ordre de ne laisser passer personne sur le trottoir.

– Il n'en sera pas ainsi, dit Rodier, je vais voir immédiatement si on osera exécuter une pareille ordonnance.

Il sortit – habillé comme tout bon patriote l'était, en étoffe du pays – et prenant le trottoir du côté nord-ouest de la rue Notre-Dame, se mit à se promener comme si de rien n'eut été. Rendu au corps de garde principal, il fut arrêté par une sentinelle. Il persista à vouloir passer et pendant la discussion qui s'engagea, la patrouille arriva. Le sergent saisit Rodier au collet et voulut le jeter dans la rue. Rodier s'adressant à l'officier commandant, lui cria :

– Ordonnez à cet homme de me lâcher.

– Qui êtes-vous ? demanda l'officier.

– Je suis Édouard Rodier membre du barreau de Montréal et du parlement ; voici ma carte, et vous qui êtes-vous ?

– Je suis, répondit l'officier, le lieutenant Ormsby, des Royaux.

– Très bien, dit Rodier, vous aurez de mes nouvelles.

Le jour suivant, M. T.-S. Brown et un autre ami allaient, de la part de Rodier, offrir un cartel au lieutenant Ormsby. Celui-ci les renvoya au capitaine Mayne du même régiment. Mayne trouva que la demande de M. Rodier était peu raisonnable, que son ami Ormsby avait cru remplir son devoir et que ce qui était arrivé était un pur accident. M. Brown répondit que si les militaires avaient des devoirs, les citoyens eux avaient des droits et qu'il fallait une satisfaction à son ami.

Le duel finit par être accepté, et on décida que la rencontre aurait lieu sur le terrain des courses de la rivière Saint-Pierre.

Rodier apprit avec plaisir le résultat de son défi. Il venait de se battre à Québec et n'avait fait qu'effleurer son adversaire ; il assura que cette fois il ne manquerait pas son coup. « Je ne demande qu'une chose, dit-il à M. Brown, c'est que vous placiez mon adversaire de manière à ce qu'il soit un peu plus élevé que moi. »

Le lendemain matin, de bonne heure, les duellistes et leurs témoins étaient rendus à l'endroit fixé. Après avoir mesuré le terrain, on convint de s'en rapporter au sort pour décider lequel des deux aurait le choix des places.

Le capitaine Mayne jetant un sou en l'air, M. Brown cria : « tête » et le sou tourna tête.

– Maintenant, dit le capt. Mayne, voyons pour le choix des pistolets – et il jeta de nouveau le sou en l'air.

– « Tête », cria M. Brown, et le sou tourna encore tête.

– Ça va bien, dit Rodier, le sort est pour moi, je suis sûr qu'il me sera fidèle jusqu'au bout.

Il était d'une humeur charmante et montrait un sang-froid admirable.

Quand les deux combattants furent prêts, les témoins donnèrent le signal et deux coups de pistolet retentirent. Ni l'un ni l'autre ne fut atteint. Pendant qu'on rechargeait les armes, le capt. Mayne fit changer de place à son ami. M. Brown protesta aussitôt contre la conduite de Mayne qui persista à dire qu'il avait raison. M. Brown dit que, suivant les règles du duel, la question était maintenant entre le capt. Mayne et lui-même.

Rodier voulait continuer le combat, mais on lui fit comprendre qu'il fallait en passer par là.

Le lendemain matin, M. Brown chargeait M. Duvernay de porter un cartel au capt. Mayne. M. Duvernay revint avec la réponse suivante :

« Monsieur,

« En réponse à votre défi, je vous informe que ma

conduite a été approuvée par les officiers de mon régiment et que je ne veux plus encourir aucune responsabilité dans cette affaire.

    « T.-S. BROWN, Ecr,

        « Je suis, monsieur,

            « Votre obt. sert.

                « JOHN MAYNE,

                  « Capt. Régiment des Royaux. »

Ainsi se termina l'affaire qui fit sensation dans le temps et augmenta la réputation de bravoure qu'avait Rodier. Les patriotes furent enchantés de voir avec quel succès il avait tenu tête aux militaires, et ceux-ci furent les premiers à louer son courage et son sang-froid. Les citoyens purent, après cette affaire, circuler sur les trottoirs autant qu'ils voulurent.

Rodier n'avait ni le caractère sérieux, ni l'esprit élevé et cultivé de M. Papineau, ni sa parole solennelle et imposante, mais il parlait avec beaucoup plus de verve et d'enthousiasme. Au feu sacré qui fait les orateurs, il joignait une belle imagination, une voix agréable, un geste gracieux.

Élu membre de la Chambre d'assemblée par les électeurs du comté de l'Assomption, en 1834, il vota en faveur des 92 *résolutions,* prit part aux débats qu'elles soulevèrent et se montra l'un des partisans les plus avancés de la résistance. Ayant appris, dans le mois de novembre 1837, qu'il devait être arrêté et sa tête mise à prix, il quitta la ville et s'enfuit aux États-Unis.

Il vécut la plus grande partie du temps à Swanton, Burlington et Rouse's Point, et prit part aux préparatifs qui furent faits par les réfugiés canadiens, pendant l'hiver de 1838, pour organiser un autre soulèvement.

Il était un de ceux que lord Durham avait exclus des bénéfices de l'amnistie, mais lorsque la proclamation du célèbre gouverneur fut annulée par le gouvernement anglais, Rodier se hâta de retourner au Canada.

Il publia alors dans les journaux une lettre qui fut considérée comme un acte de soumission et de faiblesse et lui fit perdre en grande partie la popularité dont il jouissait parmi les patriotes.

Il se remit à l'exercice de sa profession et resta tranquille pendant les tristes événements de l'automne de 1838. L'année suivante, il mourait emporté par une maladie de vingt heures.

Sa mort fut considérée comme une perte sérieuse pour le barreau et la société dont il était l'un des ornements. Avec du travail et une vie un peu plus réglée, il serait devenu l'un des hommes les plus distingués du pays.

JEAN-JOSEPH GIROUARD

« Nous devons à nos lecteurs comme à la mémoire de celui qui fait le sujet de cette notice, de consigner dans nos pages quelques détails sur la vie de ce citoyen vénéré. Si sa carrière a été remarquable par le patriotisme et le talent, elle ne l'a pas été moins par les qualités morales et par l'exercice des vertus chrétiennes. C'est un exemple de plus à présenter à nos compatriotes dans la fortune comme dans les malheurs ; c'est aussi un encouragement puissant en faveur de ceux qui, n'ayant pas eu dans leur jeunesse l'avantage d'études collégiales, ont cependant en M. Girouard une preuve qu'on peut y suppléer par l'étude et la persévérance, et s'élever ainsi à une hauteur intellectuelle qu'il est donné à peu d'hommes d'atteindre. »

Tel est l'éloge que faisait de M. Girouard, dans la *Minerve* du mois de septembre 1855, son ami, l'hon. A.-N. Morin, et son émule en talents et en vertus. Cet éloge flatteur était l'écho fidèle des sentiments d'affection et de respect de la population canadienne-française. Quoique M. Girouard n'ait pas joué dans la politique un rôle aussi brillant que les Viger et les Morin, l'influence qu'il a exercée sur son époque par ses conseils et ses exemples, lui donne droit d'être placé à côté de ces hommes dans le Panthéon canadien.

À Québec appartient l'honneur d'avoir donné au pays cet excellent citoyen. M. Girouard y naquit, le 11 novembre 1795, d'une famille acadienne. Son père, qui commandait un petit bâtiment sur le fleuve Saint-Laurent, périt dans une tempête vis-à-vis de Saint-Valier, le laissant orphelin à l'âge de cinq ans. Sa mère, restée veuve avec trois enfants, sans aucun moyen d'existence, eut le bonheur d'être recueillie par un vénérable prêtre, M. Gatien, l'aîné, alors curé de Sainte-Famille. Le bon prêtre ayant été appelé à desservir la paroisse de Sainte-Anne-des-Plaines, dans le district de Montréal, et plus tard celle de Saint-Eustache, la famille Girouard le suivit.

M. Gatien remarqua de bonne heure l'intelligence précoce et les bonnes dispositions du jeune Girouard, et s'appliqua à les développer. «On raconte même, dit M. Morin, que, surpris de l'ordre avec lequel son pupille arrangeait tout ce qui faisait le sujet de ses occupations, il l'avait comparé à un faiseur de lois.» La manière dont le jeune Girouard profita de ses leçons le récompensa dès ici-bas de sa charité et de son dévouement pour une famille malheureuse.

Combien d'hommes utiles, de prêtres et de citoyens distingués nous devons au patriotisme et à la charité d'hommes, de prêtres généreux comme M. le curé Gatien! C'est là une des plus grandes gloires du clergé canadien, l'un de ses titres les plus incontestables à la reconnaissance du pays.

Malheureusement, cette rosée du ciel qu'on appelle « la protection », ne tombe pas toujours sur une bonne terre, ne produit pas toujours les meilleurs fruits; les Girouard ne poussent pas partout.

On remarquait dans le jeune Girouard une variété de talents et d'aptitudes remarquables; il apprenait ce qu'il voulait musique, peinture, architecture, mécanique, littérature et philosophie, rien ne semblait inaccessible à son esprit souple et privilégié. Livré, après la mort de M. Gatien, à ses seules ressources, n'ayant plus personne pour le faire vivre et cultiver son esprit, il ne se découragea pas et se lança avec la plus grande ardeur à la poursuite des connaissances humaines.

Il joignit heureusement au goût et au talent d'apprendre, un caractère tenace et persévérant.

En 1812, on le trouve à Sainte-Geneviève, étudiant la loi sous Me Mailloux, et en 1816 à Saint-Eustache où il est admis à la pratique du notariat. Il va s'établir à Saint-Benoît, qui était alors un centre d'affaires important, s'y fait en peu de temps une excellente clientèle, et y épouse une demoiselle Félix, sœur du curé de l'endroit.

La sagesse de sa conduite et de ses conseils, l'habileté, le jugement et l'honnêteté dont il faisait preuve dans l'exercice de sa profession, le patriotisme ardent qu'il manifestait en toute occasion, étendirent bientôt sa réputation au-delà des limites de Saint-Benoît. On venait de loin lui confier des affaires importantes, le consulter sur toute espèce de choses, on le forçait d'être notaire, avocat et prêtre en même temps.

Lorsque les difficultés entre les gouverneurs et la Chambre d'assemblée commencèrent à agiter le pays, il fit preuve d'une vivacité et d'un esprit de résistance qui faisaient un contraste frappant avec sa modération ordinaire. Il ressemblait, sous ce rapport, à son ami Morin, si doux, si inoffensif dans les choses ordinaires de la vie, et, cependant, si énergique, si ardent lorsqu'il s'agissait de justice, de liberté ou de patriotisme. Natures d'élite, humbles et modestes, faibles même en apparence, mais inflexibles, que les nobles sentiments, les grandes questions d'intérêt politique ou national transforment et exaltent jusqu'à l'héroïsme !

M. Girouard contribua puissamment à répandre, dans la paroisse de Saint-Benoît et les paroisses environnantes, ses sentiments de résistance et d'indépendance patriotique.

Le Dr Labrie, qui représentait le comté des Deux-Montagnes, étant mort en 1830, on crut que l'homme le plus digne de le remplacer à l'Assemblée législative était M. Girouard. M. Girouard accepta, fut élu et continua de représenter le comté des Deux-Montagnes jusqu'en 1837, pendant l'époque la plus tourmentée de notre histoire politique.

Comme il n'aimait pas à parler, il ne prit pas une part considérable aux débats violents dont l'Assemblée législative fut le théâtre, mais n'en acquit pas moins une grande autorité auprès de ses collègues par l'étendue de ses connaissances, la fermeté de ses convictions et l'aménité de son caractère. Il rendit de grands services au pays en s'occupant de questions municipales et d'éducation dont il avait fait une étude spéciale, et qui étaient à cette époque généralement ignorées. Il fut fidèle à la cause libérale jusqu'à la fin, vota avec les patriotes en faveur des quatre-vingt-douze *résolutions*, du refus des subsides, et de toutes les lois qui avaient pour but de revendiquer les droits de la Chambre.

Lorsque le gouvernement anglais eut achevé d'exaspérer le pays en autorisant lord Gosford à prendre sans scrupule dans le coffre public, l'argent dont il aurait besoin, M. Girouard prit part aux assemblées qui eurent lieu dans un grand nombre de comtés pour protester contre cette violation des prérogatives de la Chambre. Il parcourut, avec M. Papineau et M. Morin, quelques-uns des comtés du district de Québec. Dans ses discours comme dans ses conversations, il se prononçait avec énergie contre les abus du gouvernement, démontrait la nécessité de protester contre la violation des droits du peuple : « Nous devons faire assez de bruit, disait-il, pour qu'on nous accorde ce que nous avons le droit d'obtenir comme citoyens libres. » Mais il ne voulait pas de résistance à main armée et n'y pensait même pas.

M. Girouard ne vit pas sans inquiétude les proportions que prenait l'agitation, mais convaincu qu'il était inutile d'essayer de tenir tête à l'orage, il se décida à le laisser passer.

Il est difficile maintenant, à une époque où les esprits et les caractères sont plus ou moins blasés par des luttes mesquines, de rendre compte des sentiments et des pensées des hommes de cette époque. On oublie qu'ils avaient la fraîcheur, la naïveté même des sentiments, l'indépendance de pensée et l'amour de la liberté qu'on trouve à l'origine des sociétés, et qui enfantent les Washington, les Franklin et les Jefferson.

C'étaient des grandes âmes que celles des Bédard, des Papineau, des Morin, des Viger, des Girouard, des Chénier; des âmes où l'amour de la patrie et de la liberté devait naturellement produire de grands effets et faire naître le désir et l'espoir de donner l'indépendance à leur pays opprimé.

Quoi qu'il en soit, les patriotes ne se bercèrent pas longtemps d'illusions; écrasés à Saint-Eustache comme à Saint-Charles, dans le Nord comme dans le Sud, ils comprirent que le courage et le patriotisme ne suffisent pas pour se battre contre des canons.

M. Girouard était occupé à visiter les avant-postes du camp de Saint-Benoît, quand il apprit que tout était perdu à Saint-Eustache et que Girod venait d'arriver chez lui à course de cheval. Il se rendit à la hâte à sa maison et trouva en effet le fameux Girod, qui essaya de lui faire croire qu'il venait à Saint-Benoît chercher du renfort. M. Girouard, indigné, l'apostropha dans des termes si sévères, que Girod, confus, écrasé par la honte, se retira sans rien dire pour aller trouver les MM. Masson, qui ne le reçurent pas mieux.

M. Girouard, voyant que la résistance était impossible, ne songea plus alors qu'à mettre les patriotes à l'abri de la vengeance de Colborne. Il leur conseilla de s'en aller chacun chez soi, de cacher leurs armes et d'éviter tout ce qui pourrait fournir à leurs ennemis un prétexte de leur faire du mal. Il avait lui-même l'intention de rester chez lui, mais les supplications de son épouse, et les instances des patriotes, le décidèrent à s'en aller; on lui fit comprendre que, dans leur intérêt comme dans l'intérêt de la population, les chefs devaient disparaître. Ils partirent donc. M. Girouard se dirigea du côté des États-Unis, et s'arrêta au Côteau-du-Lac.

Sa tête était mise à prix; une récompense de deux mille piastres était offerte pour son arrestation; mais, au lieu de songer à le trahir, chacun cherchait les moyens de l'aider à s'échapper. Il se décida à accepter l'hospitalité d'un nommé Saint-Amand, un brave homme que toutes les richesses de la terre ou les supplices les plus cruels n'auraient pas fait parler. M. Girouard était en sûreté là, il pouvait y rester sans danger, et on lui offrait tous les jours de le conduire aux États-Unis. Mais quand il apprit que les Dumouchel et les Masson étaient arrêtés, il ne put résister à une pensée de générosité; il crut qu'il devait partager le sort de ses amis, aller les rejoindre en prison. C'est ce qu'il écrivait à son épouse, le 16 janvier 1838:

«Lorsque j'eus appris, disait-il, que tous, ou presque tous mes amis, les deux jeunes MM. Masson, M. Dumouchel père, et ses deux fils étaient en prison, j'ai tout de suite changé de détermination, et j'ai pensé que ce serait de ma part une espèce de lâcheté de les abandonner dans une circonstance aussi pénible où je pouvais leur être utile. Je résolus donc d'aller les rejoindre et de partager leur sort, quel qu'il fut. »

Ce fait démontre combien les hommes de 37 avaient l'âme grande, les sentiments élevés.

M. Girouard écrivit au colonel Simpson, qui commandait au Côteau-du-Lac, qu'il était prêt à se livrer entre ses mains et à partir pour la prison, s'il promettait d'empêcher qu'il fut maltraité sur la route comme tant d'autres patriotes l'avaient été. Le colonel Simpson, heureux de mettre la main sur un pareil homme, qui lui faisait gagner si facilement les deux mille piastres offertes pour son arrestation, promit tout, et conduisit lui-même, le même jour, M. Girouard à la prison de Montréal.

L'arrestation de M. Girouard fit beaucoup de bruit. Les journaux torys jubilèrent, et les patriotes le reçurent en prison avec attendrissement. On lui donna une cellule privée, et on ne lui permit pas de communiquer avec les autres prisonniers. Il fut cependant mieux traité que les autres; il était mieux couché, avait plus d'air et d'espace; sa nourriture, grâce à ses ressources personnelles et au dévouement de ses amis, fut toujours convenable. Il passait son temps à lire, à dessiner, à faire des calculs, à résoudre des problèmes scientifiques et surtout à dessiner au crayon les portraits de ses amis et de ses compagnons de prison.

Il envoyait ces portraits aux familles des pauvres prisonniers. Quel plaisir, quelle émotion quand on recevait le portrait d'un fils, d'un époux et d'un frère qu'on n'était pas sûr de revoir!

Il a fait de mémoire plusieurs de ces portraits, entre autres celui de Chénier.

Dans les lettres qu'il écrit à sa femme et à son ami M. Morin, il s'occupe constamment de ses parents, de ses amis, de ses compatriotes; sa bonté, sa générosité et son patriotisme éclatent à chaque ligne.

Il y avait six mois que M. Girouard et les patriotes de 1837 étaient en prison, lorsque lord Durham arriva, chargé de la mission de pacifier le pays. Le brillant vice-roi s'occupa d'eux en arrivant, mais il fut fort embarrassé. Ne pouvant pas les mettre devant une cour militaire, et sachant que les procès par jury étaient impossibles dans ces circonstances, il songea et cru avoir trouvé un excellent moyen de sortir d'embarras, c'était d'obtenir des principaux patriotes, des chefs du mouvement, une confession, un plaidoyer de culpabilité, et d'amnistier les autres prisonniers. Il envoya donc d'abord le colonel Simpson auprès du Dr Nelson, de M. Girouard et de M. Bouchette, qu'il considérait comme les chefs, afin de les sonder à ce sujet, et de leur demander de signer un projet de déclaration ou de confession soigneusement préparé.

Le colonel Simpson fut très insinuant; il épuisa toutes les ressources de son esprit pour faire accepter son document. Le Dr Nelson et M. Bouchette se laissaient gagner, lorsque M. Girouard, prenant la parole avec énergie, leur fit voir tous les dangers, les embûches que cachait cette habile déclaration destinée à fournir aux autorités la base qui leur manquait pour agir.

« Je me jetterai, s'il le faut, aux pieds de mes compagnons de prison, dit M. Girouard, pour les empêcher de signer un document qui les compromettrait inutilement, et fournirait à leurs adversaires les armes qui leur manquent. »

Il alla, en effet, les trouver, leur dit ce qui s'était passé, et les conjura de ne pas se laisser convaincre par personne. Cependant, MM. Nelson et Bouchette, croyant que c'était le seul moyen d'en finir, et se flattant que ce document serait suivi d'une proclamation d'amnistie générale, sauf peut-être quelques mois d'exil volontaire pour les signataires, ils s'efforcèrent de prouver qu'avec des modifications, ce document serait fort acceptable. Lorsque M. Girouard vit que leur opinion était partagée par MM. Masson, Marchesseault, Viger et quelques autres, il s'appliqua alors à faire biffer de la déclaration ce qu'il y avait de plus compromettant, «mais elle resta toujours, écrivait M. Girouard, le lendemain, encadrée des deux expressions suivantes : "Nous nous sommes révoltés" et "Nous plaidons coupables."»

Ce fut grâce à ces mots, inoffensifs en apparence, malgré toutes les explications et atténuations du reste de la lettre, que lord Durham envoyait aux Bermudes, quelques jours après, les signataires du document. Ils comprirent alors la sagesse des conseils de M. Girouard; mais c'étaient des hommes de cœur; ils se dirent que le mal n'était pas aussi grand que M. Girouard l'avait prévu, puisque la lettre qui les faisait exiler faisait sortir de prison tous les autres prisonniers.

En effet, l'amnistie fut proclamée, et M. Girouard reprit le chemin de Saint-Benoît.

Il avait eu d'abord l'intention d'aller s'établir au loin; mais les témoignages de respect et de sympathie qu'il reçut de toutes les parties du comté des Deux-Montagnes le décidèrent à rester au milieu de ses parents et de ses amis. Il se remit avec ardeur au travail; ses succès étendirent sa renommée comme notaire, et refirent sa fortune épuisée. On s'adressait à lui de partout pour avoir son opinion dans des cas difficiles, on l'envoyait chercher pour régler les successions les plus embrouillées. Tout entier à sa profession, à sa famille et à ses études, il suivait les affaires du pays, exprimait son opinion quand on la lui demandait, mais refusa constamment de rentrer dans la politique.

Lors de la formation du ministère Baldwin-Lafontaine, en 1842, tous les moyens furent employés pour décider M. Girouard à accepter un portefeuille dans le nouveau gouvernement. Tout fut inutile. Il refusa en donnant pour raison qu'il n'avait ni la capacité, ni la santé, ni le goût nécessaire pour remplir les hautes fonctions qu'on lui offrait.

Les événements de 1837, les douleurs et les infortunes de tant de gens qui lui étaient chers, avaient produit une profonde impression sur son âme ; il avait promis de ne plus prendre une part active aux événements politiques. Peut-être n'avait-il pas pleine et entière confiance dans le succès et le fonctionnement du nouveau régime ; il ne croyait plus aux promesses des gouverneurs anglais.

Deux ou trois fois, les électeurs voulurent le renvoyer à la Chambre, mais il tint bon jusqu'à la fin ; sa profession et ses études absorbaient son temps et son esprit.

Son amusement favori était la pêche ; il passait des journées entières à pêcher, et quand il avait réussi à prendre du poisson, son plaisir était de le distribuer parmi ses amis.

Il aimait aussi à se délasser dans des réunions de famille et d'amis où il se montrait aimable. Ses connaissances variées, son esprit sérieux et artistique en même temps, rendaient sa conversation très instructive et attrayante ; mais il n'était pas toujours disposé à parler, et désappointa plus d'une fois des personnes réunies exprès pour l'entendre.

Il était grand, mais courbé; son teint était maladif, sa physionomie sérieuse, ses manières simples, modestes.

Il souffrit toute sa vie d'une maladie du foie qui réagissait parfois sur son caractère. D'un tempérament bilieux, il était très prompt, mais il était contrôlé par son jugement et son cœur, aussi bons l'un que l'autre. Comme MM. Morin, Viger, Cherrier et plusieurs autres hommes de cette grande génération, il était aussi bon chrétien que bon citoyen, pratiquait ce qu'il croyait, et faisait aimer la vertu et la religion par la sincérité de ses convictions et la force de ses exemples. Ils savaient concilier, ces grands citoyens, leurs devoirs envers Dieu avec leurs devoirs envers la patrie, et manifestaient leur foi dans leurs œuvres et leur conduite.

Les familles qui avaient souffert dans les troubles de 1837, et les infortunés en général, trouvèrent toujours dans M. Girouard un ami, un protecteur. Saint-Benoît possède dans l'hospice d'Youville un monument qui atteste de la générosité et de la charité chrétienne de cet excellent citoyen.

M. Girouard avait perdu sa première épouse en 1847; quatre ans après, en 1851, il épousa en secondes noces Mlle Émilie Berthelot, sœur de M. le juge Berthelot, une femme digne de lui par l'esprit et le cœur, qui s'associa à ses bonnes œuvres et les continua quand il ne fut plus de ce monde.

Il put, grâce à une vie régulière et malgré un travail constant et excessif souvent, prolonger ses jours, vivre plus longtemps que sa santé délicate le faisait présager. Cependant, au commencement de l'année 1855, ses forces commencèrent à décliner visiblement; il comprit que la fin était prochaine et vit arriver la mort avec la confiance et la paix que donne une vie pleine de mérites.

Il mourut, le 18 septembre 1855, et fut inhumé dans la chapelle qu'il avait fondée ; une pierre tumulaire, due au patriotisme et à la piété de son beau-frère, l'hon. juge Berthelot, indique l'endroit où reposent ses cendres.

« Sa mémoire vivra longtemps, nous écrivait, il y a quelques années, le Dr Dumouchel, dans cette bonne vieille paroisse de Saint-Benoît. Je le dis avec d'autant plus de confiance qu'il a laissé deux fils qui promettent de perpétuer la renommée de leur vénéré père, dont ils ont raison d'être fiers de porter le nom. »

Jean-Baptiste Dumouchel

M. Dumouchel naquit à Sandwich, province d'Ontario, en 1784, et vint dans le Bas-Canada, à l'âge de onze ans. Après quelques années passées au collège de Montréal, il entra, comme commis, chez M. Alexis Berthelot, marchand de Sainte-Geneviève. Vers l'année 1810, il ouvrit un magasin à Saint-Benoît, et épousa Mlle Marie-Victoire Félix, sœur du curé de cette paroisse.

M. Dumouchel était un de ces anciens Canadiens, au caractère franc, aux manières polies, à l'hospitalité proverbiale, dont nos campagnes devraient conserver aussi longtemps que possible le souvenir et les traditions. Il était connu et respecté, dans le Nord, comme les Drolet, les Franchère et les Cartier dans le Sud. Sa maison était moins bruyante que celles de ces riches marchands de la rivière Chambly, mais elle était aussi remarquable par l'hospitalité qu'on y recevait, et son commerce, quoique moins étendu, était aussi prospère et plus sûr. Il fut accablé de charges publiques, et parvint au grade de major dans la milice, sous le lieutenant-colonel Nicolet-Lambert Dumont, seigneur des Mille-Isles.

Les faveurs du pouvoir ne l'empêchèrent pas de devenir l'un des plus ardents et des plus distingués patriotes du comté des Deux-Montagnes. Beau-frère de M. Girouard, ami des Papineau, des Viger, des Morin et des Labrie, il fut aussi l'un des plus dévoués partisans de ces grands citoyens dans leur lutte énergique en faveur de la liberté. Il fut un de ceux qui, n'ayant rien à gagner, mais tout à perdre dans l'agitation populaire, donnèrent la preuve la plus éclatante de leur sincérité par des sacrifices continuels.

Lorsque le gouvernement se décida à sévir contre les patriotes qui avaient pris part aux assemblées publiques, en leur enlevant les positions qu'ils occupaient dans la milice et dans la magistrature, il fut l'une des premières victimes des bureaucrates.

Il vint un moment où un certain nombre de patriotes zélés crurent prudent de conseiller à leurs amis et au peuple de ne pas sortir des voies constitutionnelles pour se lancer dans celles de l'insurrection. De ce nombre fut l'un des fils de M. Dumonchel, devenu plus tard sénateur. Mais M. Dumouchel, pas plus que le Dr Chénier, ne voulut prêter l'oreille à ces conseils inspirés par l'amitié et la prudence, et, comme le héros de Saint-Eustache, il crut que la résistance aux mandats d'arrestation était possible que, dans tous les cas elle était devenue une nécessité, un devoir même.

Après le désastre de Saint-Eustache, c'est chez lui que les chefs patriotes de Saint-Benoît se réunirent pour conseiller à leurs partisans de se soumettre et aviser aux moyens d'échapper eux-mêmes à la vengeance des bureaucrates.

M. Dumouchel s'enfuit, mais il fut trahi, à quelques milles de Saint-Benoît, par un individu qu'il avait protégé, et fut livré aux soldats de Colborne, qui l'amenèrent, les mains liées derrière le dos, à Montréal, et l'incarcérèrent dans la vieille prison.

Il fut bientôt rejoint par ses deux fils, Hercule et Camille, qu'on arrêta à la Mission des Sauvages, dans une cabane où ils s'étaient cachés, par M. Girouard, le Dr Masson, M. Damien Masson, etc.

M. Dumouchel supporta patiemment les ennuis et les privations de la prison. Il se mit de grâce au régime du pain et de l'eau et encouragea ses compagnons à en faire autant.

Lorsque le colonel Simpson fut envoyé par lord Durham auprès des prisonniers pour leur annoncer que, si quelques-uns d'entre eux consentaient à signer un document par lequel ils se reconnaissaient coupables de haute trahison, tous les autres prisonniers seraient amnistiés, M. Dumouchel se montra disposé à signer ce document. Cette nouvelle preuve de dévouement et de générosité émut profondément les autres prisonniers. Le Dr Masson ne se montra pas moins généreux ; il empêcha M. Dumouchel de signer en lui disant :

– Vous êtes père de famille, déjà vieux, ne vous sacrifiez pas. Pour moi, je suis jeune, que lord Durham fasse de moi ce qu'il voudra. Peu m'importe, j'aurai du moins sauvé le reste de mes compatriotes de l'exil et de l'échafaud.

M. Dumouchel ayant été mis en liberté, retourna à Saint-Benoît au milieu de parents et d'amis nombreux qui manifestèrent de mille manières touchantes le bonheur qu'ils avaient de le revoir.

Inutile de peindre les scènes émouvantes qui se passaient dans les familles, quand, après des mois d'angoisses, après avoir entendu dire mille fois que tous les prisonniers devaient être fusillés ou envoyés à l'échafaud, on voyait reparaître un mari, un père ou un frère chéri.

Mais les joies du retour n'empêchèrent pas le chagrin d'entrer dans l'âme de M. Dumouchel, quand il contempla les ruines de ses propriétés et calcula l'étendue des pertes qu'il avait subies. Il se remit au travail ; mais, affaibli par les privations et les ennuis de la prison, il ne retrouva plus son énergie d'autrefois. Ses forces disparurent graduellement, malgré les soins et les tendresses d'une famille qui le chérissait profondément, et il mourut en 1844.

LE Dr L.-H. MASSON
ET M. DAMIEN MASSON

Le Dr Luc-Hyacinthe Masson et son frère, M. Damien Masson, étaient, en 1837, deux gros et grands garçons, aux yeux noirs, au teint bronzé, aux épaules robustes, au caractère déterminé. Ils étaient fils de M. Louis Masson, capitaine de milice et marchand, de Saint-Benoît. Le premier avait vingt-six ans et l'autre vingt et un ans.

Après un bon cours d'études au séminaire de Montréal, le Dr Masson avait étudié la médecine sous le célèbre Dr Robert Nelson, qui n'eut pas de peine à inculquer à son jeune élève ses principes politiques comme sa science médicale. Pendant le choléra de 1832, son patron, étant tombé malade, le chargeait de le remplacer auprès des émigrés à la Pointe-Saint-Charles, et, le 1er août, on l'envoyait à

Beauharnois prendre la place du Dr Fleming, qui venait de succomber à l'épidémie. D'un caractère et d'une constitution à toute épreuve, le jeune étudiant en médecine avait accepté avec plaisir les missions difficiles et dangereuses qu'on lui confiait.

Il fut reçu médecin en 1833, demeura quelques années à Beauharnois, et alla s'établir à Saint-Benoît. Il arrivait bien : la paroisse était en feu. Il eut bien garde d'amortir ce feu ; il l'activa, au contraire, en s'enflammant lui-même.

La parole et l'exemple des Girouard et des Chénier, dont il devint l'ami intime, ne pouvaient manquer de surexciter une nature aussi hardie. Il fit si bien, qu'au bout de quelques mois, il était considéré comme l'un des chefs des patriotes du comté des Deux-Montagnes.

Le 10 juin 1837, il était nommé secrétaire de la grande assemblée tenue à Sainte-Scholastique, sous la présidence de Jacob Barcelo, pour protester contre les propositions de Lord John Russell.

Le 6 août 1837, il allait, à la tête d'une centaine de patriotes des Deux-Montagnes, à l'assemblée du comté de Vaudreuil, et prenait la parole à la suite d'O'Callaghan et d'Ovide Perrault, le jeune et populaire représentant de ce beau comté.

Comme le docteur était commissaire des petites causes et juge de paix pour le district de Montréal, il reçut une lettre de M. Walcott, le secrétaire de lord Gosford, lui demandant compte de sa conduite aux assemblées de Vaudreuil et des Deux-Montagnes.

La réponse fut courte.

M. Masson répondit qu'en sa qualité de sujet anglais, il avait le droit constitutionnellement d'exprimer ce qu'il pensait de l'administration des affaires publiques.

Cette réponse fut suivie d'un ordre général qui annulait dans tout le pays les commissions des officiers de milice, commissaires et juges de paix, dont la loyauté était suspecte.

Deux jours après, des mandats d'arrestation étaient émis.

Deux huissiers se rendirent à Saint-Benoît pour arrêter le Dr Masson et quelques autres chefs patriotes; mais l'accueil peu rassurant que le peuple leur fit, quand il apprit le but de leur voyage, les effraya, et ils s'en retournèrent comme ils étaient venus, sans tambour ni trompette, heureux d'en être quittes à si bon marché.

Dans l'après-midi du 14 décembre 1837, au moment où l'héroïque Chénier tombait sous les balles des bureaucrates, Girod arrivait à course de cheval à Saint-Benoît, se rendait chez M. Girouard et disait qu'il venait de Saint-Eustache chercher des secours. Le Dr Masson et son frère Damien lui reprochent d'avoir quitté le champ de bataille, et le traitent de lâche et de poltron. Girod, furieux, tire un pistolet, mais le Dr Masson l'aurait assommé d'un coup de tisonnier si son frère ne lui eût pas arrêté le bras.

– Nous n'avons pas de temps à perdre, dit M. Damien Masson à son frère, allons au secours de Chénier avec tous ceux que nous pourrons soulever et entraîner, nous emmenons Girod avec nous.

– Oui, dit le Dr Masson, qui avait une carabine à la main, allons, Girod, nous verrons qui est un lâche.

Ils partirent, Girod avec eux, enrôlant tous ceux qu'ils pouvaient rencontrer. Arrivés à mi-chemin, ils s'arrêtèrent chez un nommé Inglis. Pendant qu'ils se chauffaient, Girod se glissa furtivement dans une chambre de la maison, s'élança par la fenêtre dans la cour, monta dans la voiture d'un cultivateur, et se sauva au grand galop du cheval, du côté de Sainte-Thérèse. On sait que, poursuivi et trahi, il se faisait sauter la cervelle, quelques jours après, à la Pointe-aux-Trembles, au moment où il allait être arrêté.

Inutile de dire combien la fuite de Girod consterna ceux qui avaient eu confiance en lui. Bientôt, les patriotes échappés au massacre de Saint-Eustache, commencèrent à arriver et racontèrent les tristes événements dont cette paroisse venait d'être le théâtre.

Chénier mort... Girod disparu... on comprit que tout était fini, et on décida qu'il fallait déposer les armes et recevoir les troupes, le drapeau blanc à la main.

Les chefs ayant résolu de quitter Saint-Benoît avant l'arrivée des troupes, afin d'échapper à la vengeance des bureaucrates et de rendre plus acceptable la soumission des gens de cette paroisse, le Dr Masson et son frère Damien partirent, lorsqu'il n'y avait plus un moment à perdre, et se dirigèrent vers le sud, du côté des États-Unis. Ils avaient traversé le fleuve, à la tête du canal de Beauharnois, et se croyaient en sûreté, lorsqu'ils furent arrêtés par un parti de volontaires stationné au fort du Côteau-du-Lac. Ils avaient été vendus par un batelier, un traître et un lâche, qui, les ayant reconnus, était allé, après avoir reçu leur argent, avertir le colonel Simpson.

M. Masson et son frère Damien furent conduits au corps de garde du Côteau où ils passèrent la nuit. Le capitaine McIntyre, qui commandait les volontaires, étant tombé de son cheval, s'était blessé assez gravement. Il demanda au Dr Masson de le saigner.

Les volontaires anglais jetèrent les hauts cris; ils ne pouvaient comprendre que le capitaine consentit à se faire saigner par un *rebelle*. Le capitaine, qui était un homme d'esprit, se fit saigner quand même, et trouva que le docteur avait la main aussi sûre qu'un bureaucrate.

Pendant la nuit, le Dr Masson fit semblant de dormir afin de tout voir et de tout entendre. À chaque instant, des volontaires entraient dans l'appartement où il était couché, lui mettaient presque la chandelle sous le nez pour l'examiner, et disaient en le regardant :

– Quel dommage! c'est un beau jeune homme. Je ne voudrais pas être à sa place.

– Non, disaient les autres, car notre colonel vient d'avoir la nouvelle que les prisonniers, en arrivant à la ville, seront jugés par la cour martiale et fusillés, une demi-heure après.

M. Masson n'aurait pu s'empêcher de rire parfois, s'il n'avait pas fini par croire que ces volontaires disaient la vérité. Il le crut tellement que, le lendemain matin, il demanda au colonel Simpson s'il n'y aurait pas moyen de le faire fusiller dans l'enceinte du fort, afin d'en finir plus vite. Le colonel le rassura en lui disant qu'il ne fallait pas ajouter foi à toutes ces histoires de fusillades.

Le lendemain, M. Masson fut conduit avec son frère à Montréal. En arrivant dans le vestibule de l'ancienne prison de Montréal, ils trouvèrent M. l'abbé Blanchet, le curé patriote de Saint-Charles, qui venait d'être arrêté. Après quelques pourparlers entre le procureur général Ogden et le shérif, les prisonniers furent attachés avec des cordes les uns aux autres, et escortés jusqu'à la prison par une compagnie de carabiniers sous le commandement du major C. Sabrevois de Bleury.

M. Masson trouva dur d'être enfermé dans une cellule à peine assez grande pour le contenir, avec une livre et demie de pain par jour et le plancher nu pour lit.

Un jour, il demanda au shérif qui lui avait ôté tout son argent, de lui remettre quelques piastres dont il avait absolument besoin ; le shérif refusa. Alors le Dr Masson, qui faisait de la bile depuis longtemps, jugea que c'était le temps de s'en débarrasser ; il fit au shérif une terrible semonce qui l'impressionna, car il alla aussitôt s'en plaindre à M. Girouard.

– M. Masson ne vous a rien dit de trop, se contenta de répondre M. Girouard.

Les prisonniers, fatigués de cette vie de privations et d'anxiété, demandaient vainement qu'on fît leur procès et qu'on décidât de leur sort. Colborne hésitait, retardait. Enfin, lord Durham arriva, et l'on sait comment il régla cette épineuse question. Le Dr Masson fut exilé aux Bermudes.

Permission ayant été donnée aux exilés, la veille de leur départ, de voir leurs familles, Mme Masson se rendit à la prison pour faire ses adieux à ce fils qu'elle aimait tant.

C'était une noble femme. Elle avait résolu de fortifier son fils par son courage et sa résignation, au lieu de l'attrister par le spectacle de ses larmes. Elle tint parole ; dominant son émotion, elle lui dit en le quittant :

– Mon fils, tu pars pour l'exil, tu as voulu te sacrifier pour tes compagnons de prison. Sois courageux jusqu'à la fin. Je suis fière de toi. Je me consolerai dans ton absence en pensant que Dieu m'a donné des enfants aussi bons patriotes et dignes de moi.

Les femmes de Sparte n'étaient pas plus héroïques.

Le Dr Masson, après son exil, alla se fixer à Fort-Covington, dans l'État de New-York, revint dans le pays, quelques années plus tard, pratiqua comme médecin, fut élu député du comté de Soulanges, et mourut à un âge assez avancé.

PIERRE AMIOT

C'était un dur régime que celui de la prison de Montréal en 1837 et 1838, un véritable régime de prison d'État, qui tue plus lentement, mais presque aussi sûrement que l'échafaud.

Sans les secours généreux donnés aux prisonniers par des parents ou des amis, un grand nombre auraient succombé. On leur donnait pour toute nourriture une livre et demie de pain par jour et un gallon d'eau, une cellule où un homme pouvait à peine se retourner quand il était couché, point de lit ni de paillasse, pas même une couverture.

Il est facile de s'imaginer l'effet que produisait un pareil régime sur des hommes habitués à bien vivre, et en proie aux angoisses les plus douloureuses. Parmi ceux qui ne purent y résister, il faut placer au premier rang M. Pierre Amiot.

Fait prisonnier près du champ de bataille de Saint-Charles, où il s'était battu bravement à côté des Marchesseault et des Hébert, il tomba malade peu de temps après son entrée dans la prison.

Il était reconnu par tout le monde, constaté par les médecins, que c'était le régime de la prison qui le tuait, que le bon air, une nourriture saine, et les soins de la famille le rendraient à la santé. Toutes les démarches tentées pour le faire sortir furent inutiles. Il avait montré trop de dévouement à la cause nationale pour exciter la pitié de ses geôliers.

Il ne sortit comme les autres qu'au mois de juillet 1838, en vertu de l'amnistie proclamée par Durham.

La liberté, les soins les plus empressés, les sympathies les plus touchantes le ranimèrent un peu, mais ne purent le sauver; il mourut au mois de janvier suivant.

M. Amiot était, en 1816, un bon cultivateur de la paroisse de Verchères, lorsqu'il fut élu pour représenter, dans la Chambre d'assemblée, le comté de Surrey, qui comprenait alors les comtés de Verchères et de Chambly.

Les patriotes crurent qu'ils auraient en lui un défenseur énergique de leurs droits, un vaillant soldat dans la lutte que les Papineau et les Bédard soutenaient contre la bureaucratie.

Ils ne se trompèrent pas.

Pendant vingt ans, il fut fidèle au drapeau, combattit sans relâche, et se distingua par des actes de sacrifice et de courage. Ayant, en 1827, agi comme vice-président d'une assemblée publique convoquée à Verchères, dans le but de demander le rappel de lord Dalhousie, le gouverneur lui demanda compte de sa conduite.

Il refusa de répondre et fut destitué comme capitaine de milice.

En 1830, lors de la division du comté de Surrey, il fut élu par le comté de Verchères, et le gouvernement lui donna le grade de major dans la milice. Il continua de mériter la confiance des patriotes et fut de nouveau destitué pour avoir assisté à l'assemblée de Saint-Charles.

Prêchant d'exemple comme de parole, il prit le fusil en 1837, et se rendit à Saint-Charles pour faire le coup de feu. Il se distingua parmi cette poignée de braves qui, mitraillés à bout portant, entourés par les soldats de Wetherall, sans chef et sans munitions, se battirent à la fin à coups de crosse de fusil. Quand il jugea que tout était fini, lorsqu'il eut vu tomber à côté de lui presque tous ses compagnons d'armes, il chercha son salut dans la fuite et réussit d'abord à faire son chemin à travers les balles et les boulets. Mais il fut bientôt arrêté, enchaîné et conduit à la prison de Montréal, où, comme nous l'avons dit, l'humidité, le mauvais air et les privations détruisirent en peu de temps sa constitution.

Mieux eût valu pour lui mourir sur le champ de bataille que de s'éteindre si tristement dans les murs d'une prison ; c'est ce qu'il disait quelquefois, mais il ajoutait que ce n'était pas sa faute si les balles l'avaient épargné à Saint-Charles.

M. Amiot n'avait pas beaucoup d'instruction ; il ne savait à peu près que ce qu'il avait appris de lui-même ; mais c'était un homme d'un esprit solide et surtout d'un caractère d'airain. Comme cet autre patriote de 1837, auquel le geôlier demandait ironiquement qui il était, il aurait pu répondre :
— *J'su-t-un homme.*

Oui, c'était un homme, et c'est tout dire.

Louis Lacasse

Parmi les patriotes de 1837, et au premier rang de ceux qui se sont distingués à la bataille de Saint-Denis, il faut placer M. Louis Lacasse. C'était un homme brave, déterminé, un véritable patriote qui n'hésita pas à sacrifier la belle position d'assistant-shérif qu'il occupait en 1837, et à risquer sa vie comme sa fortune pour la cause de la liberté.

Tout jeune, il avait fait la campagne de 1812-1813, sous M. de Joliette, et avait montré pour défendre le drapeau anglais le même courage qu'il déploya plus tard contre ceux qui voulaient faire de ce drapeau un emblème d'oppression.

La guerre terminée, Louis Lacasse, dont la conduite avait été plus d'une fois remarquée par ses chefs, se retira avec le titre d'enseigne, et retourna à Saint-Denis où il se maria, et se fit une excellente position. Lorsque la lutte éclata entre les bureaucrates et les patriotes, il ne put s'empêcher de prendre part à l'agitation, et de tout sacrifier plutôt que de subir en silence les injustices et la tyrannie d'une bureaucratie violente.

L'expérience et le goût des armes qu'il avait acquis dans la guerre de 1812, firent que le Dr Nelson jeta les yeux sur lui pour organiser, conjointement avec le capitaine Jalbert, la petite armée destinée à se battre contre les vétérans de Waterloo.

La bataille de Saint-Denis, il fit son devoir à la tête de sa compagnie. Il était à côté de Saint-Germain lorsque celui-ci fut tué, avec deux autres Canadiens ; il fut lui-même blessé par un éclat de pierre arraché au mur de la maison au premier coup de canon.

Vers le milieu de la journée, le capitaine Lacasse sortit de la maison pour se battre plus à l'aise.

La bataille finie, il regagna sa maison où il ne trouva personne. Sa femme et ses enfants étaient allés au presbytère se mettre sous la protection de M. l'abbé Demers.

Du grenier, les enfants avaient vu tout le combat, et, l'une des petites filles, agenouillée dans la fenêtre, avait prié Dieu tout le temps.

Obligé, comme les autres, de fuir après la défaite de Saint-Charles, il se dirigea du côté des États-Unis, et mit dix-huit jours à atteindre la frontière. Il eut beaucoup à souffrir du froid et de la faim pendant sa fuite.

Quand il vit, en 1838, qu'on méditait une nouvelle insurrection, il entreprit de retourner au Canada pour se mettre de nouveau au service de la cause. La frontière était garnie de sentinelles; il eut recours à toutes sortes de stratagèmes pour tromper la vigilance, simulant la folie, faisant le sourd-muet. À un certain endroit, il put passer à travers une compagnie de soldats, grâce à son beau-frère, M. Germain Lespérance, qui le cacha sous une charge de foin et de légumes.

Rendu à Saint-Denis, il s'installa dans le grenier de sa maison, et réussit, pendant trois mois, à se dérober à la vengeance des bureaucrates. Ceux-ci vinrent plus d'une fois dans sa maison pour obtenir des renseignements, et ils les entendit souvent dire à sa femme qu'ils ne le ménageraient pas s'ils mettaient la main sur lui. La nuit, il sortait pour prendre part à des réunions de patriotes.

L'insurrection de 1838 fut si courte qu'il n'eut pas le temps, heureusement pour lui, d'y prendre part; toutefois, il fut obligé de se réfugier de nouveau aux États-Unis. L'amnistie ayant été accordée aux patriotes de '37, il revint au Canada, heureux de revoir son pays bien-aimé, mais pauvre, inquiet sur l'avenir de sa famille. Il ne regretta pas ce qu'il avait fait pour la cause de la liberté; il était de ces hommes à qui les nobles satisfactions du patriotisme et du devoir accompli suffisent; mais il lui fallait bien reconnaître que son dévouement avait brisé son avenir. Il ne put jamais refaire sa situation, renouer complètement le fil de sa destinée. Après avoir tenté la fortune en divers endroits, il retourna dans sa chère paroisse de Saint-Denis où il mourut en 1868, à l'âge de 75 ans.

SIMÉON MARCHESSEAULT

Siméon Marchesseault était, en 1837, huissier de la cour supérieure pour le district de Montréal, et demeurait à Saint-Charles. C'était un homme de bonne figure et de bonne mine, intelligent, actif, chaud patriote. Ayant passé quelques années au collège de Montréal, et enseigné à Saint-Charles, il avait une assez bonne éducation qui lui donnait de l'empire sur le peuple. Il en profitait pour prêcher partout la cause populaire et surexciter les esprits contre le gouvernement et la bureaucratie. Présent à toutes les assemblées qui précédèrent l'insurrection, toujours prêt à appuyer les propositions les plus énergiques, partisan enthousiaste de Papineau et de Nelson, il brillait au premier rang parmi les patriotes du comté de Chambly.

Il ne se contenta pas, comme quelques-uns, de pousser le peuple à la révolte par des paroles enflammées; il fut l'un des premiers à prendre le fusil et à organiser le camp de Saint-Charles.

Il se distingua par son dévouement et son activité dans les jours qui précédèrent la bataille, et, lorsque le canon commença à gronder, il donna l'exemple du sang-froid et de la bravoure à ceux qui l'entouraient.

C'est lui qui prit le commandement des patriotes renfermés dans le camp, après le départ du général Brown pour Saint-Denis.

Ils étaient là, une centaine de braves, derrière des remparts formés de troncs d'arbres, se battant en désespérés contre des troupes aguerries et trois fois plus nombreuses. Bientôt le camp fut entouré, les boulets brisèrent les remparts, et le massacre commença.

Marchesseault chercha alors, ainsi que plusieurs autres, son salut dans la fuite.

Il lança son cheval au milieu des soldats anglais et reçut, en franchissant les remparts, une balle qui alla se loger dans une liasse de papiers qu'il avait dans sa poche d'habit.

Il se dirigea vers le village, entra dans sa maison qui était déjà en feu, y prit des papiers importants, courut à son étable mettre en liberté ses animaux afin de les empêcher de brûler, et passa plusieurs fois, sans être reconnu, heureusement, au milieu des soldats qui avaient mis le feu.

Il put alors se cacher facilement, et, quelques jours après, il partait, avec le Dr Nelson et quelques autres patriotes, pour les États-Unis. Après avoir souffert de la faim et du froid, s'être égarés plusieurs fois dans les bois et avoir échappé à mille dangers, ils furent arrêtés sur la frontière par des volontaires, et conduits à la prison de Montréal.

Marchesseault, toujours dévoué, fut un des huit qui consentirent à se sacrifier pour leurs compatriotes, et il fut exilé aux Bermudes. Lorsqu'il revint au Canada, il s'établit à Saint-Hyacinthe, et reprit ses anciennes fonctions d'huissier.

M. Marchesseault était né à Saint-Ours ; son père et sa mère étaient descendants d'Acadiens.

LUCIEN GAGNON

Lucien Gagnon, ou « Gagnon l'habitant », comme on l'appelait, était un cultivateur à l'aise de la Pointe-à-la-Mule, paroisse de Saint-Valentin.

À côté des chefs illustres dont le nom et le génie ont tant d'empire, il faut au peuple, dans les temps de troubles, pour l'entraîner, des hommes qui ont vécu avec lui, et dont il a pu connaître et apprécier depuis longtemps la sincérité.

Gagnon a été, dans les paroisses du sud de Montréal, l'un de ces hommes, chefs populaires.

Lucien Gagnon prit part de bonne heure à l'agitation populaire. Il était à la grande assemblée de Saint-Charles, et il en revint plus ardent que jamais, et convaincu qu'il fallait pousser la résistance jusqu'à l'insurrection.

Il parcourut Saint-Valentin et les paroisses environnantes, répandit partout les sentiments qui l'animaient, et engagea la population à se préparer à la lutte.

Les chefs de l'insurrection s'enfuyant aux États-Unis après la bataille de Saint-Charles, s'arrêtèrent à la Pointe-à-la-Mule, virent Gagnon et l'engagèrent à les suivre pour éviter la vengeance des bureaucrates, et aviser aux moyens de prendre leur revanche.

Arrivés à Swanton, État de Vermont, ils délibérèrent et décidèrent qu'il fallait rentrer au Canada, les armes à la main. Papineau et O'Callaghan, qu'ils avaient rencontrés, les avaient convaincus que Wolfred Nelson, le vainqueur de Saint-Denis, les attendait à Saint-Césaire, à la tête d'un corps considérable d'insurgés.

Comme les patriotes réfugiés à Swanton n'étaient pas assez nombreux pour faire une pareille incursion, Gagnon s'offrit d'aller au Canada faire une levée d'hommes. C'était une entreprise hardie, dangereuse. En traversant les lignes et en revenant à la tête d'une troupe aux États-Unis, il courait le risque d'être arrêté par les forces anglaises qui gardaient la frontière, ou par les autorités américaines, pour violation des lois de la neutralité.

Gagnon n'hésita pas pourtant ; il partit, entra de nuit sur le sol canadien, parcourut la Pointe-à-la-Mule et les paroisses environnantes, souleva les gens, et parvint à organiser une troupe de cinquante hommes déterminés comme lui.

Nous avons déjà dit, en faisant le récit de la bataille de Moore's Corner, comment la vaillante troupe fit son chemin au travers des sentinelles anglaises pour rejoindre les patriotes à Swanton, rentra avec eux au Canada, et eut à lutter contre des forces dix fois plus considérables. Gagnon, qui avait reçu deux blessures sérieuses, put, avec beaucoup de peine, regagner la frontière.

Pendant ce temps-là, sa femme et ses enfants étaient victimes de la vengeance de ses ennemis.

Un soir que Mme Gagnon était seule avec ses enfants des hommes armés entrent soudain dans sa maison, l'insultent, la menacent, lui annoncent qu'ils viennent au nom de la reine confisquer tous les biens de son mari, s'emparent en effet de tout, clouent les portes de toutes les chambres de la maison, des granges, bâtiments et dépendances, et donnent trois heures à Mme Gagnon pour sortir avec sa famille. La pauvre femme essaya en vain de toucher ces barbares en leur montrant ses huit enfants pressés autour d'elle, et sa vieille mère âgée de soixante-quinze ans ; elle leur demanda même en vain la permission d'emporter des vêtements et des provisions.

Elle fut obligée de partir, dénuée de tout.

Et l'on vit cette pauvre femme sur le chemin, par une nuit noire et froide, aller de porte en porte, un enfant dans les bras, suivie d'une vieille femme de soixante-quinze ans, sa mère, et de sept enfants, tremblants de peur, grelottants de froid. Les bureaucrates avaient tellement effrayé le voisinage, qu'à plusieurs endroits on ne voulut pas recevoir la femme et les enfants de Gagnon. Les fugitifs furent donc obligés de faire une demi-lieue avant de trouver un refuge. Quelques jours après, Mme Gagnon et sa famille prenaient la route des États-Unis. Deux voitures portaient les hardes et les provisions qu'elle avait pu se procurer pour faire son triste voyage ; elle s'en allait, le cœur serré, mais confiante et certaine qu'on la laisserait passer tranquille. Vain espoir ! Elle était à peine partie, qu'une troupe de bureaucrates l'attaquait, pillait les voitures, s'emparait de tout, vêtements et provisions, et la laissait à peine vêtue sur le grand chemin.

Ces faits ne sont-ils pas plus odieux, plus barbares et plus impardonnables que la mort de Weir et de Chartrand et tout ce qu'on a reproché aux patriotes ?

La pauvre femme réussit enfin à franchir la frontière et à rejoindre son mari.

Qu'on juge de la colère de Gagnon, lorsqu'il entendit raconter par sa femme et ses enfants les mauvais traitements dont ils avaient été victimes; qu'on se fasse une idée des sentiments de vengeance que ce récit fit germer dans cette âme fortement trempée!

Est-il étonnant qu'on le retrouve, le 28 février, au premier rang de la troupe que Robert Nelson avait organisée pour envahir le Canada, et se joindre aux insurgés qui l'attendaient à quelques milles de la frontière?

Ils étaient trois cents patriotes qu'animaient les mêmes sentiments de patriotisme, de liberté et de vengeance.

Mais leur projet ayant transpiré, le gouvernement canadien s'était concerté avec les autorités américaines pour le faire avorter. Ils avaient à peine franchi la frontière que leurs armes étaient saisies par les troupes des États-Unis, et les chefs faits prisonniers. Gagnon, malgré son énergie, ne put contenir le chagrin que lui causa cet échec; il pleura comme un enfant. Cette douleur profonde émut tous ceux qui en furent témoins.

Lucien Gagnon et Chamilly de Lorimier, deux des principaux organisateurs de cette expédition, furent arrêtés par les autorités américaines sous l'accusation d'avoir violé les lois des États-Unis, en y organisant une expédition à main armée contre le Canada. Ils furent acquittés après une enquête qui dura plusieurs jours, dans laquelle on prouva que les patriotes étaient entrés au Canada sans armes.

Mme Gagnon passa une partie de l'hiver avec son mari, à Corbeau, à quelques milles de la frontière.

Au mois de mars, cette femme courageuse, voyant sa famille sans ressources, dénuée de tout, entreprit de retourner au Canada pour reprendre possession de leurs biens et essaya d'ensemencer leur terre. Elle réussit, avec l'aide de ses enfants et de quelques voisins, à semer quelques minots de grains.

Gagnon, bravant le danger qui le menaçait, allait voir sa famille, la nuit, à travers les bois. Plusieurs fois, il faillit être pris et n'échappa qu'à force de ruse et d'audace.

C'est dans une de ces visites, au commencement de juillet, qu'il lut dans un journal, la proclamation de lord Durham qui l'excluait du bénéfice de l'amnistie. Sa femme et ses enfants, alarmés, le prièrent de ne plus s'exposer. «Ne craignez rien, répondit Gagnon, jamais un bureaucrate n'aura la prime offerte pour ma tête.»

Bientôt Gagnon commence à venir plus souvent que jamais au Canada, car on prépare un autre soulèvement, un mouvement combiné des Canadiens réfugiés aux États-Unis et des patriotes des comtés de Laprairie, de l'Acadie, de Chambly et de Beauharnois. Gagnon est l'homme de confiance de Robert Nelson, le porteur de ses messages; il se multiplie pour assurer le succès de la nouvelle insurrection; il croit que, cette fois, le triomphe est assuré; il ne recule devant aucun sacrifice, aucun danger.

Un soir, un courrier lui apprend que Nelson veut le voir à Napierville. Il part avec l'intention de revenir pendant la nuit. Il a été vu, un traître le dénonce. Vers onze heures, un grand bruit se fait autour de la maison; ce sont des dragons qui arrivent dans l'espérance de le surprendre. Ils enfoncent les portes, crient, jurent, menacent, cherchent, fouillent partout, et ne trouvant pas celui qu'ils cherchaient, veulent savoir où il est. Ils s'adressent à l'aîné des fils de M. Gagnon, et veulent le faire parler; comme il refuse, ils se précipitent sur lui, le garrottent et le soumettent à toutes sortes de mauvais traitements. Ils percent de plusieurs coups de baïonnette son frère Jules, et brisent, d'un coup de crosse de fusil, l'épaule de la mère de Mme Gagnon, une pauvre vieille femme de soixante-quinze ans. L'un des enfants, Médard, vient à bout de s'esquiver et va au-devant de son père pour l'avertir. Il le rencontre à quelques arpents, revenant à cheval de Napierville avec un de ses amis; il lui raconte ce qui se passe, et le supplie de se sauver. Gagnon refuse, il veut, dans sa colère, aller défendre sa famille. Son ami lui fait comprendre que c'est inutilement vouloir se faire tuer; il se laisse convaincre et rebrousse chemin, le désespoir dans l'âme.

Mme Gagnon, ne sachant ce qui se passe, est dans des angoisses mortelles; elle envoie l'aînée de ses filles, âgée de douze ans, guetter son père. La pauvre enfant passe le reste de la nuit blottie près de la clôture sur le bord du chemin.

Enfin, le jour arrivé, les dragons évacuent la maison, après avoir brisé une partie des meubles, et promettant de revenir bientôt.

Mme Gagnon, comprenant que sa vie et celle de ses enfants étaient en danger, reprenait, le lendemain, le chemin des États-Unis.

Quelques jours après, Robert Nelson entrait au Canada, à la tête de deux à trois cents réfugiés, et se rendait à Napierville pour donner le signal de l'insurrection et arborer l'étendard de l'indépendance. Gagnon avait été chargé, avec le Dr Côte, de tenir les communications libres entre Rouse's Pointe et Napierville, et de faire parvenir à Nelson des armes et des munitions.

Lucien Gagnon avait réussit à regagner les États-Unis après la bataille d'Odelltown. Les émotions violentes, les fatigues et les privations qu'il avait éprouvées avaient fini par ébranler sa santé.

La consomption le prit, et, après avoir langui pendant deux ans, il mourut, le 7 janvier 1842, à Champlain, après avoir reçu tous les secours de la religion. Sa fin fut digne de sa vie ; ses dernières paroles furent pour son Dieu et son pays. « Je meurs pour ma patrie, dit-il, qu'elle soit heureuse ! »

C'était vrai, il mourait victime de sa nature ardente et généreuse, de son patriotisme.

Son corps fut transporté à Saint-Valentin, et l'on vint de tous côtés à ses funérailles. Les cultivateurs se firent un devoir de rendre un dernier hommage à celui qu'ils avaient si longtemps considéré comme l'un de leurs chefs, à cet homme de cœur qui avait tout sacrifié pour la cause populaire.

Il fut enterré, conformément au désir qu'il avait manifesté, avec la *tuque* bleue et l'habit *d'étoffe du pays*, qu'il portait toujours. M. Bourassa, député de Saint-Jean, était parmi ceux qui portèrent son corps en terre.

Lucien Gagnon était de moyenne taille, robuste, actif, impétueux, aussi prompt à exécuter un projet qu'à le concevoir, d'un esprit fertile en expédients, d'une audace et d'un courage à tout épreuve. Il fut aussi bon époux, bon père et bon chrétien.

Gagnon n'a pas laissé de fortune à ses enfants ; il a tout sacrifié à la cause de la liberté, à sa patrie qu'il aimait tant ; mais il leur a transmis un nom qu'ils ont droit de porter avec orgueil, un nom de véritable patriote.

LES PACAUD

Nous publions les notes qui suivent telles qu'elles nous ont été envoyées par un ancien patriote :

« *Quelques notes sur les événements de 37-38 dans le district des Trois-Rivières.*

« Les événements les plus remarquables qui ont eu lieu dans ce district en 1837, sont, je crois, la suspension de l'honorable juge Vallières de Saint-Réal de ses fonctions judiciaires, pour avoir accordé un writ *d'habeas corpus* en faveur de Célestin Houde, les arrestations de MM. Proulx, Hébert, du Dr Rousseau et de J.-G. Barthe. Ce dernier fut le seul des quatre qui eut à subir un assez long emprisonnement pour avoir, comme le disait un journal du temps, éternué quelques vers patriotiques. Deux autres arrestations causèrent beaucoup plus d'excitation, surtout celle d'un M. McDonald, avocat, de Montréal, qui se fixa plus tard à Saint-Anicet, je crois. McDonald était l'un des principaux chefs dans l'organisation de l'insurrection de 1838. Il passait pour avoir de la fortune, et on le disait parent du général McDonald qui commandait alors une partie des troupes anglaises.

« Un jour du mois de novembre 1838 avait été fixé pour la prise de Sorel. De fait, ce jour arrivé, il y eut un soulèvement presque général parmi les patriotes de Chambly, de Saint-Hyacinthe et des paroisses environnantes, et du côté nord du Saint-Laurent depuis Lavaltrie jusqu'à Berthier. McDonald s'était rendu à ce dernier endroit pour ce jour-là. Le bateau à vapeur le *Swan*, appartenant au capitaine J.-A. Pacaud, était à l'un des quais, vapeur haute, ce qui fit accuser le capitaine Pacaud de s'être rendu à Berthier pour y prendre les patriotes du nord, les traverser le Saint-Laurent afin qu'ils pussent coopérer avec ceux du sud à la prise de Sorel.

« L'attaque de ce fort devait se faire la nuit, et l'heure arriva sans qu'il se manifestât aucun indice de mouvement du côté sud du fleuve. Le capitaine Pacaud, avec quelques matelots, traversa à Sorel à la faveur des ténèbres afin de s'assurer de l'état des choses. Il vit que le coup était manqué. Les patriotes attendirent en vain. McDonald crut devoir alors chercher son salut dans la fuite ; il s'embarqua dans un canot avec le Dr Lafontaine, de Berthier, et descendit le fleuve. Mais une brume des plus épaisses fit qu'il s'égara sur le lac Saint-Pierre. Le capitaine Pacaud avait pris la même direction avec son bateau à vapeur, mais la brume le força de jeter l'ancre, ce qui fit que le canot se rendit de jour, le lendemain, à Nicolet, et le bateau à vapeur au port de Saint-François.

« McDonald, exténué de fatigue, au lieu de se réfugier chez un patriote (il devait en connaître plusieurs), entra dans un hôtel tenu par un nommé Antoine Beauchemin ; c'était justement le nid des torys de Nicolet. Il y fut arrêté et le vapeur *Swan* fut saisi par les autorités militaires au port Saint-François. Cette arrestation et cette saisie causèrent une grande joie parmi les torys, qui, avec leurs femmes et leurs filles en grand nombre, accompagnèrent McDonald jusqu'aux Trois-Rivières, d'où il fut dirigé sur Montréal. Le vapeur *Swan* fut escorté par le vapeur *Canada* jusque dans le port de cette ville, où il y fut solidement enchaîné.

«Le capitaine Pacaud sut conserver sa liberté où McDonald avait perdu la sienne. Il se rendit secrètement à Nicolet avec trois de ses frères, MM. C.-A. Pacaud, G.-J. Pacaud et Hector Pacaud. Là, bien armés et bien barricadés dans l'ancienne maison du lieut-colonel Carmel, ils attendirent les événements. Un jeune homme, M. Lucien Archambault, fils du lieut-colonel Archambault, de Saint-Hyacinthe, qui était avec eux, commit l'imprudence de se montrer. Dès lors la maison fut surveillée, et les torys purent s'assurer qu'elle était habitée par des patriotes. Un warrant fut lancé contre le capt. Pacaud, et on assembla un peloton de miliciens pour l'exécuter. Mais soit sympathie ou autres raisons, les miliciens ne montrèrent pas grand zèle. Après quelques pourparlers, le capitaine Pacaud leur dit:

«— Nous sommes décidés à ne pas nous laisser prendre; vous êtes en partie nos amis, allez dire à X... et à ses amis, les torys de ce village, de venir nous arrêter; nous les attendons.

«Les torys demandèrent de Montréal la force nécessaire, ce qui fut communiqué aux MM. Pacaud par l'entremise d'un parent qui était dans les bonnes grâces des torys. Alors, le capt. Pacaud et ses frères crurent qu'ils feraient mieux de laisser la place. Le capt. Pacaud se rendit chez un nommé Hilaire Richard, dans le township de Stanfold, où il n'y avait alors que quelques maisons.

«Un jour, Richard étant allé chez un voisin, à sa grande surprise, il y trouva le célèbre Comeau, qui avait opéré tant d'arrestations, pendant ces deux années, dans le district de Montréal. Il en informa immédiatement le capt. Pacaud, qui lui dit:
—Je tiens à ce que vous alliez dire à Comeau que je

suis chez vous, qu'il vienne exécuter son warrant. Comeau s'en retourna sans tenter de faire cette arrestation. C'est probablement la seule fois où Comeau montra de la timidité. Plus tard, ces deux hommes se rencontraient à l'hôtel du Canada, à Montréal, et dans quelques pourparlers qu'ils eurent ensemble, le capt. Pacaud ayant refusé de lui donner la main, Comeau lui dit que s'il n'avait pas exécuté le mandat émis contre lui, c'était par considération pour la famille Pacaud. Le capt. Pacaud lui dit que c'était faux, que la vraie raison était qu'il avait eu la certitude de laisser ses os dans les bois de Stanfold.

« La seconde arrestation fut celle de A.-A. Papineau, notaire, autrefois de Saint-Hyacinthe (mort à la Petite-Nation, chez son frère, l'hon. L.-J. Papineau), qui s'était réfugié, après la bataille de Saint-Charles, chez Joseph Prince, de Saint-Grégoire.

« M. E.-L. Pacaud, jeune avocat, alors pratiquant aux Trois-Rivières, obtint la mise en liberté de l'honorable juge Vallières de Saint-Réal. Lorsque la nouvelle de cette arrestation se répandit, les torys crurent tenir l'hon. L.-J. Papineau; de là grande exaltation chez eux.

« Plusieurs autres warrants furent émis dans ce district mais ne purent être exécutés. Le patriotisme d'alors offrait presque toujours les moyens de dépister les cerbères du temps. »

« *Extraits d'une biographie de* M. P.-N. *Pacaud, par* M. *Fréchette.*

I

« M. Philippe-Napoléon Pacaud est notaire de profession.

« Il naquit à Québec, le 22 janvier 1812, d'une famille distinguée par sa position et ses alliances ; fit ses études au séminaire de Nicolet, étudia le droit sous l'honorable Louis Panet, et reçut sa commission, le 23 janvier 1833. L'année suivante, il allait s'établir à Saint-Hyacinthe, où, après avoir ouvert une maison de commerce florissante, il épousait Aurélie, fille du lieutenant-colonel Boucher de la Bruère, seigneur de Montarville.

« Après la fameuse assemblée des cinq comtés, où il fit connaissance avec Chénier et les principaux chefs du mouvement insurrectionnel, il organisa à Saint-Hyacinthe une succursale des *Fils de la liberté* de Montréal, dont il fut nommé capitaine ; et un bon dimanche, à la tête de sa compagnie, il planta, sur la place de l'église, aux acclamations de la foule, le mai de l'indépendance, surmonté du bonnet phrygien.

« Ce mai fut abattu, quelques jours après, par les bureaucrates, qui, pour prix de cet acte de loyauté, furent bien et dûment goudronnés et emplumés, la nuit suivante. Ce fut peut-être là, de tous ses exploits, celui qu'on pardonna le plus difficilement au jeune capitaine.

« Nous avons dit que peu d'hommes plus que lui eussent contribué au succès, si le succès eût été dans l'ordre des choses possibles : voici comment.

« L'année précédente, de concert avec son frère Charles – un autre brave, celui-là – et M. Pierre Boucher de la Bruère, il avait fondé à Saint-Hyacinthe une banque fort prospère, sous le nom de Banque Canadienne.

« Il était pour ainsi dire l'âme de cette institution, lorsque la révolte éclata.

« En homme pratique et clairvoyant, M. Pacaud vit tout de suite le défaut de la cuirasse, comprit le rôle important qu'il pouvait jouer, calcula les immenses services qu'il pouvait rendre, et, en homme de cœur et de dévouement, il résolut de fournir à l'insurrection ce qui lui manquait le plus – le nerf de la guerre ! C'était mettre en enjeu et faire de gaieté de cœur le sacrifice de ses plus belles espérances de fortune et d'avenir... il n'hésita pas.

« Les chefs étaient rassemblés à Saint-Denis. Il y court, et en deux mots leur soumet son hardi projet : celui d'émettre, pour les besoins de la cause, une énorme quantité de billets de banque rachetables par la nation, après la conquête de son indépendance.

« Cette proposition fut acceptée avec un empressement facile à concevoir. De suite, on songe à organiser un commissariat, et il est unanimement décidé que l'on émettra d'abord, et sous le plus court délai, un montant de $300,000.

« Nommé commissaire général des armées canadiennes, M. Pacaud retourna à Saint-Hyacinthe et se mit à l'œuvre.

« Mais il était bien tard pour songer à ce côté si important de toute entreprise sérieuse ; et l'on n'avait pas encore fini de préparer ces assignats d'une nouvelle espèce, lorsque la défaite de Saint-Charles vint anéantir et rendre inutile ce commencement d'organisation qui eût pu devenir formidable, s'il eût seulement daté de quelques semaines plus tôt.

« Cependant, tout commissaire général qu'il était devenu, M. Pacaud n'abandonna pas le commandement de sa compagnie. Il avait sous ses ordres des jeunes gens pleins de courage et de bonne volonté, mais peu expérimentés dans le maniement des armes, et complètement étrangers à toute éducation militaire. Heureusement que, pendant son séjour à Québec, il avait vu souvent parader la garnison; et – ses dispositions naturelles aidant – il parvint tant bien que mal à initier ses soldats au secret des principaux commandements, et à leur faire exécuter les évolutions les plus nécessaires pour entrer en campagne. De sorte que, le moment de l'action arrivé, pas un chef ne pouvait se montrer à la tête d'un corps de braves aussi bien exercés, aussi bien disciplinés que notre jeune ami.

« Voilà où en était le 23 novembre 1837.

« Notre héros se battit comme un lion à Saint-Denis. Il était bon tireur; et, tout en dirigeant les manœuvres de sa compagnie, il faisait lui-même un feu d'enfer.

« – Je ne sais pas combien j'en ai tué, dit quelquefois M. Pacaud; mais si je ne tirais pas sans quelque inquiétude, je tirais certainement sans remords. Ce n'était pas tant le sentiment des affronts et des injustices subies, que le vieil instinct des haines traditionnelles de races qui se réveillait en nous; nous combattions bien le despote, mais c'était surtout l'*Anglais* que nous aimions à coucher en joue! Aveugle sentiment bien disparu depuis.

« Tout le monde connaît les péripéties et le résultat de cette rencontre sanglante. Le soir arrivé, les Anglais étaient en déroute, et notre ami reprenait à cheval le chemin de Saint-Hyacinthe, après avoir serré la main une dernière fois, à son compagnon d'armes, l'infortuné Ovide Perrault, mortellement frappé. Il lui fallait faire dix-huit milles, par des routes affreuses, par une nuit noire et un temps glacial. Après un pareil combat, et sans avoir rien mangé depuis quatre heures du matin, la tâche était assez rude, mais les émotions de la journée l'empêchaient de ressentir ni la fatigue ni la faim.

« Il arriva à Saint-Hyacinthe au milieu de la nuit. Bon nombre de patriotes étaient rassemblés chez le Dr Bouthiller. Quand on le vit descendre de cheval, crotté, gelé, affamé, harassé, ce fut une acclamation générale : le bruit s'était répandu qu'il avait été tué.

« Pendant la nuit du 24 au 25, un des hommes de sa compagnie vint avertir le capitaine Pacaud que la sentinelle qu'il avait mise en faction près du couvent venait d'arrêter deux hommes, dont elle n'avait pu distinguer la figure, et qui refusaient de répondre aux questions qu'on leur posait. Il se rendit en hâte sur les lieux, et sa surprise fut grande lorsqu'il reconnut, à la lueur d'une lanterne, Papineau et le Dr O'Callaghan.

« – Où allez-vous ? leur demanda-t-il tout bas.

« – Chez Poulin, répondit Papineau.

« Ce monsieur Poulin était un ancien membre du Parlement dont la résidence se trouvait à quelque distance du village.

« – Une escorte pour ces deux voyageurs ! commanda M. Pacaud.

« Et, après un serrement de main furtif donné à son jeune ami, le grand patriote, entouré d'une escouade de gens dévoués, s'enfonça dans les ténèbres de la route.

« Quelques jours plus tard, Poulin conduisit Papineau chez le capitaine Ducharme, à Saint-Césaire, et ce dernier l'accompagna jusqu'aux États-Unis, en passant sous les baïonnettes anglaises stationnées à Saint-Athanase.

« Notons ici que le gouvernement avait alors promis une récompense de quatre mille dollars à qui livrerait Papineau mort ou vif; et, non seulement cet homme ne rencontra pas un traître, mais ces deux braves citoyens réclamèrent avec instance l'honneur de risquer leur vie pour sauver le courageux et éloquent défenseur de leurs droits. La race de ces hommes se fait rare aujourd'hui; mais en 1837, des actes de désintéressement et de dévouement comme ceux-là étaient si nombreux et paraissaient si naturels, qu'ils passaient pour ainsi dire inaperçus.

« Enfin, le désastre de Saint-Charles arriva ; désastre complet, irrémédiable. Battus, désorganisés, dispersés, découragés, les Patriotes durent songer à mettre leur vie en sûreté par la fuite. Alors commença pour notre ami une véritable odyssée, odyssée de fugitif poursuivi, dépisté, traqué, relancé sans cesse ; alternatives sans fin de fuite et d'alerte, de crainte et d'espérance, de terreurs soudaines et de secours inattendus.

« Le début en est pittoresque.

« Le soir même de la bataille, M. Pacaud, accompagné de son frère Charles – lequel, entre parenthèses, avait eu ses habits percés de deux balles – de son beau-frère, le Dr de la Bruère, et de l'honorable Louis Lacoste, après avoir dit un adieu attendrissant à sa jeune femme et à ses chers petits enfants, partait à la hâte pour la frontière américaine. Ils avaient joué leur va-tout et perdu la partie: il ne leur restait plus qu'à sauver leur existence en péril.

« Ils cheminèrent longtemps, à la rouge lueur de l'incendie du village de Saint-Charles, à travers lequel les volontaires loyaux promenaient la torche dévastatrice, en signe de réjouissance, et pour prouver leur patriotisme.

« À Saint-Césaire, la foule, exaspérée par le résultat de la journée, faillit faire un mauvais parti à deux de nos voyageurs.

« – En voilà encore de ces chefs, disait-on, qui, après nous avoir embarqués dans cette galère, s'en vont mettre leur peau en sûreté aux États-Unis ! Ce sont ces beaux messieurs, avec leurs grands discours, qui sont la cause de tout ; et, maintenant que nous sommes compromis, à eux la liberté, à nous l'incendie, la prison et la potence !

« – Ne les laissons pas partir !

« – Arrêtons-les !

« – Ils désertent, fusillons-les !

« Et la populace s'ameutait toujours, de plus en plus furieuse et menaçante.

« Les deux voyageurs, qui n'étaient autres que nos amis, M. Pacaud et son frère, entendaient tout du second étage de la résidence de M. Chaffers – père de l'honorable sénateur de ce nom – où ils s'étaient réfugiés, et ne pouvaient se faire illusion sur la gravité de la circonstance. Quel parti prendre ?

« – Il faut payer d'audace, se dirent-ils, et, s'il est nécessaire, vendre chèrement notre vie. Descendons !

« Et nos deux braves, un pistolet à chaque main, vont droit au devant de cette bande d'enragés qui, armés de tout ce qu'ils ont pu saisir, profèrent les plus terribles menaces en hurlant comme des furies. Le silence se fit à leur approche.

« – Dites donc, les amis ! leur cria M. Pacaud, qu'avez-vous à nous reprocher ? Quel est celui d'entre vous qui se soit mieux battu que nous deux à Saint-Charles ou à Saint-Denis ? Voulez-vous faire l'office d'espions anglais ? Voulez-vous devenir les valets des volontaires ? Vous êtes la honte des patriotes !

«–Et puis, ce n'est ni ci ni ça, reprit son frère Charles; ouvrez les rangs, sacrebleu! ou, je vous le jure sur mon âme, nous avons chacun deux pistolets, il nous reste encore des balles, et il y en a quatre d'entre vous qui n'ont plus qu'à faire leur acte de contrition!

«Domptés par un pareil sang-froid, les émeutiers s'écartent; et nos amis, grâce à leur intrépidité, s'échappent sans une égratignure.

«Le lendemain ils suivaient, avec leurs compagnons qu'ils avaient rejoints, la route qui longe la rivière Yamaska, chevauchant lentement pour laisser reposer leurs montures, lorsqu'ils aperçoivent, à quelques pas devant eux, un individu armé qui marchait dans la même direction.

«–Qui va là? lui cria-t-on.

«*Raquette!* fut la réponse.

«Il y avait, parmi les insurgés, des compagnies de *Raquettes* et de *Castors*. Celui-ci appartenait aux *Raquettes*. Il avait pris part à la bataille, et se sauvait, comme les autres, du côté des États-Unis. Par un caprice bizarre, le brave homme, tout épuisé qu'il paraissait être, emportait avec lui, comme trophée du champ de bataille, la main et l'avant-bras d'un soldat anglais. C'est toujours ça! disait-il, en s'essuyant le front de sa large main noire de poudre.

«Il avait, paraît-il, arraché ce débris humain des décombres fumants où les Anglais jetaient leurs morts pour dissimuler leurs pertes. Il tenait à prouver *qu'il y était!*

«Ils continuèrent leur route ensemble, nos amis trompant la monotonie du voyage en alimentant la loquacité de mon gaillard, qui avait autant de verve que de bravoure, et celui-ci enchanté de voyager en si aimable compagnie.

« Mais le plus difficile était à faire.

« À quelques lieues de la frontière américaine, le guide que nos fugitifs avaient loué les prévint – un peu tard – que la route était barrée par un corps de garde anglais chargé d'arrêter tous ceux qui se dirigeaient vers les États-Unis.

« La situation était critique.

« D'un côté, c'était la rivière à traverser sans embarcation – et, à cette saison de l'année, il ne fallait pas songer à se mettre à la nage. De l'autre – difficulté aussi grave ! – plus de douze milles à faire en pleine forêt, sans chemin, sans guide, sans provisions, sans même une boussole pour s'orienter. Que faire ?

« On s'arrêta pour délibérer.

« – C'est le moment de montrer du courage, dit M Pacaud. Si nous retournons sur nos pas, nous sommes pris, jugés et condamnés, c'est clair ! De sorte qu'à tout prix, il nous faut aller en avant. Or, tenter de franchir la rivière à la nage, ou nous jeter dans la forêt, c'est la mort certaine. Il ne nous reste donc qu'un parti à prendre, mes amis, c'est de passer tout droit !

« – Comment, tout droit ? Mais le corps de garde ?

« – Nous le forcerons !

« – Diable ! Savez-vous qu'ils sont au moins quarante hommes armés jusqu'aux dents ?

« – N'importe ! nous sommes cinq braves ; nous avons nos pistolets ; nous fondons sur eux à l'improviste ; nous en assommons quelques-uns, nous culbutons les autres, et, à la faveur du désordre et des ténèbres, nous piquons des deux vers la frontière... et, enfoncés les habits rouges ! En êtes-vous ?

« – J'en suis ! répondit son frère.

« – Et moi aussi ! s'écria l'homme au trophée sanglant. Qui veut me prendre en croupe ?

« – Monte la jument du guide, dit M. Pacaud ; je te l'achète.

« – Le marché allait se conclure, lorsque les deux autres fugitifs intervinrent et refusèrent leur concours à un projet aussi périlleux. Il fallut donc y renoncer et retourner en arrière à tous hasards.

« Ils atteignirent Saint-Hyacinthe sans encombre.

« M. Pacaud se rendit tout droit chez lui. La maison qu'il habitait avait une aile dont le comble venait appuyer son extrémité en amont du toit principal, ce qui laissait, sous la couverture de l'aile en question, un vide sans issue. Couper une planche et s'introduire à l'intérieur, furent pour notre fugitif l'affaire d'un instant. La planche, replacée sur les chevrons, dissimulait si bien la cachette, que les plus fins limiers ne l'auraient pas éventée.

« Il était temps, car les troupes anglaises entraient dans le village.

« On fit les perquisitions les plus minutieuses ; les deux corps de logis furent fouillés – en apparence – dans tous les recoins, mais sans aucun résultat. M. Pacaud entendait tout du fond de son réduit, et, plus d'une fois, malgré son anxiété bien naturelle, il ne put retenir certains accès d'hilarité qui faillirent le compromettre. Deux nouvelles perquisitions furent aussi inutiles que la première. Un mois s'écoula de cette façon.

« Mais on *savait*, disait-on, que M. Pacaud se cachait chez lui ; et, les autorités persistant à en avoir le cœur net, la position devenait dangereuse. M. Pacaud résolut de chercher refuge ailleurs.

«M. l'abbé Prince, depuis évêque de Saint-Hyacinthe, lui avait offert un asile au collège. Il y court une bonne nuit, passe une journée à grelotter dans le clocher, et finit par s'installer dans la chambre réservée pour les visites pastorales de l'évêque, où il n'y avait ni feu ni lit. Le Dr Duvert, qui était l'écolier réglementaire, lui portait à manger quand il pouvait ; et, du moment que tout le monde dormait, il lui prêtait son lit pour quelques heures. Enfin un jeune séminariste lui fournit une soutane, un rabat, lui rase la barbe, lui ébauche une tonsure, et le voilà installé dans la communauté à titre de prêtre étranger. Les élèves s'écartaient respectueusement sur son passage, la main à leur casquette. Personne ne le reconnut ; pas même son jeune frère, qui faisait alors sa rhétorique dans l'établissement.

«Cependant, le fameux Comeau, ce délateur de profession, dont le gouvernement s'était assuré les honteux services, ne se reposait pas. Un soir, il arrive au collège avec ses argousins. M. Pacaud qui était aux aguets, saute par une fenêtre et rentre chez lui.

«Jugez de la stupéfaction de Mme Pacaud en reconnaissant son mari dans son nouveau costume !

«Mais il fallait fuir, fuir encore, fuir toujours. M. Pacaud se réfugia alors chez un pauvre homme de Saint-Hugues, dont la chaumière, ou plutôt la cabane, était à deux pas de la forêt, mais qui n'avait pas autre chose à donner que son dévouement. Épuisé par toutes sortes de privations, M. Pacaud lui dit un jour :

«—Mon ami, il est temps que je te débarrasse de ma personne ; va dire à monsieur le curé que je suis ici. C'est un prêtre et un gentilhomme : il ne me trahira pas.

«Le brave homme partit et s'acquitta de sa commission.

«Cela ne me regarde pas, répondit le curé; seulement, tu diras à M. Pacaud que je pars ce soir pour un assez long voyage; qu'il prie le bon Dieu pour moi!

«M. Pacaud comprit de suite l'ingénieux moyen que prenait le bon abbé pour lui être utile sans se compromettre. Le soir même, la ménagère le recevait au presbytère avec toutes les déférences imaginables; et, pendant huit jours, cette maison hospitalière fut pour le pauvre proscrit un véritable paradis terrestre.

«Un soir, cependant – les huit jours étaient écoulés – il aperçoit sa propre voiture arrêtée en face du presbytère, sans conducteur. Qui l'avait amenée là? La ménagère n'en savait rien. Alors M. Pacaud comprit qu'il était temps de déloger. Il se jette dans sa voiture et s'élance à fond de train sur la route de Saint-Hyacinthe. Lâcher les guides et se précipiter dans la porte de sa demeure, qu'il trouva heureusement ouverte, fut l'affaire d'un clin d'œil.

«Il se mit à la fenêtre; un homme venait de s'emparer du cheval, presque à l'instant même où Comeau et ses recors, flairant quelque bonne aubaine, débouchaient sur la place.

«– À qui cette voiture? cria celui-ci.

«– La jument appartient au collège, répondit l'homme, et la *cariole* à M. Pacaud. Mais comme il est absent, nous nous en servons quelquefois: je viens justement la lui remettre.

«Là-dessus il se met à dételer tranquillement pendant que l'odieux Comeau s'éloigne en mâchant les jurons les plus énergiques de son répertoire.

« M. Pacaud dut errer ainsi, pendant plusieurs mois, d'un endroit à un autre, toujours sur le qui-vive et toujours poursuivi à outrance par les sbires du gouvernement. Ce n'est jamais sans émotion qu'il se rappelle surtout la généreuse et cordiale hospitalité qu'il reçut chez M. H.-L. de Martigny, seigneur de Saint-Hugues, et M. Aimé Massue, seigneur de Saint-Aimé.

« Enfin, au printemps de 1838, la proclamation de lord Gosford lui permit de rentrer dans ses foyers.

« Mais il n'était pas au bout de ses tribulations. L'échauffourée de 1838 devait avoir pour lui des conséquences bien autrement désagréables.

II

« Ces longs mois de réclusion, autant que les leçons de l'expérience, avaient calmé considérablement, chez M. Pacaud, l'enthousiasme du jeune homme. Il n'avait pas moins d'amour pour son pays, sans doute ; mais il avait réfléchi à la folie de leur entreprise ; et quand, dans l'automne suivant, le Dr Robert Nelson se mit à la tête d'une nouvelle insurrection, il était bien déterminé à n'y prendre aucune part.

« Malheureusement pour lui, M. Elisée Malhiot, l'un des chefs du mouvement, vint à Saint-Hyacinthe pour communiquer avec les patriotes de l'endroit. Une assemblée secrète eut lieu, M. Pacaud eut la faiblesse de s'y rendre. Ils étaient espionnés ; il n'en fallait pas plus pour lui faire perdre tous les bénéfices de l'amnistie. Il eut beau ne plus bouger de chez lui ; il était compromis, et son nom marqué d'une croix rouge.

«Comme on le sait, M. Pacaud n'était pas sorti de chez lui. Mais on ne lui tint aucun compte de cette abstention. Ses ennemis étaient déterminés à le faire payer pour ses faits et gestes de l'année précédente.

«On vit arriver successivement à Saint-Hyacinthe un fort détachement des *King's Dragoons*, tout un bataillon des Gardes, et enfin six pièces d'artillerie; comme s'il se fût agi d'une véritable campagne. Des enquêtes s'instituèrent sous la présidence du colonel Cathcart – depuis tué en Crimée – assisté de deux misérables Canadiens français dont l'histoire ne doit pas même prononcer le nom; et le pillage commença, ainsi que les arrestations.

«Un soir, le notaire Henri Lappare arrive chez M. Pacaud, dans un état de surexcitation extraordinaire:

« – Sauvez-moi, dit-il; Comeau me cherche; et s'il me trouve, je suis perdu!

«– Calmez-vous, lui répond M. Pacaud; personne ne soupçonnera qu'un rebelle ait l'audace d'en cacher un autre. Prenons notre temps, et délibérons.

«Il fallait faire disparaître le fugitif, mais comment?

«La cachette de l'année précédente n'était plus un secret pour personne; les rues étaient remplies de troupes; et il y avait, malheureusement, un trop grand nombre de nos compatriotes en quête d'une occasion favorable pour donner des preuves de leur loyauté. Ce fut madame Pacaud qui vint résoudre la difficulté; et, cinq minutes après, le notaire, rasé de frais, et affublé d'un costume féminin complet à la mode du temps, quittait la maison au bras de son hôte, galant cavalier comme toujours. M. Pacaud raconte lui-même cette aventure en termes plaisants:

« La transformation fut radicale, dit-il. Non seulement mon compagnon eut l'extrême pudeur de rabattre son voile en mettant le pied sur la rue, mais encore – avec l'inconstance naturelle au sexe dont il avait revêtu les insignes – il me planta là au sortir du village, et, léger comme une véritable fille d'Eve, s'envola pour ne s'arrêter qu'en bas de Québec, où messieurs les Anglais ne tentèrent pas d'aller lui faire la cour.

« Mal en prit à M. Pacaud de ne pas en avoir fait autant. À son retour chez lui, un lieutenant des Gardes, avec qui il avait lié connaissance quelques jours auparavant, lui annonça – avec tous les ménagements possibles, il est vrai – qu'il était chargé de la pénible mission de l'arrêter.

« – Eh bien, soit ! s'écria M. Pacaud ; j'aime autant en avoir le cœur net une fois pour toutes. Mais vous êtes gentilhomme, et j'ai une faveur à vous demander : c'est de m'accompagner vous-même jusqu'à la prison, pour me protéger autant que possible contre la canaille de Montréal, qui se fait un jeu de maltraiter les prisonniers.

« Je ferai tout en mon pouvoir pour vous être agréable, répondit le lieutenant ; et la preuve c'est que, d'ici à quelques jours, vous pouvez vous installer dans la partie de votre maison qui vous conviendra le mieux : vous serez mon prisonnier sur parole.

« – Mais en somme, demanda M. Pacaud, de quoi suis-je donc accusé ?

« – Vous le demandez, cher monsieur ! Votre cas est très grave :

« Vous avez été capitaine d'une compagnie d'insurgés :

« Haute trahison !

« Vous avez arboré des insignes républicains sur le territoire de Sa Majesté ;

« Haute trahison !

« Vous avez émis des assignats payable sur le trésor de la future fédération canadienne :

« Haute trahison !

« Vous avez personnellement et publiquement porté les armes contre la couronne britannique :

« Haute trahison !

« Tout dernièrement encore, vous avez pris part à une assemblée de conspirateurs réunis pour organiser une insurrection nouvelle :

« Haute trahison !

« Vous avez importé d'un État voisin des armes et des munitions pour le service des rebelles :

« Haute trahison !

« Quelques jours plus tard, les prisonniers, au nombre de vingt-sept, quittaient Saint-Hyacinthe sous bonne escorte, en route pour Montréal. À Saint-Charles, le convoi se grossit encore. Et l'on allait à petites journées, emportant avec soi beaucoup de pitié pour les uns, beaucoup de malédictions pour les autres. Les habitants étaient exaspérés ; ils en avaient le droit. Un trait démontrera le sans-gêne avec lequel les troupes anglaises traitaient la population inoffensive.

« Dans une des concessions de Varennes, le détachement s'arrêta devant une auberge ; et l'un des officiers invita M. Pacaud à entrer se désaltérer avec lui. M. Pacaud accepta. La maîtresse de la maison était seule ; son mari avait pris la clef des champs. Elle leur servit deux verres d'eau-de-vie ; et M. Pacaud, voyant que l'officier se disposait à partir sans payer, tira de sa poche quelque monnaie pour solder l'écot.

« – Laissez donc, dit l'officier, c'est des bêtises, ça ; ne sommes-nous pas en pays conquis ?

« –Comment ! s'écria notre ami, me croyez-vous assez coquin pour piller ainsi une pauvre femme sans protection !

« L'officier eut honte, et paya.

« Ils atteignirent Longueuil sur le soir.

« On allait parquer les prisonniers pour la nuit dans une misérable salle dont le plancher, couvert d'immondices, exhalait une puanteur insupportable ; mais Pacaud obtint, par l'entremise du brave lieutenant qui l'avait arrêté, que le convoi fut dirigé, le soir même, sur la prison de Montréal.

« On traversa le fleuve en *horse-boat*.

« En embarquant, M. Pacaud faillit être la victime d'un accident fâcheux. Un soldat ivre trébucha de telle façon que sa baïonnette aurait infailliblement transpercé notre ami, sans l'agilité de celui-ci qui, par un bond rapide, réussit à éviter un coup qui pouvait être fatal.

« À l'approche du bateau, la rive se couvrit, comme par enchantement, d'une multitude de ces misérables dont l'occupation favorite était de lapider les patriotes prisonniers. La fatalité voulut qu'en mettant pied à terre, M. Pacaud, qui est de taille moyenne, marchât à côté du major Jean-François Têtu, homme de très haute taille. Or, le bruit courait que les deux Nelson, Robert et Wolfred, étaient au nombre des prisonniers : et, comme la canaille qui les attendait savait que l'un était petit, tandis que l'autre mesurait près de six pieds, et que, du reste, il faisait déjà un peu sombre, M. Pacaud et son compagnon furent pris pour les deux patriotes anglais. Toute la rage des assaillants se dirigea alors contre eux. Ils devinrent le point de mire des projectiles. Les trognons de pommes, les œufs pourris, les pierres mêmes pleuvaient; et si les troupes n'eussent chassé cette nuée de bandits à coups de crosse et de plat de sabre, Dieu sait ce qui en serait résulté.

«M. Pacaud qu'un acte de lâcheté révolte souverainement, ne peut faire allusion à cette scène *dégoûtante*, sans frémir encore d'indignation et de colère.

«Enfin, la porte de la prison se referma sur eux.

«Au printemps, M. Pacaud, qui comptait de hautes protections auprès des autorités anglaises, fut relâché sur un cautionnement de dix mille piastres, probablement le plus haut montant qui ait été exigé d'aucun des prisonniers. Le lieut-colonel de la Bruère et M. L.-A. Dessaulles furent ses garants.»

BONAVENTURE VIGER

Toutes les époques de luttes et de combats ont leurs héros légendaires, leurs types populaires. On voit dans toutes les révolutions quelqu'un en qui se personnifient l'esprit et le caractère de la nation, un homme auquel se rattachent les traditions de ces époques fécondes en grandes actions. Bonaventure Viger sera, il l'est déjà, le héros légendaire de 1837, l'une des figures dont le drame et le roman se plairont à perpétuer le souvenir.

Il est né à Boucherville; il appartient à une famille qui, depuis deux cents ans, n'a cessé de fournir à la patrie de bons et utiles citoyens, des hommes remarquables même. Son père était cousin germain de l'hon. D.-B. Viger.

Bonaventure Viger était, en 1837, un joli et solide garçon de trente-quatre à trente-cinq ans, de moyenne taille, mais de bonne mine, bien planté, à la jambe cambrée, à la poitrine bombée, aux muscles d'acier, capable de tout entreprendre et de supporter les plus grandes fatigues. Il avait l'œil vif, la figure animée, la tête chaude, mais bonne, la parole abondante et énergique, le cœur plein de courage et de patriotisme.

Les injustices des bureaucrates et les discours enflammés des chefs patriotes surexcitèrent à un degré considérable cette nature bouillante et généreuse. Bonaventure Viger devint bientôt connu de dix lieues à la ronde pour l'un des plus chauds patriotes du comté de Chambly, l'un des plus fidèles disciples de Papineau. Il était à la grande assemblée de Saint-Charles, le 24 octobre 1837, et *seconda* l'une des résolutions qu'on y passa.

Un dimanche, à l'issue de la messe, il fit un discours, à la porte de l'église, pour inviter les gens de la paroisse à se réunir chez lui. Il dit qu'il fallait se tenir prêt à toute éventualité ; que les jeunes gens devaient se discipliner ; que pour lui, il était prêt à donner deux cents minots d'avoine pour acheter de la poudre et des balles.

Ils se réunirent en effet, firent l'exercice une couple de fois et fondirent quelques balles.

Nous avons raconté le rôle qu'il joua dans l'affaire du chemin de Chambly. C'est à lui et au capitaine Vincent qu'appartint ce premier succès des patriotes en 1837.

Lorsque l'excitation de la lutte se fut un peu calmée, les patriotes, réunis chez Vincent, se mirent à réfléchir sur la gravité de la position qu'ils venaient de prendre vis-à-vis du gouvernement, et décidèrent qu'ils devraient se séparer jusqu'à nouvel ordre.

Viger se rendit le même soir à Boucherville, et passa la nuit chez son père où il demeurait, et le lendemain, il partit pour le Nord dans le but de savoir ce qu'on y faisait. Ayant traversé à l'Assomption, il se rendit à l'hôtel du village et demanda une chambre où il pût tout voir et tout entendre sans être vu. Sa curiosité fut satisfaite, car le soir un grand nombre de personnes réunies à l'hôtel parlaient des événements du jour, et surtout de l'affaire du chemin de Chambly, et Viger entendit des gens qui disaient que déjà il y avait une récompense de cinq cents piastres offerte pour son arrestation. Un médecin de l'endroit, un bureaucrate forcené, s'écria qu'il donnerait cinq cents piastres de plus à celui qui arrêterait Viger.

Viger, s'apercevant qu'il n'était pas en sûreté, se hâta de décamper le lendemain, sans tambour ni trompette. Il se dirigea sur Saint-Denis où il trouva les patriotes dans la plus grande excitation et décidés à défendre le D\^{r\} Nelson, si les troupes venaient pour l'arrêter. Inutile de dire que Viger fut accueilli avec enthousiasme ; on accourait de tous côtés pour le voir et entendre de sa bouche le récit de son exploit.

Nelson comprenant l'importance d'un homme comme Viger, dans les circonstances, lui conseilla de s'en retourner et d'organiser les patriotes de Longueuil et de Boucherville. Viger partit, mais en passant à Saint-Charles, il fut arrêté par Brown, qui venait de former un camp dans ce village et qui lui donna le commandement de l'avant-garde des patriotes, composée de vingt hommes et chargée de surveiller les mouvements de l'ennemi.

Deux détachements de réguliers avaient reçu ordre, comme on sait, de marcher sur Saint-Charles, où ils devaient opérer leur jonction. Celui qui venait de Sorel sous les ordres du colonel Gore, s'étant fait battre à Saint-Denis, ne put aller plus loin, mais l'autre, que commandait le colonel Wetherall, continua sa route jusqu'à Saint-Charles. Viger et ses hommes retardèrent autant que possible la marche des réguliers en coupant les ponts sur les rivières, et profitèrent de toutes les chances que leur offrait le terrain pour envoyer plusieurs balles aux soldats. À l'entrée du village, Viger et Lambert culbutèrent les deux officiers qui marchaient en tête des réguliers.

Viger avait dit au brave Lambert :

— Choisis ton homme, moi je prends les plumes blanches.

— C'est bien, dit Lambert, moi je prends les plumes rouges.

Ils tirent et les deux officiers tombent blessés, l'un à la jambe et l'autre à l'épaule. La troupe, furieuse, répond à cette attaque par une décharge générale, une balle emporte le chapeau de Lambert.

— Ah ! vous gâtez mon chapeau, dit Lambert, vous allez payer pour.

Ils rechargent leurs fusils au milieu d'une grêle de balles, tirent presqu'à bout portant et descendent à la hâte la côte ou ils se trouvaient. Mais nos deux braves s'apercevant que les soldats mettaient le feu à toutes les maisons d'où ils avaient tiré, crurent qu'ils feraient mieux de discontinuer des escarmouches qui ne produisaient pas un grand effet. Ils se rendirent au camp où ils ne trouvèrent plus qu'une soixantaine d'hommes armés que protégeaient des retranchements formés d'arbres renversés.

La lutte était impossible.

Que pouvait faire cette poignée de braves, aussi mal armée que mal commandée, contre un ennemi nombreux et aguerri? Ils se battirent avec courage, néanmoins; pendant une heure ils tinrent l'ennemi en échec. Parmi ceux qui se distinguèrent dans cette mémorable et triste affaire, on s'accorde à mettre Viger au premier rang.

Après la bataille, Viger traversa à Saint-Malo et passa la nuit chez M. Drolet. Nelson était arrivé, le lendemain, on résolut, d'abord, de retourner à Saint-Denis pour y tenter une seconde fois la fortune ; mais, voyant qu'on ne pourrait réunir une force suffisante, on se décida à s'en aller chacun de son côté.

Viger partit pour la frontière avec M. Isaac Laroque. Ils prirent les bois et marchèrent longtemps sans accident; mais à Bedford, ils furent arrêtés par des volontaires qui leur demandèrent d'où ils venaient. Ils répondirent qu'ils venaient de Québec. Les volontaires parurent les croire, mais quand ils les virent gagner le bois, ils se mirent à leur poursuite. Viger et Laroque auraient pu s'échapper, s'ils avaient connu le bois; mais ils s'égarèrent et revinrent, après avoir marché longtemps, au point d'où ils étaient partis. C'est là qu'ils furent faits prisonniers.

Viger essaya en vain de démontrer qu'il était l'un des plus fidèles sujets de Sa Majesté, on le conduisit à l'Île-aux-Noix où il eut avec le colonel Williams une conversation dans laquelle il protesta énergiquement contre les mauvais traitements qu'on lui faisait subir.

— Comment pouvait-on arrêter, disait-il, un homme qui, étant venu des États-Unis voir des parents à Québec, s'en retournait tranquillement dans sa famille ? Qui cherchez-vous donc ? demanda-t-il au colonel.

— Nous cherchons Nelson, Jalbert et Bonaventure Viger, répondit le colonel.

De l'Île-aux-Noix on dirigea les prisonniers sur Montréal. Chemin faisant, Bonaventure Viger eut plusieurs altercations avec les volontaires, dont il paya plus d'une fois les insolences par de dures vérités. On avait d'abord espéré l'intimider ; mais, quand on vit à quel homme on avait affaire, on le laissa tranquille.

Le premier individu qu'il vit en arrivant à la prison fut le traître Arnoldi, fils, qui lui annonça sans rougir qu'il serait pendu, le lendemain matin.

— C'est dommage, lui répondit Viger, que je ne t'aie pas envoyé une balle dans la tête sur le chemin de Chambly ; tu n'aurais pas tiré sur la corde qui me pendra.

Arnoldi était dans la cavalerie qui était allée arrêter Davignon et Demaray à Chambly ; on s'explique sa mauvaise humeur à l'égard de Viger.

De tous les prisonniers de 1837, aucun ne causa autant de désagréments que Viger aux fonctionnaires de la prison, et de divertissements à ses compagnons d'infortune. Depuis le commencement jusqu'à la fin, il fut en guerre avec ses geôliers auxquels il rendait dent pour dent, œil pour œil. Tous les jours, c'était une nouvelle scène, un nouveau sujet de rire pour les prisonniers et de jurer pour ceux qui les gardaient. Depuis le plus humble subalterne jusqu'aux fonctionnaires les plus élevés de la prison, tous furent

146

l'objet de ses sarcasmes et de ses quolibets. Il avait coutume de dire que, puisqu'il était pour être pendu, il n'avait pas besoin de se gêner.

Un jour, il demande de l'eau à la sentinelle; celle-ci refuse d'abord, mais se ravisant, elle prend un gobelet d'eau et le lui apporte. Viger prend le gobelet et le jette à figure du soldat. Celui-ci furieux, décharge son fusil à travers le guichet de la cellule de Viger. La balle passa loin de Viger, mais alla s'aplatir sur le mur de la cellule de M. Lacoste. La sentinelle s'étant avancé la tête à travers la grille pour voir l'effet produit par son coup de fusil, Viger saisit une bouteille et la lui lança avec tant de force qu'il lui aplatit le nez.

Cette scène causa un grand émoi dans la prison, et les autorités exaspérées résolurent de sévir contre Viger.

En effet, le lendemain, un grand bruit de pas se fait entendre dans les corridors de la prison. C'était l'assistant-shérif qui venait, suivi de cinq soldats, mettre Bonaventure Viger aux fers. Viger, ne voulant pas se laisser mettre aux fers, s'accroche à la première pensée qui lui passe par la tête. Il empoigne de sa main gauche l'assistant-shérif par la basque de son habit, et de l'autre tirant de sa poche un couteau, il lui dit:

— Ah! puisque je suis pour être pendu je n'ai rien à risquer, il faut que vous m'écoutiez. Est-ce que vous avez le droit de mettre un homme aux fers sans que le shérif y soit? D'ailleurs, quand je me suis plaint qu'on avait du mauvais pain, on m'a répondu que nous appartenions au militaire; aujourd'hui j'appartiens au civil, en sorte que vous pouvez toujours empirer mon sort, mais jamais l'améliorer. Envoyez vos soldats, sinon, il va vous arriver malheur. Et il faisait semblant, en disant cela, d'enfoncer son couteau dans le ventre de l'assistant-shérif. Comme celui-ci, un peu déconcerté, ne savait trop que faire, Viger lui dit d'une voix menaçante : « Ho ! vous n'avez pas de temps à perdre ; tenez, sentez-vous la pointe de mon couteau ? »

Le député-shérif convaincu que Viger était capable de faire ce qu'il disait, ordonna aux soldats de se retirer et s'en alla lui-même en disant à Viger qu'il aurait bientôt de ses nouvelles.

Mais le bruit s'étant répandu, le soir, que les troupes arrivaient et qu'une grande revue allait avoir lieu, on oublia la sentinelle et on laissa Viger tranquille.

Quelques jours après, arrivait lord Durham qui accordait une amnistie générale à tous ceux qui avaient pris part à l'insurrection, excepté à vingt-quatre d'entre eux, dont huit furent exilés sans procès aux Bermudes.

Bonaventure Viger fut l'un des huit. Lorsqu'on lui annonça qu'il allait partir pour les Bermudes, il dit que cela valait mieux que d'être pendu. Les gardiens de la prison auraient mieux aimé le voir monter sur l'échafaud, mais ils furent contents tout de même de s'en débarrasser.

Bonaventure Viger continua d'être en exil ce qu'il avait été en prison pour ses compagnons de malheur, un sujet de récréation au milieu de leurs ennuis.

L'exil de nos compatriotes ne fut pas aussi long qu'il menaçait d'être, car l'ordonnance qui les avait condamnés sans procès ayant été désavouée en Angleterre, ils furent mis en liberté à la fin d'octobre. Ils arrivèrent aux États-Unis, quelques jours après la défaite de Robert Nelson à Lacolle.

Bonaventure Viger, qui brûlait plus que jamais d'envoyer des balles aux Anglais, se hâta de se diriger du côté de la frontière. Mais Il n'y trouva que quelques bandes errantes et indisciplinées faisant sans gloire et sans profit des incursions sur le sol canadien.

C'est dans une de ces incursions qu'un nommé Vosburgh fut tué pendant que sa maison était incendiée. Bonaventure Viger étant rentré au Canada après cette malheureuse affaire, fut arrêté et accusé, avec Jodoin et de Cartennet, du meurtre de Vosburgh. Les accusés subirent leur procès devant la Cour du Banc du Roi, mais les jurés n'ayant pu s'accorder, ils furent élargis sous caution.

Depuis cette époque, Bonaventure Viger n'a plus fait parler de lui. Ayant épousé une demoiselle Trudel, sœur de M. l'abbé Trudel, il devint père de famille, et citoyen paisible, conservateur même, n'ayant d'autre ambition que de faire les meilleurs fromages de vingt lieues à la ronde. Les fromages de Bonaventure Viger étaient aussi célèbres que ses exploits, et les Anglais s'en régalaient sans scrupule et sans crainte.

T.-S. BROWN

M. Brown souffrait encore beaucoup des blessures qu'il avait reçues, le 6 novembre, lorsqu'il apprit, pendant la journée du 16, qu'un mandat d'arrestation pour haute trahison venait d'être lancé contre lui. Il prit aussitôt la résolution de se rendre aux États-Unis. Il se fit conduire en toute hâte au Pied-du-Courant pour traverser à Longueuil, mais ayant appris que le bateau attendait deux compagnies de réguliers, il crut prudent de s'éloigner. Après avoir vainement cherché à se faire traverser en canot, il partit pour la Pointe-aux-Trembles avec un cultivateur chez qui il passa la nuit.

Le lendemain, il traversait à Varennes où il rencontrait chez le D\u1d63 Duchesnois deux de ses chefs de division, Rodolphe Desrivières et le D\u1d63 Gauvin, qui lui apprirent l'exploit de Bonaventure Viger et de ses braves compagnons, sur le chemin de Chambly.

– Puisque le bal est commencé, dit Brown, il faut prendre place dans la danse.

– Oui, reprit Gauvin, ne nous laissons pas traquer plus longtemps comme des bêtes sauvages. Allons à Saint-Charles, et établissons-y un camp.

Cela se passait pendant que Wolfred Nelson disait à quelques habitants réunis autour de lui à Saint-Denis, qu'il ne se laisserait pas arrêter comme un criminel.

Tels furent les commencements de cette insurrection de 1837, qui a fait tant de bruit, causé tant d'inquiétude à l'Angleterre et coûté des millions. Voilà cette rébellion à laquelle on a voulu donner les proportions d'une révolte mûrie et préparée longtemps d'avance.

Après cette déclaration de guerre, nos trois mousquetaires partirent pour Saint-Charles. S'étant arrêtés, sur leur chemin, à une auberge, ils entendirent des gens qui disaient : « Pourquoi les chefs désertent-ils ? Nous avons des fusils et de la poudre, nous pouvons les défendre. »

Ayant appris que M. Drolet, de Saint-Marc, avait fait de sa maison une espèce de château fort que défendaient une cinquantaine de patriotes, ils s'y rendirent mais au lieu de gens armés, ils n'y trouvèrent que Mme Drolet, ses deux filles et le plus jeune de ses fils, ainsi qu'un vieux serviteur qui ressemblait peu à un guerrier.

Le lendemain, ils traversaient de Saint-Marc à Saint-Charles. Rendus de l'autre côté de la rivière, ils furent fort surpris d'y trouver M. Papineau, le D^r O'Callaghan et le Dr Wolfred Nelson. La rencontre fortuite de ces hommes dont les têtes venaient d'être mises à prix était singulière. Ils se séparèrent après s'être communiqué leurs projets, et nos trois guerriers s'occupèrent immédiatement de mettre à exécution le dessein qui les amenait à Saint-Charles.

Un patriote tenant par la bride un magnifique cheval, s'approcha de Brown et lui dit, en le saluant respectueusement :

— Général, les patriotes vous prient de vous rendre au camp.

Il s'y rendit aussitôt.

On accourut de tous côtés pour voir le nouveau général. On le trouva un peu maigre et décharné, d'apparence chétive, mais comme on avait appris la cause de ses souffrances, on n'en eut que plus de sympathie pour lui. Le fait est que ce pauvre général, à la tête meurtrie, aux mâchoires à demi-brisées et au corps disloqué, faisait pitié à voir ; il pouvait à peine parler et marcher. Être debout nuit et jour pour recevoir les patriotes qui arrivaient de tous côtés, leur trouver des vivres et des armes, les discipliner et les diriger dans les travaux de défense et de fortification, c'était une terrible tâche pour un homme malade, pour un général qui n'avait jamais été soldat.

Il se mit à l'œuvre cependant, et se montra digne de la confiance qu'on avait en lui par son zèle et son activité. Il put ainsi se rendre, à force d'énergie et grâce à une surexcitation nerveuse, jusqu'à cette fatale journée du 25 novembre. Rien d'étonnant que les forces lui aient manqué, que ses pensées se soient troublées dans l'état de corps et d'esprit où il était.

Avant la fin de la bataille, Brown était sur le chemin de Saint-Denis où il fut mal reçu.

– Pourquoi n'êtes-vous pas à Saint-Charles? lui dit Wolfred Nelson en l'apercevant.

Les Canadiens étaient exaspérés; et sans l'intervention du Dr Nelson, F.-X. Hubert, frère de M. le protonotaire Hubert, l'aurait tué probablement. Quand on apprit les circonstances de la bataille, les colères s'apaisèrent, et on se mit à réfléchir sur ce qu'il fallait faire.

On avait espéré, un instant, que toutes les paroisses se lèveraient pour barrer le chemin aux troupes anglaises qui se rendaient triomphantes à Montréal; mais le désastre de Saint-Charles avait abattu tous les courages. Les gens disaient qu'ils étaient trahis par les chefs, et que le général s'était enfui avec l'argent des patriotes. M. Brown entendit plusieurs fois de ses propres oreilles ces propos peu flatteurs.

Wolfred Nelson, George-Étienne Cartier, Marchessault et Brown restèrent à Saint-Denis jusqu'au 2 décembre, cherchant à soulever les gens et à les décider à lutter contre les troupes si elles revenaient à Saint-Denis. Mais leurs efforts furent inutiles; ils furent obligés de partir, le 2, pour ne pas tomber entre les mains du colonel Gore qui marchait de Sorel sur Saint-Denis. Ils prirent ensemble le chemin des États-Unis, mais ils se séparèrent dans les bois. Il n'y eut que M. Brown qui après des fatigues et des souffrances inouïes, put arriver, à moitié mort, aux États-Unis où il vécut jusqu'en 1844.

Le bill d'amnistie de M. Lafontaine lui ayant permis de revenir dans le pays, il se hâta d'en profiter. Ses adversaires comme ses amis d'autrefois le virent revenir avec plaisir, car il n'y avait qu'une opinion sur la loyauté de son caractère et la sincérité de ses convictions.

M. Brown est né au Nouveau-Brunswick en 1803. Son grand-père, américain de naissance, avait quitté Boston pendant la révolution américaine, pour aller s'établir à Halifax. Sa grand'mère était cousine de sir John Wentwort, qui fut le dernier gouverneur du New-Hampshire, sous la domination anglaise, et le devint ensuite de la Nouvelle-Écosse.

Comme les Nelson, il était d'une famille loyale, qui avait souffert même pour sa fidélité à la couronne d'Angleterre ; mais son caractère généreux et son esprit droit en faisaient naturellement un adversaire de l'injustice et de la tyrannie. Longtemps avant 1837, il avait embrassé la cause libérale et protesté dans des discours et des écrits contre les injustices dont le Bas-Canada était victime. Il fut l'un des collaborateurs les plus utiles et les plus dévoués du *Vindicator*, le seul organe anglais de la cause populaire.

M. Brown n'a pas prouvé qu'il était un grand *général*, il a trop de nerfs pour cela ; mais ses discours et ses écrits dénotent un homme de beaucoup d'intelligence, à l'esprit vif, perspicace et poli, développé par l'étude et la réflexion, d'un caractère susceptible d'entraînement, porté vers les choses qui élèvent l'âme et ornent l'esprit. Il était plutôt fait pour être un homme de lettres qu'un homme d'affaires, un journaliste ou un homme politique qu'un général ; aussi ses écrits ont eu plus de succès que ses opérations commerciales et militaires.

Lorsqu'on voit le nom de M. T.-S. Brown au bas d'un article, on le lit, parce qu'on est certain que c'est bien pensé, écrit avec élégance et distinction.

Actif, instruit, d'une nature expansive, il s'occupe un peu de tout, et a sur beaucoup de choses une foule de connaissances. Les facultés brillantes sont plus développées chez lui qu'elles ne le sont généralement chez les Anglais, surtout les gens de commerce. C'est un homme à théories, chez qui le sentiment l'emporte sur le calcul. Ajoutons à cela un tempérament nerveux, et l'on aura l'explication de ses actes, la clef du rôle qu'il a joué en 1837.

Quoi qu'il en soit, son nom mérite d'être inscrit parmi ceux de ces généreux Anglais qui ont pris fait et cause pour nous, à une époque où il fallait pour cela de l'héroïsme. Ils sont rares les hommes qui ont le courage de se séparer de leurs compatriotes, de sacrifier leur intérêt personnel et leurs affections les plus puissantes pour une idée, un principe. Et c'est parce qu'ils sont rares qu'on doit les apprécier comme ils le méritent.

M. Brown, malgré son grand âge et ses infirmités, est encore en pleine activité, et s'intéresse au sort de la société. Son esprit philanthropique, ses sentiments généreux le portent naturellement à s'occuper du bonheur et de l'avenir de ses semblables. La cause de la tempérance n'a pas de partisan plus dévoué, et les amis de cette noble cause le considèrent comme leur chef, leur patriarche.

M. HUBERT

Ceux qui connaissent M. Hubert, le présent proto-notaire de Montréal, ont de la peine à s'imaginer qu'il ait été un révolutionnaire dans sa jeunesse.

Pourtant, c'est bien vrai. Les Fils de la liberté le considéraient comme l'un des membres les plus utiles de leur association.

Après la bataille de Saint-Denis, il se rendit à Saint-Eustache avec les deux de Lorimier et Feréol Peltier, pour aider Girod et Chénier à organiser les patriotes du comté des Deux-Montagnes. Il était un des chefs de l'expédition qui alla s'emparer de la Mission des Sauvages et du poste de la Baie d'Hudson. Il assista et prit part au commencement de la bataille de Saint-Eustache. Il était à cheval en avant des cent ou cent cinquante patriotes qui reçurent ordre de traverser la rivière pour déloger la compagnie du capt. Globenski. Il rapporte que la tâche aurait été facile, car les *braves* volontaires avaient commencé à lever le pied, quand les patriotes, attaqués par derrière, furent obligés de retourner au village.

M. Hubert, entraîné par son cheval, se trouva sé-paré des patriotes, et voyant que tout était perdu, se dirigea vers Saint-Benoît, en passant à la portée des fusils de Colborne. Il entendit siffler les balles, mais ne fut pas atteint.

De Saint-Benoît, M. Hubert se dirigea vers le sud, se rendit à Saint-Antoine et se cacha chez Côme Cartier, frère de sir Georges-Étienne Cartier. Trahi par un individu de Verchères, qui mit Comeau sur sa piste, il fut arrêté avec son frère F.-X. Hubert, et con-duit à la prison de Montréal, où il passa six mois. En

1838, il fut obligé de se tenir caché, pendant trois mois, avec sir Georges-Étienne Cartier, son cousin, chez un nommé Ducondu, sur la rue Saint-Paul, pour ne pas être arrêté de nouveau.

Depuis cette époque, M. Hubert est devenu l'un des hommes les plus paisibles du pays ; il s'est enrichi en ne s'occupant que de ses affaires, et il est respecté.

LE Dr GAUVIN

Le Dr Gauvin appartenait à une des familles les plus estimables de Montréal. Il était fils de la femme généreuse qui rivalisa avec Mme Gamelin pour secourir les patriotes prisonniers, et frère des demoiselles Gauvin qui aidèrent si puissamment leur mère dans son œuvre de charité patriotique. L'une des demoiselles Gauvin est aujourd'hui Mme veuve Brault et l'autre Mme Ostell.

Le nom de cette généreuse famille mérite une mention spéciale dans l'histoire des patriotes.

Le Dr Gauvin n'avait pas une forte santé ; il mourut peu de temps après les troubles.

LE MAJOR GODDU

M. Goddu, l'un des huit exilés des Bermudes, est mort, il y a deux ans, à l'âge d'environ quatre-vingt-dix ans. C'était un homme intelligent et passablement instruit, dont la conversation était très agréable. Il racontait avec beaucoup de verve les événements nombreux et intéressants auxquels il avait pris part.

Il était né à Saint-Denis d'une brave famille de cultivateurs.

Son caractère décidé, son esprit aventureux le poussèrent à s'engager, à l'âge de seize ans, dans le corps des Voltigeurs, en 1812. Il fit la campagne comme major sous les ordres du colonel de Salaberry, et se couvrit de gloire à Lacolle et à Châteauguay. Il assista, plus tard, au combat naval de Plattsburgh, où il commandait une canonnière.

Pour récompense de ses services, il reçut une médaille militaire et cent acres de terrain dans le township de Weedon. Laissant l'épée du soldat pour la hache du colon, il s'enfonça dans la forêt et commença à défricher. Rebuté dans ses essais, il revint s'établir dans le comté de Rouville, à Saint-Césaire.

En 1837, les libertés constitutionnelles du Canada trouvèrent en lui un vaillant champion. Il assista, le 23 octobre 1837, à l'assemblée des dix comtés, et fut un des premiers à prendre les armes. Nommé commandant des patriotes de Saint-Césaire, il se rendit, à la tête d'une centaine d'hommes, à Saint-Mathias où il reçut ordre d'attendre le résultat des premiers événements. Le désastre de Saint-Charles l'ayant convaincu qu'il n'y avait rien à faire, il ramena ses hommes à Saint-Césaire et se rendit lui-même à Saint-Hyacinthe où il passa huit jours pour dérouter les poursuites que l'on faisait contre lui. Ayant appris que des soldats étaient à faire des recherches dans ce village, pour s'emparer de lui, il partit pour Saint-Césaire, et fut arrêté par un de ses anciens amis, que la peur avait transformé en un lâche dénonciateur. Conduit à Montréal, les menottes aux poignets, comme un malfaiteur, il fut emprisonné jusqu'au 2 juillet 1838.

M. Ouimet fut une des premières victimes des mandats d'arrestation du 16 novembre 1837. Sa qualité de président des Fils de la liberté lui donnait droit à cette faveur. Il se trouva en bonne compagnie, car, le même soir et le lendemain, il fut rejoint par plusieurs de ses amis. Il resta huit mois en prison. C'était long pour un homme accoutumé à une vie d'émotion et d'activité.

Il a laissé le récit de ses impressions de prison dans des mémoires curieux, remplis de réflexions plus ou moins orthodoxes, d'idées originales et de boutades sarcastiques à l'adresse des bureaucrates. La manière dont il raconte son arrestation nous donnera une idée du ton de ses mémoires et de sa trempe d'esprit et de caractère. Écoutons-le :

«Il était six ou sept heures du soir, un jeudi, 16 novembre 1837. Je ne l'oublierai jamais, ce jour-là ! Resté chez moi, parce qu'il faisait mauvais temps, j'étais occupé paisiblement à hacher mon tabac pour fumer, un volume des romans de sir Walter Scott près de moi ; c'était, je crois, le troisième volume du *Pirate*... Il est joli ce roman !... Enfin, je ne pensais pas à faire de promenade au dehors, ce soir-là, quand, tout-à-coup, j'entends un grand bruit dans l'escalier qui conduit à mon appartement. On frappe à la porte.

«—Entrez, que je dis.

«Et de suite, je vois apparaître le ministre de la police, suivi d'à peu près vingt drôles à mine assez menaçante, portant cordes, bâtons, que sais-je ? moi...

«—Vous êtes mon prisonnier, me dit d'une voix

élevée, et en me lançant un regard quelque peu farouche, M. B. Delisle.

« – Et pourquoi ? lui demandai-je.

« – Pour haute trahison, qu'il me répondit.

« – Diable ! dis-je, à part-moi, c'est sérieux ! Pas de cautions pour cela, monsieur ?

« – Non.

« – Faut donc aller en prison ?

« Oui, j'en suis fâché.

« – Et moi bien plus ; c'est égal, je me résigne. »

Les ennuis et les rigueurs de la prison aiguisèrent sa verve sarcastique et son esprit frondeur. Ses compagnons le recherchaient autant que ses geôliers le redoutaient. Ils trouvaient dans ses gais propos et ses anecdotes comiques une source intarissable de récréation.

Il avait été admis au barreau en 1836, et avait eu pour associé l'infortuné C.-O. Perrault, qui fut tué, l'année suivante, à Saint-Denis. Il exerça plus tard en société avec M. le juge Sicotte et M. le protonotaire Hubert. C'était un excellent avocat, un orateur populaire. Il était grand, mince, brun, beau ni de figure ni de taille mais d'une physionomie intelligente et sympathique.

André Ouimet était né à Sainte-Rose, ce qui prouve l'injustice de certain dicton populaire. Son père, Jean Ouimet, et sa mère Marie Beautron, ont fait leur part dans l'œuvre de la propagation de notre race, car ils eurent vingt-six enfants dont André était le septième ou le huitième, et M. Gédéon Ouimet le vingt-sixième.

Il mourut, le 10 février 1853, à l'âge de quarante-cinq ans, vraiment regretté de tous ceux qui l'avaient connu.

Peu grand, mais robuste, les épaules larges, la tête imposante, un peu renversée en arrière, les membres musculeux, une physionomie franche, ouverte, le regard fier et hardi, des traits pleins de virilité, des manières vives, la parole véhémente, un esprit prompt et logique, une âme enthousiaste, faite pour le sacrifice et le dévouement. Une figure de maréchal de France, une nature de soldat.

Voilà en miniature le portrait de Chénier.

Jean-Olivier Chénier naquit à Longueuil en 1806. En 1817, le Dr Kimber, de Montréal, qui l'avait remarqué, le prenait sous sa protection, et, ne pouvant le mettre au collège, se chargeait lui-même de son instruction. Chénier se livra à l'étude avec toute l'ardeur et l'énergie de son tempérament, se faisait recevoir médecin, le 25 février 1828, et allait s'établir à Saint-Benoît, dans le comté des Deux-Montagnes. En 1831, il épousait la fille du célèbre Dr Labrie, allait, peu de temps après, à Saint-Eustache, prendre la place de son beau-père qui venait de mourir, et contribuait puissamment à faire donner le siège vacant du regretté défunt dans l'Assemblée législative, à M. Girouard.

Les injustices du Bureau colonial et les insolences des bureaucrates exaspérèrent l'âme ardente et patriotique du Dr Chénier. En 1832, on voit son nom figurer en tête d'une réquisition qui avait pour but de protester contre le vol organisé des terres publiques, et de demander un mode de concession plus juste et plus avantageux. La même année, il agissait comme secrétaire d'une assemblée convoquée à Saint-Benoît pour blâmer la conduite des troupes et des autorités dans l'affaire sanglante du 21 mai.

Aux assemblées qui eurent lieu à Saint-Benoît, à Ste-Scholastique et à Saint-Eustache, dans les mois d'avril, de juin et d'octobre 1837, il fut l'un des orateurs les plus véhéments. À Sainte-Scholastique, il prononça les paroles suivantes : « Ce que je dis, je le pense et je le ferai ; suivez-moi, et je vous permets de me tuer si jamais vous me voyez fuir. »

Il fut un des premiers, dans le comté, à s'habiller d'*étoffe du pays* des pieds à la tête. Sa parole et ses exemples avaient une grande influence.

Nous avons, en racontant le combat de Saint-Eustache, fait l'éloge de la bravoure de Chénier. Sans doute, il n'avait ni les connaissances militaires ni les forces qu'il fallait pour entreprendre une lutte semblable.

Obligé de prendre le commandement, à la dernière heure, abandonné par les trois quarts de ses partisans, il aurait mieux fait de céder aux instances du curé de la paroisse et de ses meilleurs amis.

Mais il avait juré de ne pas reculer, il voulut tenir parole ; il voulut prouver à ses compatriotes, aux bureaucrates qu'il détestait, qu'un patriote, un Canadien français savait mourir.

Maintenant, pourquoi n'aurait-il pas espéré jusqu'au dernier moment une de ces victoires étonnantes que des poignées d'hommes, transformés en héros par l'amour de la patrie et de la liberté, remportent quelquefois ?

Dans tous les cas, qu'on pense et qu'on dise ce qu'on voudra de l'imprudence, de la témérité de Chénier, une bouche canadienne ne devrait jamais nier sa bravoure, son héroïsme. Car ce serait un mensonge, une injustice et une insulte à l'honneur national.

Tout dans ses dernières paroles, dans ses dernières actions, dénote un homme décidé à mourir en brave. Aux preuves que nous avons déjà données ajoutons les suivantes:

Le jour du combat, quand quelques uns des chefs patriotes, venus de Montréal, voyant la résistance inutile, se décident à s'éloigner, Chamilly de Lorimier avertit Chénier et l'engage à en faire autant.

– Non, répond Chénier, faites ce que vous voudrez quant à moi je me bats et si je suis tué, j'en tuerai plusieurs avant de mourir.

– Eh bien! alors dit de Lorimier, ému, prenez ces pistolets, vous en aurez besoin.

Et il lui remit deux pistolets qu'il avait apportés de Montréal.

Voyons maintenant si sa conduite et ses actes ont été conformes à ses paroles et à ses promesses.

Le témoignage de M. Paquin, qui le traite si sévèrement, pourrait suffire. Voici ce qu'il dit:

« Le Dr Chénier voyant que tout espoir était perdu et qu'il ne pouvait plus songer à se défendre dans l'église qui était devenue la proie des flammes, réunit quelques-uns de ses gens et sauta avec eux par les fenêtres du côté du couvent. Il voulait essayer de se faire jour au travers des assaillants et de s'enfuir, mais il ne put sortir du cimetière, et bientôt, atteint d'un coup de feu, il tomba et expira presque immédiatement. »

F.-H. Grignon, surnommé l'*Ours Blanc*, à cause de son courage, a été témoin oculaire des derniers instants de Chénier, il a raconté à tout le monde ce qui s'est passé et personne n'a jamais songé à le contredire. Il a vu Chénier tirer plusieurs fois sur l'ennemi après être sauté dans le cimetière. Il ajoutait que Chénier et Guitard ne voulurent pas fuir avec les autres, mais qu'ils firent face à l'ennemi et se battirent jusqu'à la mort.

L'Américain Teller qui a écrit l'histoire des événements de '37 auxquels il prit part, dit à la page 11 de son livre :

« Chénier sauta dans le cimetière. Une balle l'abattit ; il se releva et deux fois il chargea et déchargea son fusil avant de mourir. »

Le lendemain du feu de Saint-Eustache, l'un des principaux officiers de Colborne disait, à Saint-Benoît, en présence de plusieurs personnes, que Chénier était mort en brave, en combattant, et que *les soldats avaient été obligés de l'achever.*

Une dame présente aurait alors dit : « Il n'y a qu'un soldat anglais capable de tuer un homme blessé et incapable de se tenir debout. »

Dans un livre publié, il y a quelques mois, par M. Globensky, fils du capitaine Globensky qui commandait une compagnie de volontaires à Saint-Eustache, on a lu avec surprise la déclaration d'un nommé Cabana qui cherche à faire croire que Chénier, voyant l'église en feu n'avait songé, comme lui, qu'à fuir. Mais ce pauvre Cabana ne sait pas plus ce qu'il dit qu'il ne savait ce qu'il faisait, lorsqu'il s'est enfui du clocher de l'église. Nous ne prendrons pas même la peine de publier les déclarations contraires faites sous serment par de nombreux témoins oculaires, afin de ne pas paraître attacher la moindre importance à un livre pitoyable, et aux divagations de pauvres gens qu'il faut plutôt plaindre que dénoncer.

Le livre de M. Globensky a été le dernier coup de boutoir porté par la bureaucratie à des hommes dont l'honneur est le bien de la nation ; c'est le dernier cri d'un parti condamné depuis longtemps par l'opinion publique.

La tradition rapporte qu'après le combat le corps du Dr Chénier fut trouvé vers six heures et porté dans l'auberge de M. Addison, où on l'étendit sur un comptoir, que là on lui ouvrit la poitrine, qu'on lui arracha le cœur et qu'on promena ce cœur au bout d'une baïonnette, au milieu des imprécations d'une soldatesque effrénée. M. Paquin nie ce fait ; il prétend que les médecins ouvrirent la poitrine de Chénier simplement pour constater les blessures qu'il avait reçues, et M. de Bellefeuille, qui a écrit l'histoire de Saint-Eustache, corrobore son assertion.

Mieux vaut, pour l'honneur de l'humanité, accepter la version de M. Paquin.

Mais nous ne voyons pas comment on peut refuser de croire les personnes qui affirment sous serment avoir vu ce qu'elles racontent. Il est un fait certain et admis par tout le monde : c'est que le corps de Chénier a été ouvert, dans le but, dit-on, de constater exactement la cause de la mort.

Cette explication est assez ridicule. Depuis quand ouvre-t-on les corps des soldats tués sur un champ de bataille pour savoir de quoi ils sont morts ?

De tous les chefs patriotes, Chénier est celui dont la mémoire vivra le plus longtemps. Quel que soit le jugement que l'on porte sur l'opportunité de l'insurrection de 1837, et sur la témérité de ceux qui se crurent assez forts pour résister par la force au gouvernement anglais, on ne pourra reprocher à celui-là d'avoir abandonné, au moment du danger, ceux qu'il avait soulevés, d'avoir déserté le drapeau qu'il portait si fièrement à l'assemblée de Saint-Charles. Sa mort atteste la sincérité de son patriotisme, et justifie la confiance que le peuple avait en lui. Les Canadiens français ne cesseront jamais de se répéter, de père en fils, le récit de sa mort héroïque et longtemps on dira : « Brave comme Chénier. »

LE PROCÈS JALBERT

Mardi, 3 septembre 1839, le capitaine Jalbert comparaissait à la barre du Palais de justice de Montréal, après une incarcération de près de deux ans, pour répondre à l'accusation d'avoir mis à mort, le 23 novembre 1837, le lieutenant Georges Weir, du 32ème régiment de Sa Majesté.

Les juges Pyke, Rolland et Gale étaient sur le banc ; le procureur-général Ogden et le solliciteur-général Andrew Stuart représentaient la couronne ; MM. Walker et Charles Mondelet occupaient pour l'accusé. Le jury était presque entièrement composé de Canadiens français.

On trouve, dans un excellent compte rendu de ce fameux procès, publié dans le temps, sous les initiales A. R. C., le portrait suivant de l'accusé :

« M. Jalbert annonce un homme qui touche à sa soixantième année. Ses traits, sa physionomie, ses manières, tout dénote cette fermeté et cette franchise que l'âge n'éteint jamais dans un homme naturellement brave et respectable. Sa contenance est mâle, sa taille est moyenne. Ses yeux bleus annoncent de la douceur et de la vivacité. Il jette de temps en temps un regard sur l'auditoire qui l'environne, et sourit, d'un air calme, à ses amis et à ses connaissances. Il porte surtout bleu, veste noire et pantalon rayé noir. »

Le patriote Jalbert était capitaine de milice à Saint-Denis depuis 1813, et jouissait de l'estime publique dans cette paroisse. Il avait été élu marguillier, syndic pour les écoles et son opinion en toutes choses était considérée. C'était un homme doux, paisible et respectable, au caractère ardent et mobile, à l'esprit inquiet, passant facilement de l'abattement à l'exaltation. Il était intelligent, mais sujet, dit un témoin, le père Cadieux, à des absences d'esprit ; le moindre chagrin le troublait et le rendait incapable de vaquer à ses affaires. Il se jeta, tête baissée, dans l'agitation populaire en 1837, envoya au gouvernement sa démission comme colonel de milice, et se mit à la disposition de Papineau et de Nelson. C'était le sergent-instructeur des patriotes. Il parut à la grande assemblée de Saint-Charles, à la tête d'une compagnie de fusiliers dont la bonne mine et la discipline furent admirées.

Il était à Saint-Denis, et c'est lui que Nelson chargea de faire conduire le lieutenant Weir à Saint-Charles, quelques instants avant la bataille de Saint-Denis. Accusé de la mort de cet infortuné jeune homme, il avait été arrêté, dans les premiers jours de décembre, près de la frontière américaine, et il y avait deux ans qu'il languissait dans les cachots de la prison de Montréal, lorsqu'on se décida à lui faire subir son procès.

Le 30 août précédent, M. Charles Mondelet avait fait, devant la Cour du Banc du Roi, une motion demandant qu'il fût permis au prisonnier de retirer son plaidoyer de « non coupable » et d'y substituer un plaidoyer spécial fondé sur l'amnistie proclamée, le 28 juin 1838, pas lord Durham.

La substance de ce plaidoyer était que, le 25 juin 1838, lord Durham avait lancé une proclamation d'amnistie générale pour tous crimes de haute trahison et autres offenses de cette nature; qu'en vertu d'une ordonnance, publiée le même jour, le prisonnier, accusé du meurtre de Weir, avait été excepté, et que cette ordonnance ayant été désavouée depuis par Sa Majesté, la proclamation d'amnistie générale devait s'appliquer sans exception à tous les délinquants, y compris le prisonnier. Après une vive et habile discussion entre MM. Mondelet et le solliciteur-général Stuart, la motion avait été rejetée par le tribunal, et le procès de l'accusé fixé au 3 septembre.

L'acte d'accusation était porté contre Frs Jalbert, le prisonnier à la barre, J.-Bte Maillet, Joseph Pratte, et Louis Lussier, et renfermait quatre chefs distincts: « 1° Que le prisonnier Jalbert avait porté un coup de sabre au défunt, et qu'il était alors aidé, assisté et encouragé par les trois autres; 2° Que le nommé Jean-Baptiste Maillet ayant un sabre à la main, le prisonnier, accompagné des deux autres, l'aidait, l'assistait et l'encourageait à commettre le meurtre; 3° Que le nommé Joseph Pratte, ayant un sabre à la main, le prisonnier, ainsi que les deux autres, étaient là présents, l'aidant, l'assistant et l'encourageant à commettre le meurtre; 4° Que le nommé Louis Lussier, ayant tiré un coup de fusil sur le défunt, Jalbert et les deux autres étaient là présents, l'aidant, l'assistant et l'encourageant à commettre le meurtre, etc., etc. »

Les autorités n'avaient pu, malgré leurs efforts, mettre la main sur les accusés Maillet, Pratte et Lussier, qui s'étaient réfugiés aux États-Unis.

Le solliciteur général Stuart ouvrit la cause dans un discours assez modéré, et rappela comme suit les circonstances du crime dont le prisonnier était accusé :

«Vous vous rappelez probablement, dit-il, qu'en novembre 1837, un détachement de troupes, sous le commandement du colonel Gore, marcha sur Saint-Denis. Le lieutenant Weir, du 32e régiment de Sa Majesté, qui était alors à Montréal, reçut ordre d'aller à Sorel, ayant avec lui des dépêches pour le colonel Gore. Il partit donc, le 22 novembre, par terre, dans l'espoir de se rendre à Sorel avant le colonel Gore, qui était parti par eau. Empressé de le rejoindre, il prit une voiture dans l'intention de rattraper les troupes sur leur route à Saint-Denis. Il est bon de vous faire remarquer, qu'à la distance d'environ quatre mille de Sorel, le chemin se divise en deux branches dont l'une est plus longue que l'autre. Le lieutenant Weir présumant sans doute que le colonel Gore avait pris le chemin le plus court, passa sur ce chemin, mais le colonel Gore ayant pris l'autre, le lieutenant Weir ne put le rejoindre. Chemin faisant, il fut arrêté par une garde et conduit comme prisonnier chez le Dr Nelson. Ce dernier donna ordre qu'on le menât à Saint-Charles sous la garde de Jalbert et des autres. Arrivé chez le Dr Nelson, on lui lie les mains, puis on le fait monter dans un wagon. Peu de temps après on lui délie les mains. Près de l'église, M. Weir saute hors de la voiture et est frappé par le nommé Maillet qui avait un sabre à la main. Jalbert, qui était en ce moment à cheval et qui avait un sabre à son côté, criait aux autres : «Tuez-le! tuez-le! le déserteur!» Au même instant,

Jalbert lui donne un coup de sabre sous lequel le défunt écrase. Les autres suivent son exemple et le défunt succombe sous une grêle de coups. Le monde se rassemble, et le défunt respirait encore, quand on entend de tous côtés des voix qui crient : « Rachevez-le! rachevez-le! » Le prisonnier était de ceux qui criaient ainsi. Le nommé Lussier arrive et décharge un coup de fusil ou de pistolet sur le défunt pour le rachever. Plusieurs jours après l'engagement des troupes, on fait la recherche du corps que l'on trouve à une certaine distance dans la rivière, couvert de blessures et horriblement mutilé. »

Le procès dura sept jours, quinze ou seize témoins furent entendus, et les faits avancés par la Couronne furent en général établis. Il fut prouvé que Maillet, Pratte et Lussier avaient frappé à coups redoublés le malheureux défunt, mais il y eut contradiction au sujet de la participation du capitaine Jalbert à ce crime. Plusieurs témoins affirmèrent que Weir était mort, quand Jalbert arriva sur les lieux.

Un témoignage important fut celui de Mignault, celui-là même qui conduisait la voiture où se trouvait l'officier. Nous avons cru devoir le reproduire en entier :

François-Toussaint Mignault. – Interrogé par le solliciteur général Stuart :

« Je suis natif de Saint-Denis. J'y suis maître de poste depuis quinze ans, et aubergiste depuis, à peu près, le même nombre d'années. Je connais le capitaine Jalbert depuis longtemps. Je sais, que le 23 novembre 1837, un officier des troupes de Sa Majesté vint à Saint-Denis. Comme je sortais de chez moi, avec ma voiture, sur les huit heures ou huit heures et demie du matin, pour aller chez un voisin, je rencontrai le nommé Jean-Baptiste Maillet, sergent de milice, armé d'une épée. Il était accompagné de deux hommes, aussi armés, et dont l'un était, je crois, le nommé Pierre Guertin. Ils me commandèrent de me rendre de suite chez le Dr Nelson, pour de là conduire un officier prisonnier à Saint-Charles. Je leur répondis que je n'avais pas de voiture. Ils me dirent qu'ils avaient un *waggon* de prêt. J'allais donc chez le Dr Nelson, où je vis, en effet, le *waggon* qui attendait à la porte. En arrivant, je ne vis pas d'abord l'officier, mais je vis le Dr Nelson qui me dit: «Vous êtes l'homme qu'il faut pour conduire l'officier à Saint-Charles.» J'entrai dans la chambre, et je vis l'officier ; il était entouré d'un bon nombre de personnes. Je demandai au Dr Nelson si l'officier était armé, ajoutant que je n'avais pas même un canif sur moi. Il me répondit que non. L'officier était assis. Il avait, je crois, sur lui, quand je suis entré, un gilet blanc, et en partant, je lui aidai à mettre un surtout bleu. Je suis resté une dizaine de minutes chez le Dr Nelson, avant de partir. Je n'avais aucun ordre quelconque du Dr Nelson; il est probable que le sergent en avait. C'est moi qui devais conduire le *waggon*. J'embarquai à droite, sur le devant de la voiture, et je fis mettre l'officier à mon côté. Guertin était assis à l'arrière, à droite, et Maillet à côté de lui, à gauche. Quand nous fûmes avancés à environ un quart d'arpent de l'endroit d'où nous étions partis, je fis débarquer Guertin, en conséquence des mauvais chemins, et vu que je pensais que nous étions assez de deux pour reconduire l'officier; ce dernier m'avait auparavant donné sa parole d'honneur qu'il ne s'échapperait pas; puis, nous continuâmes à marcher. Il avait les mains liées ; et m'étant aperçu qu'elles lui devenaient bleues par le froid, je lui donnai mes gants, ajoutant qu'il n'avait rien à craindre, qu'il était sous ma protection, et que je le conduirais sain et sauf jusqu'à Saint-Charles. Il ne me répondit pas. Je crus qu'il ne me comprenait point ; je lui parlais en français, et lui disais quelques mots en anglais, essayant de mon mieux à me faire comprendre de lui. Rendu à un quart d'arpent de l'église, le sergent Maillet lui passa autour du corps la *strappe* qui servait auparavant à lui lier les mains. Je ne crois pas que le prisonnier se soit aperçu qu'il était ainsi retenu par derrière. L'officier ayant sauté hors de la voiture, la *strappe* que tenait Maillet le fit tomber à genoux, la voiture continuait à marcher. Maillet avait alors avec lui une ancienne épée française, d'environ un demi-pied de long. Il sauta hors de la voiture, et se mit à frapper, tant sur le *waggon* que sur l'officier. Je crois qu'il frappa avec le plat de l'épée ; l'épée cassa. Je crois qu'il ne fit que couper le collet de l'habit de l'officier. Il donna trois ou quatre coups. Je ne puis pas dire s'il frappa avec le tranchant, ou avec le plat de l'épée. Je ne crois pas qu'il ait infligé de graves blessures au défunt. Maillet demanda main-forte. J'étais transporté et excité. Ma voiture marchait toujours ; de sorte que je me trouvai à trente ou quarante pieds de l'officier, qui s'était avancé un peu, en voulant gagner les troupes. Les troupes étaient actuellement à dix ou quinze arpents en bas du village. L'officier, en sautant hors de la voiture, avait dit : *Let me see the soldiers* et Maillet lui avait répondu que non, qu'il avait le temps de les voir. Après avoir arrêté mon cheval, je revins près de l'officier, et je trouvai le nommé Joseph Pratte qui *faissait* dessus avec un gros sabre de dragon. Il lui avait donné douze à quinze coups. L'officier était tout haché. Je repoussai Pratte et relevai l'officier. Je crus voir qu'il avait trois doigts de la main droite coupés, et plusieurs blessures à la tête. En arrivant là où était l'officier, je vis Pratte frapper plusieurs coups sur lui; l'officier avait déjà reçu plusieurs autres blessures. J'étais environné de monde. Après que j'ai été descendu du *waggon*, j'ai vu porter des coups sur l'officier, par Maillet; et c'est en arrivant vers l'officier que j'ai vu Pratte qui le frappait. Jusque là, la foule m'avait empêché de voir. Jalbert n'était pas encore arrivé alors. Quand je relevai l'officier, je lui dis en mauvais anglais : *What you want do ? I promised you my protection, but I cannot help it ; I believe some body will shoot you in a minute.* (Que prétendez-vous faire ? —Je vous ai promis ma protection; mais je ne suis plus le maître : je crois que quelqu'un va venir vous fusiller dans l'instant.) J'ai repoussé Pratte en arrivant, pour l'empêcher de frapper de nouveau. Plusieurs criaient : " Rachevez-le ! rachevez-le !" Il se mourait alors. Sur ces entrefaites, arrive le capitaine Jalbert ; il était à cheval, un sabre à son côté, un pistolet dans sa selle. Il est probable qu'il a commandé, lui aussi, de le finir. Jalbert était à dix ou douze pieds de moi, à cheval. Je le connaissais depuis longtemps. Je n'ai pas entendu le capitaine Jalbert dire : " Rachevez-le ! Rachevez-le !", mais d'autres le disaient. Jalbert était du nombre de ceux qui le disaient. Je ne puis pas dire si Jalbert a commandé. Je crois que Jalbert a dit : "Rachevez-le ! Rachevez-le !" Je n'en suis pas certain. Je n'en ai aucun doute. Là-dessus, Lussier est arrivé avec un fusil, et a *couché* l'officier en joue; mais son fusil a fait fausse amorce, à trois différentes reprises. Lussier est entré avec son fusil; et pendant ce temps-là, un autre individu, que je ne connais pas, est venu avec un pistolet. Je suis alors parti, craignant qu'on me forçât à tirer, comme on l'avait déjà fait. J'avais refusé de le faire, en disant que j'avais toujours promis de ne jamais tremper mes mains dans le sang de mon frère; et sur mon refus, quelqu'un avait dit : "S'il ne veut pas le faire, faisons-lui-en autant." Je crois que c'est Lussier qui a apporté le pistolet. J'étais à demi *morfossé*, et tout hors de moi-même. Je n'ai pas entendu le coup de pistolet. Quand je suis revenu à l'officier, Pratte frappait à grands coups; le sang ruisselait. J'ai reproché à Pratte sa barbarie. Quelqu'un m'a aidé à éloigner le corps de l'endroit où il était. Je l'ai pris à brassée, et Maillet m'a aidé, en le prenant par les jambes. Je n'ai pas vu le capitaine Jalbert frapper l'officier. Je l'ai vu un instant, sur les lieux, quand on criait : – "Rachevez-le ! Rachevez-le !" Il n'avait pas alors son épée tirée. Je ne l'ai plus revu après. Je lui tournais le dos, quand il est arrivé, et je ne puis pas dire ce qui s'est passé. Lorsque je suis revenu, le capitaine Jalbert n'y était plus. Il n'est arrivé qu'après qu'on eût crié : " Rachevez-le ! Rachevez-le !" Je ne puis pas dire ce qu'il fit après mon départ. »

Dans le cours du procès, des altercations fréquentes eurent lieu entre les avocats de la défense, M. Mondelet surtout, et les représentants de la Couronne. Les juges Pyke et Gale ne paraissaient pas eux-mêmes à l'abri des passions que ce procès soulevait. Les plaidoiries des défendeurs du prisonnier furent habiles et éloquentes. Elles peuvent se résumer dans les deux propositions qui suivent.

Il n'y a pas de preuve que Jalbert ait contribué à la mort du défunt; l'eût-il fait, ce n'est pas un procès pour meurtre qu'on devrait lui faire, mais pour haute-trahison; car la mort du lieutenant Weir est un fait politique, un incident regrettable d'une insurrection, l'acte d'un gouvernement *de facto*, et la faute, s'il y a faute, est celle de tout un peuple.

Nous croyons donner une idée de l'éloquent plaidoyer de M. Mondelet, en reproduisant le passage suivant:

« L'acte dont le prisonnier est accusé est tel, que s'il eût été commis dans des circonstances ordinaires, il y aurait de quoi frémir; mais il est facile de voir de suite que cet acte n'est autre chose qu'un malheureux incident d'un drame encore plus malheureux, que des causes imprévues et extraordinaires ont amené.

« Je dis que le drame malheureux qui a été joué en 1837, a été amené... Il a été accéléré, messieurs, après avoir été produit par la conduite du gouvernement même. Il est connu de vous tous que le gouvernement impérial n'ayant tenté rien de moins que de mettre la main sur nos deniers, sans le consentement de la législature de ce pays, des assemblées nombreuses furent tenues dans différentes parties de la province, dans l'été de 1837. Des résolutions énergiques furent adoptées; et il fut, entre autres choses, déterminé que l'on détruirait par la non-consommation, un revenu que le gouvernement avait la prétention inconstitutionnelle et injuste de s'approprier sans notre consentement. L'assemblée des Six Comtés eut enfin lieu, à Saint-Charles, en octobre 1837, et là aussi, on adopta des résolutions aussi énergiques que les circonstances l'exigeaient. Dans la supposition où l'on y aurait fait quelque chose de répréhensible, aux yeux des lois (ce que je n'admets point, me bornant à le supposer, pour donner plus de latitude au gouvernement), dans ces cas-là, l'on aurait pu, tout au plus, arrêter, pour menées séditieuses, ceux que l'on aurait accusés de ces offenses imaginaires ; mais jamais l'on eut du lancer des *warrants* de haute-trahison pour la raison toute simple qu'aucun *over-act*, aucun *acte ouvert* de haute-trahison n'avait alors été commis. Cependant le gouvernement d'alors eut le malheur de bien d'autres gouvernements ; celui d'être entouré d'ignorants, de méchants et de coquins, qui savaient ou devaient savoir qu'aucun acte de haute-trahison n'avait été commis à cette époque. Ces hommes ignorants et méchants, ces coquins osèrent aviser le gouvernement d'émettre des *warrants* de haute-trahison, contre le Dr Wolfred Nelson et autres hommes marquants, qui n'avaient rien fait qui constituât l'offense bien définie de haute-trahison. Le Dr Wolfred Nelson et ses amis, informés qu'il existait des gens assez ignorants ou assez méchants pour pervertir ainsi la loi, pressentirent bien naturellement qu'un gouvernement assez immoral pour en agir ainsi, le serait assez pour trouver les moyens de les faire condamner et de les faire exécuter. Ils décidèrent donc bien naturellement qu'il valait mieux pour eux périr honorablement dans la tranchée, que de servir, sur l'échafaud, de victimes d'expiation, à la vengeance des coquins qui entouraient et conseillaient le gouvernement. Ils préférèrent les chances du combat à la certitude d'une mort sur l'échafaud, qui, bien qu'elle n'eût pas été déshonorante, n'en était pas moins à éviter. Ils résistèrent. C'est donc le gouvernement qui a causé et accéléré l'insurrection de 1837. C'est sur le gouvernement, et sur le gouvernement seul, qu'en doit retomber la responsabilité.

« Il est certain qu'à cette époque, les esprits étaient tellement excités, et la détermination d'opposer la force à la force, tellement enracinée parmi les habitants de cette section de la rivière Chambly, où se trouve Saint-Denis, que l'autorité du gouvernement était méconnue et rejetée. Les officiers publics avaient été remplacés par ceux que s'était choisis le peuple, et aucun des officiers du gouvernement n'était assez imprudent pour tenter d'agir ; il ne l'eût pu. L'autorité du peuple était la seule que l'on reconnût, et à laquelle l'on obéit ; et il y avait assurément, dans cette partie de la province, un gouvernement *de facto*, c'est-à-dire une autorité *de fait*, et celle qu'exerçait le peuple par ses chefs. Que cette autorité fût ou ne fût pas légitime, qu'elle fût usurpatrice, ou ne le fût pas, elle n'en existait pas moins, le gouvernement ne s'étant fait connaître ensuite que par l'envoi du député-shérif, et des troupes, qu'on regardait comme venant porter le fer et le feu dans les campagnes, pressentiments que la suite a bien justifiés. Ceux, par conséquent, qui prirent part aux troubles de 1837, étaient conduits par la force et l'influence irrésistible d'une autorité qui était le peuple même. Il est certain, messieurs, que les lois, en Europe, reconnaissent une telle chose qu'un gouvernement *de facto*; aussi a-t-on vu des actes du gouvernement impérial (sous Henri VII) excuser et exonérer de haute-trahison ceux qui avaient obéi à un gouvernement *de facto*, usurpé, qui avait précédemment établi son autorité; autorité qui était irrésistible. Le gouvernement qui, dans ce pays, a été la cause première de ces malheurs de 1837, devrait être le dernier à vouloir atteindre du glaive sanglant ceux entre les mains desquels il l'a mis lui-même.

« Le prisonnier, dont il est temps de vous parler, se trouva, par sa situation distinguée dans sa localité, placé de manière à ne pouvoir se soustraire, l'eût-il même voulu, à l'effet de cette force supérieure qui, dès lors, menait dans une seule direction les masses et les esprits. Le courage élevé qui lui fit tirer le glaive en 1813, pour voler aux frontières, et y défendre ce gouvernement qui, en 1837, ne le protégeait plus, ce même courage élevé le décida à tirer l'épée contre un pouvoir qu'il regardait consciencieusement comme oppresseur et spoliateur. Quelle que soit l'opinion de certaines personnes sur ce qu'elles considèrent comme une erreur, elles doivent au moins apprécier les motifs, et respecter le courage du brave capt. Jalbert.

« Vous le voyez, messieurs ; il est devant vous. Portez vos regards sur ces traits vénérables, et dites-moi si ce calme admirable qu'ils peignent n'est pas la vive expression de ce qui se passa dans cette âme tranquille et dans la conscience sans reproche de l'homme vertueux : la douceur, l'humanité et la bienveillance sont les traits caractéristiques de cette figure admirablement tranquille.

« Le prisonnier, messieurs, ne tient guère à la vie ; sa carrière a été honorable, et celui qui a eu le courage de passer, sans fléchir, à travers les balles et les boulets, ne craint guère la mort. Il m'a chargé de vous déclarer de sa part, qu'il est innocent ; et moi, je vous répète avec confiance que je le crois innocent. S'il m'eût avoué qu'il était l'auteur du crime atroce dont on l'accuse, je ne vous le dirais pas, comme de raison ; mais comme il a toujours protesté de son innocence, je vous en fais la déclaration intime. Il m'a souvent assuré, et je le crois, car c'est un homme d'honneur, que si, dans un moment d'erreur ou d'excitation, il eût trempé ses mains dans le sang de l'infortuné lieutenant Weir, il nous l'aurait déjà avoué, et n'aurait jamais fait rejaillir sur d'autres l'accusation d'un crime qu'il aurait eu le courage d'expier.

« Messieurs les jurés, notre respectable client, le prisonnier à la barre, est accusé d'avoir, le 23 novembre 1837, commis un meurtre, en mettant à mort le lieutenant Georges Weir, du 32e régiment de Sa Majesté. C'était, comme on vous l'a prouvé, le jour où les troupes en sont venues aux mains avec les habitants de Saint-Denis et de quelques autres paroisses, et qu'elles ont été repoussées dans cette lutte. La mort de M. Weir a eu lieu dans un moment où l'excitation, le désespoir et l'indignation étaient à leur comble dans Saint-Denis ; les troupes entraient dans le bas du village, le tocsin sonnait, l'on criait et l'on volait aux armes de tous côtés ; les pères, les mères, les frères, les sœurs, voyaient en imagination ce que la réalité devait leur montrer quelques jours après : le fer et le feu portés dans leurs paisibles habitations. Si l'on joint à cela que le bruit courait dans le village que l'infortuné Weir avait été fait prisonnier, qu'il était un espion porteur de dépêches pour faire marcher les troupes de Chambly sur Saint-Denis, qui aurait, par ce moyen, été investi en tous sens, et la crainte que dut causer la nouvelle que cet officier avait réussi à s'échapper, l'on aura encore qu'une faible idée de l'état dans lequel se trouvait la population, dont la terreur devait s'accroître au bruit de la mousqueterie, qui se faisait déjà entendre dans le bas du village!!! Les atrocités qui ont été commises sur le corps du lieutenant Weir (mais auxquelles, Dieu merci, le prisonnier est étranger) n'ont pu avoir lieu que dans un moment comme celui-là. Jamais, non jamais des Canadiens dont la douceur, l'humanité et l'hospitalité sont passées en proverbe, ne s'en seraient souillés sous d'autres circonstances.

«Avant le malheureux moment où cet infortuné jeune homme tenta de s'échapper, après avoir donné sa parole d'honneur qu'il n'en ferait rien, les soins les plus continus lui avaient été prodigués; on l'avait traité comme un gentilhomme, et, s'il se fût conformé aux avis du brave Dr Nelson, aussi bienfaisant que courageux, il n'aurait pas essayé à s'enfuir; sa vie, par conséquent aurait été conservée. Voyez Maillet lui-même, un de ceux qui l'ont tué; Maillet, depuis la maison du Dr Nelson jusque chez M. Bourdages, a bien traité l'officier. Cette fatale catastrophe n'est donc due qu'à la tentative de fuite de l'infortuné lieutenant Weir. Dieu me garde de la justifier dans les excès qui l'ont accompagnée! mais il est clair qu'elle a été le résultat inévitable de l'excitation excessive du moment.»

La preuve de la défense terminée, le solliciteur général Ogden se lève et demande, dans un réquisitoire violent, que le prisonnier soit condamné. Son plaidoyer est une diatribe emportée contre tous ceux qui ont pris part à l'insurrection de 1837, contre M. Papineau surtout, qu'il prend plaisir à appeler le *traître*, le *lâche*, l'archi-traître.

Le juge Pyke commence à une heure et quart, vendredi, 6 septembre, sa charge aux jurés, et la termine à une heure et trente-cinq minutes. Il se montre impartial et admet que les contradictions des témoignages sont de nature à inspirer des doutes sur la culpabilité de l'accusé.

Les jurés se retirent pour délibérer. La Cour leur ayant fait demander vers cinq heures où ils en sont rendus dans leurs délibérations, ils répondent «qu'ils ne s'accordent pas du tout.»

Laissons l'auteur du compte rendu que nous avons déjà cité, raconter la fin de ce procès:

«Samedi, 7 septembre 1839. − 3 $^{1}/_{4}$ h. p.m.

«Le jury est appelé par ordre de la Cour, et déclare une deuxième fois qu'il ne peut s'accorder. Un d'entre eux, M. Edwin Atwater, expose à la Cour qu'il se sent malade, et que sa vie serait en danger, s'il restait plus longtemps sans prendre de nourriture. La pâleur livide qui couvre son visage suffit pour attester la vérité de son assertion, qui, d'ailleurs, est soutenue par ses confrères jurés. La Cour accède à la demande de M. Atwater, et élève la question de savoir s'il doit être accordé quelque chose aux autres jurés. Le prisonnier n'ayant pas d'objection, la Cour déclare aux jurés qu'ils auront de la nourriture, mais à leurs propres frais. Un d'entre eux, M. Courville, remarque avec beaucoup de justesse, qu'ils ne sont pas munis d'argent, et que l'impossibilité où ils se trouvent de communiquer avec leurs familles pour pouvoir s'en procurer, les empêche de se rendre à cette condition, d'ailleurs un peu dure. M. le juge Rolland demande au prisonnier s'il a quelque objection à ce que les jurés soient pourvus de nourriture aux dépens du public.

«Le prisonnier répond d'abord qu'il s'oppose à ce qu'ils soient nourris aux dépens du public; mais, après s'être consulté avec son conseil, il déclare qu'il ne comprenait pas la question, et qu'il y accède maintenant. Monsieur le procureur général se charge de veiller à ce que les jurés soient pourvus de nourriture, et la Cour leur accorde, dès à présent, un repas, avec liberté d'en avoir un tous les jours, à midi, jusqu'à la fin du terme mais elle leur interdit l'usage de toute liqueur forte, et restreint leur breuvage à la bière, au café et au thé, après quoi, le juré rentre de nouveau en délibération.

«Lundi, 9 septembre 1838. – 9 $^3/_4$ h. a.m.

«Les jurés rentrent et l'un d'entre eux (M. Edwin Atwater) déclare qu'ils sont dix contre deux : dix pour acquitter le prisonnier à la barre, et deux pour le trouver coupable du dernier chef d'accusation, c'est-à-dire d'avoir été présent sur les lieux, quand le meurtre a été commis. M. Atwater ayant fini de parler, M. Paschal Lemieux se lève et dit tout haut : "Ma foi, il y a tant de contradictions dans tout ça, qu'on ne sait plus où on en est..."

«La Cour lui impose silence, et renvoie le jury en délibération.

«Mardi, 10 septembre 1839. – 3.20 h. p.m.

«Le jury rentre de nouveau et déclare qu'il en est rendu au même point qu'auparavant; puis la Cour est ajournée à onze heures et demie, cette nuit. Un des jurés (M. Maybell) dit en sortant de la boîte : "Nous serons aussi avancés à onze heures et demie qu'à présent."

«Mardi soir. – 11 $^3/_4$ h. p.m.

«Présents : – l'hon. juge Rolland et l'hon. juge Gale.

«Monsieur le procureur-général est suffoqué par les vapeurs bachiques. C'est à peine s'il s'aperçoit qu'il est dans une cour de justice, *à une heure aussi avancée de la nuit.*

« Le jury ayant répondu encore une fois qu'il ne peut s'accorder, M. Walker se lève et demande la mise en liberté du prisonnier à la barre ; à quoi, la Cour et le procureur général opposent un prompt refus.

« La presse est excessive, et les hurlements qui se font entendre contre les dix jurés qui sont pour l'élargissement du prisonnier, contre les avocats et contre le prisonnier lui-même, annoncent d'avance l'orage qui va bientôt crever. En vain, M. le juge Rolland essaie à calmer, pour quelques minutes, la rage des insensés, en leur observant que chacun d'eux doit savoir que sa Souveraine est représentée sur le siège, et qu'ils doivent se conduire en conséquence. La voix de la justice est muette pour eux et les murmures les plus menaçants, les expressions de moquerie les plus grossières se font entendre contre le tribunal même.

« Minuit sonnant, et le jury n'ayant eu que jusqu'à cette heure pour compléter ses délibérations, M. le juge Rolland se lève, déclare que le jury est congédié, et descend immédiatement du tribunal, accompagné de M. le juge Gale. Ils ont à peine mis le pied hors de l'appartement, qu'il s'élève le tumulte le plus affreux dans l'assemblée.

« Les cannes se lèvent, les bâtons se croisent, et les dix jurés qui étaient pour l'élargissement sont impitoyablement battus, avant de pouvoir s'échapper de leurs loges. Cinq d'entre eux, MM. Paschal Lemieux, Edwin Atwater, Simon Lacombe, Elie Desève et Jean Cadotte, reçoivent de graves blessures, tant à la tête qu'ailleurs. Les connétables et les officiers de police viennent de l'avant pour mettre les jurés à l'abri de violences ultérieures, jusqu'à l'arrivée d'un détachement de Grena-diers-Gardes. Il n'y a pas jusqu'aux encriers mêmes que ces forcenés ne lancent par la tête des jurés.

« On se dirige du côté de la barre et l'on éteint les lumières qui sont devant le prisonnier. Une grêle de coups menacent le malheureux sans défense ; mais ils sont parés par le geôlier et son adjoint, qui, tous deux, le pistolet à la main, sont obligés de menacer d'une mort immédiate le premier qui osera lever la main sur lui.

« Les jurés sortent enfin du Palais-de-Justice, sous la protection des Grenadiers-Gardes ; et le capitaine Jalbert est escorté jusqu'à la prison par un parti du 7e Hussards. Une partie de l'assemblée est obligée de se retirer dans la chambre des juges, pour se mettre à l'abri du désordre et de la confusion. Les deux jurés, Maybell et Fraser, qui étaient pour la condamnation du prévenu, sont reconduits chez eux, par leurs parti-sans, qui les portent en triomphe sur leurs épaules. La foule se disperse, et ainsi se termine (*sans se ter-miner*) ce procès où semblait se concentrer tant d'ani-mosité de la part de cette population jadis si loyale, mais aujourd'hui, enfin, devenue révolutionnaire !...

« On nous assure que le *Doric Club* avait été averti de se tenir sur pied, dans l'après-midi qui précéda cette émeute nocturne. »

Le capitaine Jalbert, remis en liberté, retourna à Saint-Denis où il vécut tranquillement, et mourut en 1854. Deux de ses enfants vivent encore : Mme Vincent, de Saint-Denis, et M. Victor Jalbert, de Berthier.

CHARLES-OVIDE PERREAULT

Parmi toutes les figures que l'histoire des événements de 1837 et 1838 offre à notre admiration, il n'en est pas de plus sympathique que celle de Charles-Ovide Perrault. Le patriotisme serait un vain mot, si les Canadiens français n'avaient pas d'enthousiasme pour ce qu'il y a d'héroïque dans la vie et la mort de cet infortuné jeune homme, tué à l'age de 28 ans, sur le champ de bataille de Saint-Denis, en combattant pour la liberté de sa patrie.

Charles-Ovide Perrault appartenait à une des familles les plus anciennes et les plus estimées de ce pays. Il était fils de M. Julien Perrault et frère de M. Louis Perrault, imprimeur, beau-frère de M. Raymond Fabre.

Charles-Ovide Perrault naquit en 1809.

Après un cours d'études brillant au collège de Montréal, il commença à étudier le droit en 1827, sous l'hon. D.-B. Viger, et le 3 juillet 1832, il fut admis au barreau.

M. Perrault avait commencé tout jeune à suivre les événements politiques et brûlait depuis longtemps de prendre part à la lutte glorieuse que les chefs de la population canadienne soutenaient contre la bureaucratie. Aussi, il était à peine reçu avocat, qu'il se distinguait dans l'élection de M. Tracey parmi les partisans les plus utiles de la cause de la liberté.

Le trente avril 1834, il assista à une assemblée tenue à Blairfindie dans le comté de Chambly, et fit en faveur des 92 résolutions un discours qui produisit un grand effet. Le quinze mai suivant, dans une assemblée convoquée à Saint-Édouard, dans le comté de Napierville, il soutenait la cause des patriotes contre le représentant du comté, M. Languedoc, qui avait voté dans la Chambre d'assemblée contre les 92 résolutions, et portait le dernier coup à l'influence du parti tory dans ce comté. On peut dire que depuis cette époque le comté de Napierville n'a cessé d'être libéral.

Le quinze juillet, les délégués des différentes paroisses du district de Montréal, réunis en convention à Montréal, le choisissaient pour leur secrétaire.

Le 4 novembre suivant, les électeurs du comté de Vaudreuil rendaient hommage à ses talents et à son patriotisme en l'élisant par acclamation leur représentant dans l'assemblée législative.

Dans le mois de février 1835, il adressa la parole aux électeurs du comté de Stanstead et fit en anglais un discours remarquable.

Lorsque la Chambre s'ouvrit, dans le mois de juillet suivant, M. Perrault prit place immédiatement parmi les députés les plus intelligents et les plus décidés à revendiquer les droits de la Chambre et du peuple contre la bureaucratie. Il joua un rôle important dans la discussion irritante provoquée par les nominations arbitraires des commissaires de petites causes. C'est lui qui proposa que la correspondance échangée entre le gouverneur et les commissaires qu'il avait nommés fût produite devant la Chambre. Lord Aylmer, craignant que cette correspondance ne mît au jour son favoritisme et sa duplicité, refusa de se rendre au désir de la Chambre en se retranchant derrière les privilèges de la Couronne.

M. Perrault confirma par sa conduite à la chambre la confiance que le peuple et les chefs patriotes avaient dans ses talents et son amour du travail.

À un dîner public donné à Montréal, le jour de la Saint-Jean-Baptiste, le 24 juin suivant, il prononça un excellent discours sur les avantages du système électif. Quelque temps après, il prenait la parole dans une assemblée des réformistes du comté de Missisquoi et se faisait admirer par les Anglais comme par ses compatriotes. Lord Aylmer ayant été remplacé, dans le mois d'août, par Lord Gosford, les membres libéraux de la Chambre d'assemblée se réunirent aux Trois-Rivières pour délibérer sur la ligne de conduite qu'ils devaient adopter vis-à-vis du nouveau gouverneur. M. Perrault fut nommé secrétaire de la convention.

Le 27 octobre suivant, lord Gosford convoquait les chambres. M. Perrault fut en quelque sorte la cheville ouvrière du parti libéral durant cette session, il était le secrétaire banal de tous les comités, de toutes les réunions, rédigeait les motions, écrivait dans les journaux et prenait la parole sur la plupart des questions importantes. Il se montra le champion ardent de l'agriculture et de l'éducation, l'avocat dévoué de toutes les causes qui avaient pour objet le progrès moral et matériel de ses compatriotes.

La peine qu'il se donna pour faire constituer en corporation le collège de Chambly, le fit considérer comme l'un des fondateurs et bienfaiteurs de ce collège. Il fit une guerre implacable aux employés publics, aux juges et aux magistrats qui déshonoraient alors leurs positions par leur vénalité et leur démoralisation.

Inutile de dire qu'il fut un de ceux qui refusèrent de voter les subsides pour plus de six mois si lord Gosford refusait de redresser les griefs contenus dans les 92 résolutions. Lord Gosford ayant prorogé la

Chambre en lui adressant une sévère remontrance, des assemblées eurent lieu dans différentes parties du pays pour approuver la conduite des députés. Les électeurs de Vaudreuil se réunirent, le 26 juillet, et adoptèrent des résolutions approuvant la manière dont leur jeune et populaire député avait rempli ses devoirs. M. Perrault fut un des organisateurs de la célèbre assemblée qui eut lieu à Saint-Laurent, le 15 mai 1837, pour prendre en considération les résolutions adoptées par le parlement impérial contre les patriotes. Le comté de Berthier voulant lui aussi protester contre ces mesures inopportunes, invita M. Perrault à venir leur adresser la parole. L'assemblée eut lieu le 18 juin, malgré la proclamation de lord Gosford qui défendait les réunions publiques et qui fut placardée dans toutes les places publiques du village de Berthier. M. Perrault parla éloquemment à l'appui d'une résolution qui blâmait les mesures adoptées par le gouvernement pour intimider le peuple.

À une assemblée tenue à Montréal, le 29 juin, il proposa lui-même une résolution énergique contre la conduite de lord Gosford. Nommé membre du comité central qui avait pour mission d'agiter le peuple, il s'occupa d'organiser des comités dans le comté de Montréal. Le 16 juillet, il était au Sault-au-Récollet et y établissait un sous-comité dont le principal but devait être d'empêcher le peuple d'acheter des marchandises étrangères et de le décider à ne porter que des étoffes fabriquées dans le pays.

Le 6 août, les électeurs du comté de Vaudreuil s'assemblèrent, malgré la défense des autorités, et adoptèrent les résolutions les plus énergiques contre le gouverneur et le gouvernement impérial. M. Perrault y déploya toutes les ressources de son talent. On aurait dit qu'il avait le pressentiment qu'il parlait pour la dernière fois aux électeurs de son comté.

Le 18 août, lord Gosford, que l'agitation populaire commençait à effrayer, convoqua la Chambre pour lui soumettre les résolutions cœrcitives proposées par lord Russell. M. Perrault fit partie de la majorité qui signa une adresse au gouverneur pour dénoncer ces résolutions et déclarer que la Chambre ne procéderait pas à la dépêche des affaires avant qu'elles n'eussent été retirées.

On sait ce qui arriva; le gouverneur et les députés se séparèrent sans avoir pu s'entendre et l'agitation prit de jour en jour des proportions plus considérables. M. Perrault se lança plus que jamais dans le mouvement qui entraînait alors toutes les âmes généreuses et dévouées vers une lutte dont elles ne calculaient ni les dangers ni la portée. Personne n'entra dans la voie fatale, mais glorieuse de la résistance avec plus de désintéressement et de conviction.

Le peuple se rallie autour de ces hommes, aux époques de luttes et d'agitation, il les suit, car il sait que les motifs les plus nobles les inspirent et qu'ils le conduiront toujours dans le chemin de l'honneur.

Le 5 septembre, Charles-Ovide Perrault fut nommé membre honoraire de l'association des « Fils de la liberté. » Le 23 octobre, il était à la grande assemblée des six comtés tenue à Saint-Charles, et prenait part à la rédaction des résolutions que le peuple y acclamait au milieu des démonstrations les plus enthousiastes. Le 6 novembre, les Fils de la liberté en venaient aux mains avec les membres du Doric Club, la maison de M. Papineau était attaquée, et les bureaucrates saccageaient l'imprimerie de M. Louis

Perrault, le frère de notre héros. Le 16 novembre, des mandats d'arrestation furent émis contre les chefs du parti national. M. Perrault ne se croyant pas menacé personnellement, s'occupa de sauver ceux dont l'existence et la liberté l'intéressaient si vivement. Il fit partir M. Fabre, son beau-frère, pour Lavaltrie, avec sa femme et son enfant qui fut M. Hector Fabre, et contribua considérablement à assurer la fuite de M. Papineau et du docteur O'Callaghan. Mais deux ou trois jours après, le dix-huit, il fut averti qu'il était lui-même en danger.

Il se déguisa le mieux qu'il put, se couvrit le corps d'une capote de gros drap gris, se mit sur la tête une casquette de volontaire et partit pour Lavaltrie où il trouva la famille Fabre chez le curé de cette paroisse. Lorsqu'il reçut le conseil de quitter la ville, il avait commencé à écrire pour la *Minerve* un article qu'il n'eut pas le temps de finir. Cette relique mérite d'être conservée, la voici :

Des mouvements militaires dans toutes les directions, d'excessives précautions prises de toutes parts, l'alarme sonnée par les trompettes de l'administration nous disent qu'il y a des doutes, de la crainte de la part des autorités constituées pour veiller à la paix et à la conservation de la tranquillité intérieure, et cependant pas un mot là-dessus de la part du gouverneur qui, en sa qualité de chef militaire, ne doit pas ignorer toutes ces manœuvres. L'on accuse ainsi tacitement le peuple, les Canadiens de 1775 et de 1812, sans cependant leur donner par leurs représentants l'occasion de repousser l'oppression, l'insulte et les outrages dont on les accable. Son Excellence a-t-elle donc reconnu que des hommes qui ont souvent imaginé des complots révolutionnaires, pour avoir le mérite et le plaisir de les dénoncer les premiers et de s'en faire un titre en temps et lieu, l'ont trompée ? A-t-il donc vu que les signataires de la « Supplique Respectueuse » sont ceux qui, pour excuser leurs excès passés et chercher quelques prétextes dans...

Il n'eut pas le temps de compléter la dernière phrase.

Ne se croyant pas en sûreté à Lavaltrie, M. Perrault partit avec M. Fabre pour Contrecœur et de là se rendit à Saint-Antoine d'où il traversa à Saint-Denis.

Il y trouva le peuple dans une grande excitation. Wolfred Nelson avait résolu de ne pas se laisser arrêter, et les patriotes accourus des paroisses environnantes autour de lui, étaient décidés à le défendre. M. Perrault approuva le projet qu'ils avaient formé et se joignit à Nelson pour préparer la défense.

M. Perrault que Nelson avait nommé son aide de camp, se multiplia pour mériter la confiance que le chef des patriotes avait en lui et faire en sorte que la première lutte fut un triomphe pour la cause nationale. La bataille était engagée depuis environ une demi-heure, lorsque Nelson donna l'ordre à M. Perrault de traverser le chemin pour aller avertir un certain nombre de patriotes qui s'exposaient inutilement aux balles et aux boulets de l'ennemi. Perrault partit à la hâte et reçut en traversant le chemin une balle dans l'abdomen. Il faiblit un instant, mais trouva cependant assez de force pour se rendre seul dans la maison de M. D'Eschambeau où il se coucha en arrivant. Pendant qu'une vieille femme le pansait, un boulet de canon défonça le toit de la maison et tomba à quelques pas du jeune et noble blessé. Tant que la bataille dura, M. Perrault ne put avoir les soins que réclamait sa blessure, mais vers trois heures, lorsque les troupes battues commencèrent à retraiter, Nelson accourut auprès de M. Perrault et constata avec douleur que la blessure était mortelle.

Laissons ici la parole au révérend M. Demers, curé de Saint-Denis, à qui M. Hector Fabre, neveu du défunt, avait écrit pour avoir des renseignements. Voici sa réponse:

Saint-Denis, 26 février 1856.

Monsieur,

Je regrette de n'être pas en état de vous donner tous les renseignements que vous me demandez sur M. Ovide Perrault, mort à Saint-Denis.

Le 23 novembre 1837, jour de la bataille de Saint-Denis, immédiatement après que les troupes eurent commencé à retraiter, vers 3 $1/4$ heures p.m., plusieurs patriotes accoururent au presbytère me demandant de venir assister les blessés. Dans la première maison où j'entrai pour visiter un de ces blessés, je rencontrai le docteur Nelson qui me dit de vouloir bien passer chez M. D'Eschambeau, où je trouverais M. Ovide Perrault, dont la blessure lui paraissait mortelle. Je crois qu'il ajouta que la blessure était dans l'abdomen. C'est la première nouvelle que j'eus de la présence de M. Perrault dans notre village. J'ai compris, par ce qui me fut rapporté, que c'est en traversant la rue, pas loin de la maison où je rencontrai le docteur Nelson, que M. Perrault fut atteint d'une balle. Cette maison est à $1/2$ arpent de la maison seigneuriale. Je courus chez M. D'Eschabeau, j'y trouvai notre pauvre blessé, que j'avais connu, et avec qui je m'étais rencontré en deux ou trois circonstances en ville à bord du bateau-à-vapeur. La famille D'Eschambeau avait abandonné la maison. Je ne vis dans la maison, outre le malade, qu'une vieille femme et deux hommes, dont l'un près du lit, était, je crois, le docteur Cartier. Pendant que j'administrais l'Extrême-Onction, je crois qu'une couple d'hommes entrèrent. Rien de plus silencieux et de plus sombre que cette maison. Tous les contrevents étaient fermés. Le malade avait sa parfaite connaissance et me reconnut. Il était calme. Pendant que j'étais avec lui, je vis qu'il éprouvait les plus cruelles douleurs dans le bas-ventre. Ses belles couleurs avaient disparu, et une pâleur tirant sur le jaune couvrait son visage. Peut-être n'avait-il pas perdu toute espérance. Quand je lui dis que je ne serais pas son ami, si je ne lui disais pas que sa blessure était grave, qu'on craignait pour lui, qu'il fallait mettre ordre aux affaires de sa conscience, il me parut résigné à la volonté de Dieu, j'entendis sa confession, lui donnai l'Extrême-Onction, et l'indulgence *in articulo mortis*. Je le quittai, je crois, comme le soleil se couchait. Si je me rappelle bien, il mourut cette nuit-là même. Les funérailles n'ont pas eu lieu ici : le corps fut transporté à Saint-Antoine ; c'est là qu'il a été enterré. La maison où les patriotes se défendaient pouvait être à l'arpent de la maison de M. D'Eschambeau.

Voilà ce qui est à ma connaissance relativement à ce que vous m'avez demandé. Je n'ai pu vous faire une plus prompte réponse.

J'ai l'honneur d'être,

    Monsieur,

        Votre respectueux serviteur,

            F. Demers, ptre.

La nouvelle de la mort de M. Perrault produisit partout la plus douloureuse sensation, fit couler les larmes les plus sincères. La joie produite parmi les patriotes par le triomphe de Nelson et de ses braves compagnons, ne put compenser la peine que leur faisait éprouver la fin prématurée d'une existence qui leur était si chère. Les électeurs du comté de Vaudreuil dont il était l'orgueil et l'espoir, furent frappés de stupeur, lorsqu'ils apprirent la fatale nouvelle.

Ces regrets n'étaient pas exagérés, car il n'y a pas de doute que M. Perrault serait devenu, s'il eût vécu, l'un des hommes les plus distingués de ce pays. Doué d'un jugement solide, d'un esprit vif et pénétrant, habile dans l'art de parler et d'écrire, il était déjà, à vingt-huit ans, un excellent avocat, un orateur estimé et un des premiers écrivains du temps. Lui et M. Morin étaient considérés comme les deux meilleures plumes de l'époque. Ses écrits et ses discours se faisaient remarquer par la force du raisonnement, l'énergie des convictions et la distinction du langage. Il était plus orateur parlementaire que tribun, plus argumentateur que sentimental ; il n'avait pas l'éloquence populaire de Rodier, mais il excellait à faire ressortir dans un langage clair, précis et énergique tous les arguments intrinsèques ou substantiels d'une question. La conviction et l'honnêteté se manifestaient dans ses paroles et leur donnaient une valeur considérable.

Un extérieur des plus agréables ne contribuait pas médiocrement à lui donner le prestige et les sympathies dont il jouissait. C'était un des plus beaux garçons de son temps. Il était grand, bien fait et distingué dans sa figure comme dans ses manières. Blond avec des yeux noirs ; son teint était riche, sa physionomie sérieuse et réfléchie, mais empreinte de bienveillance, son maintien imposant.

C'était une nature chevaleresque, généreuse et enthousiaste, mais tempérée, maîtrisée par un esprit réfléchi, par le sentiment du devoir et des convenances.

Est-il nécessaire de parler de son patriotisme, quand sa mort est là pour l'attester ? Il aimait son pays et sa religion d'un égal amour, il était aussi bon chrétien que dévoué patriote. Il n'avait pas honte d'affirmer sa foi et de pratiquer ouvertement ses devoirs de catholique. M T.-S. Brown, qui était l'un de ses amis les plus intimes, et qui eut souvent l'occasion de coucher dans la même chambre, dit que la première chose qu'il faisait, le matin à son lever, était de se mettre à genoux pour faire sa prière. Et il n'avait pas de la religion que les signes extérieurs, mais il en pratiquait les préceptes et la morale.

Doux et gentilhomme dans ses relations personnelles, il gagnait l'amitié de tous ceux qui l'approchaient. Deux de ses meilleurs amis étaient le capitaine Markman et le colonel Weir.

« La dernière fois que je le vis à Montréal, dit M. Brown, il se promenait avec eux sur la rue St-Jacques. » Triste et singulière coïncidence ! Pendant que Perrault tombait à Saint-Denis sous les balles anglaises, Weir était tué par des patriotes sur le chemin de Saint-Charles, et Markman, une heure plus tard, était blessé grièvement, au moment où, à la tête de la cavalerie, il essayait de tourner la position des patriotes renfermés dans la maison de Mme Saint-Germain.

Lorsque M. Perrault fut tué, il était marié depuis

trois ou quatre mois ; sa femme, une demoiselle Roy, devint madame John Pratt.

Lorsqu'il apprit, vers trois heures de cette glorieuse journée du 23 novembre, que les patriotes avaient battu les troupes anglaises, il dit à ceux qui l'entouraient : « Dieu soit béni ! je ne regrette pas d'avoir sacrifié ma vie pour la liberté de mon pays. » Son agonie fut longue et cruelle, la balle qu'il avait reçue lui ayant déchiré les entrailles, mais il trouva dans la foi qui l'animait et le patriotisme dont son âme était imprégnée, la force de quitter, résigné, la vie qui lui souriait, de dire adieu aux êtres chéris dont il était l'honneur et l'espoir.

Son corps fut transporté à Saint-Antoine et inhumé modestement dans l'humble cimetière de cette paroisse. C'est là que repose encore sa dépouille mortelle, près du champ de bataille où il a versé son sang.

Wolfred Nelson

Parmi les Canadiens d'origine anglaise qui ont combattu pour nos libertés politiques, on remarque les deux docteurs Nelson, Robert et Wolfred. Issus d'une famille loyale et fils d'un officier de la marine anglaise, parents enfin de cet illustre lord Nelson dont le nom signifie gloire et dévouement pour l'Angleterre, l'amour de la justice et de la liberté a été plus fort chez eux que les liens du sang. Ils ont eu la force de s'élever au-dessus des préjugés de la plupart de leurs compatriotes pour ne voir que la grandeur et la justice de notre cause. Ils n'ont pas craint de faire perdre à leur famille le fruit d'un siècle de combats et de loyauté, d'exposer leur vie et leur fortune pour un peuple qu'ils croyaient opprimé. Ils ont approuvé l'énergie de ce peuple revendiquant les droits et privilèges attachés à la qualité de sujet anglais et ils ont voulu eux-mêmes être libres, ici, a l'ombre du drapeau anglais, comme on l'est en Angleterre. Quelle que soit l'opinion qu'on entretienne sur l'opportunité des insurrections de 37 et 38, il est incontestable qu'ils en furent les deux chefs principaux, à tel point que sans eux, sans leur exemple et leurs conseils on a le droit de se demander, si elles auraient eu lieu.

Wolfred Nelson avait commencé à étudier la médecine à l'âge de quatorze ans, à Sorel, sous le docteur Carter, et s'était mis à pratiquer presqu'aussitôt. Les médecins étaient si rares à cette époque qu'ils exerçaient la profession avant d'y être admis; c'était un excellent moyen d'acquérir de l'expérience aux dépens des malades. À seize ans, Wolfred Nelson avait la direction de la pharmacie d'un petit hôpital militaire.

Il reçut son diplôme, en 1811, et s'établit à Saint-Denis, dans une des parties les plus riches et les plus heureuses du pays, sur les bords charmants de cette rivière Richelieu où le patriotisme poussait dans les âmes comme le blé dans les champs.

En 1813, il fut l'un des premiers à offrir ses services au gouvernement anglais; la loyauté était pour lui une tradition de famille, un sentiment naturel.

Mais il y avait quelque chose d'aussi naturel dans son âme, c'était l'amour de la justice et de la liberté, la haine de la tyrannie. Loin de condamner, comme beaucoup de ses compatriotes, les mécontentements que soulevait dans le pays une politique arbitraire et odieuse, il les comprit et les approuva.

Au lieu d'apaiser, il activa le souffle patriotique qui animait la population au milieu de laquelle il vivait. Pour lui le drapeau de l'Angleterre était un emblème de liberté et non d'oppression, la qualité de sujet anglais un titre d'indépendance politique et non d'esclavage.

Aux élections de 1827, les patriotes de Sorel lui prouvèrent la confiance qu'ils avaient en lui, en l'élisant contre le célèbre procureur-général James Stuart. Ce fut une des luttes les plus émouvantes de l'époque, le gouvernement et la bureaucratie firent l'impossible pour le triomphe de leur candidat, mais leurs efforts se brisèrent contre la volonté du peuple ; Nelson fut élu par deux voix de majorité.

Nelson ne se porta pas candidat aux élections suivantes, mais il continua de dénoncer la politique du gouvernement et de soulever les sentiments du peuple contre les menées et les injustices de la bureaucratie. Après Papineau, dont il était le plus chaud partisan, personne, sur les bords de la rivière Richelieu, n'avait plus d'empire que lui sur le peuple qui le recherchait comme médecin et l'aimait à cause de ses idées libérales et de la franchise de son caractère. Quand Nelson avait parlé, tout le monde croyait, les malades qu'il avait condamnés mouraient tranquilles, et les gens devant lesquels il avait flétri les abus du gouvernement, disaient : « quel homme que ce docteur Nelson ! »

Nous avons déjà signalé le rôle important joué par Nelson dans les événements qui précédèrent le combat de Saint-Denis.

Il se distingua, comme nous l'avons déjà dit, dans cette glorieuse journée du 23 novembre 1837, par sa présence d'esprit et son courage ; il fut digne des braves qu'il commandait.

Lorsque la bataille fut finie et que les patriotes, qu'avaient poursuivi avec ardeur les habits rouges furent revenus au village, Nelson les assembla et leur dit : « Mes amis, nous avons le droit d'être fiers de la victoire que nous venons de remporter, vous avez noblement fait votre devoir, mais nos têtes sont en jeu maintenant, il n'y a plus moyen de reculer, il faut que nous tenions bon, que nous acceptions comme des hommes les conséquences de nos actions.

« Il peut se faire d'ailleurs que notre succès décide le gouvernement à nous traiter avec plus de respect qu'auparavant et à nous faire des propositions honorables. Attendons. »

Les adversaires même de Wolfred Nelson ont rendu hommage à la bravoure et à l'habileté qu'il déploya pendant le combat et à l'humanité avec laquelle il traita et soigna les soldats blessés qui restèrent sur le champ de bataille. Six mois plus tard, lorsqu'il était en prison, deux de ces soldats lui donnèrent une preuve touchante de reconnaissance. Une nuit qu'ils étaient de garde, ils lui offrirent de le faire évader, mais il ne voulut pas accepter l'offre de ces braves gens.

Le lendemain de Saint-Denis fut triste pour la cause nationale, car les patriotes réunis à Saint-Charles étaient battus, et les Canadiens découragés s'enfuyaient dans toutes les directions.

Nelson se voyant abandonné de tout le monde, et sachant que les troupes anglaises ne tarderaient pas à venir à Saint-Denis, se décida à partir pour les États-Unis. Triste situation que celle où il se trouvait en ce moment !

Il lui fallait briser tous les liens qui l'attachaient à son pays, à l'endroit en particulier où il avait vécu dans le bonheur et la prospérité, se séparer de tout ce qu'il aimait, laisser sa famille et ses biens à la merci de la haine et de la vengeance de ses ennemis.

Mais c'est un peu l'histoire de tous ceux qui se jettent dans les hasards des révolutions, dans les nobles luttes du droit contre la force. La fortune inconstante les conduit, du jour au lendemain, du Capitole à la Roche tarpéienne, de la gloire à l'humiliation. Les vainqueurs d'hier, proscrits aujourd'hui, ne trouvent plus sur ce sol de la patrie qu'ils aimaient tant, un pied de terre où ils soient en sûreté; souvent on les voit parcourir, tristes et désolés, les pays étrangers et traîner misérablement, loin de la patrie, les restes d'une existence brisée.

Nelson se dirigea donc du côté de la frontière. C'était dans les derniers jours de novembre. Le temps était froid, les chemins impraticables, les cantons de l'Est parcourus en tous sens par des bandes de volontaires qui brûlaient du désir de mettre la main sur les chefs des rebelles, sur ceux dont la tête était mise à prix.

Pendant quinze jours, il eut à supporter toutes les tortures du froid, de la faim et de l'inquiétude, marchant dans la nuit à travers les bois, dans l'eau et la boue jusqu'aux genoux, se cachant le jour, obligé quelquefois de revenir sur ses pas pour ne point tomber au pouvoir des volontaires, d'avoir recours à toutes espèce de subterfuges pour se procurer un peu de vivres. Une couple de fois, il faillit périr en traversant des ruisseaux ou des marais.

Le douze décembre, des volontaires le rencontrèrent et le firent prisonnier. Ce fut un bonheur pour lui car il était épuisé et n'aurait pu mener longtemps encore une existence aussi misérable. La nouvelle de son arrestation produisit une grande joie parmi les bureaucrates. Lorsqu'il traversa les rues de Montréal, ils s'attroupèrent autour de la voiture qui le conduisait en prison, et plusieurs d'entre eux, les lâches! l'insultèrent; on dit même qu'un misérable osa lui cracher à la figure.

Lorsque les exploits sanglants de Colborne eurent rétabli le calme dans le Bas-Canada, il fallut songer aux prisonniers qui encombraient les prisons. Lord Gosford avait été rappelé en Angleterre, au mois de janvier 1838, et deux mois après, lord Durham avait été nommé gouverneur-général et commissaire royal chargé de pouvoirs extraordinaires.

Il avait pour mission spéciale de faire une enquête sur la situation du pays et d'adopter les mesures nécessaires pour rétablir la paix dans les deux provinces. Ne sachant trop que faire des prisonniers politiques et croyant qu'un acte de clémence aurait un bon effet sur l'esprit de la population, il lança, dans le mois de juin, une ordonnance qui graciait presque tous les détenus, mais en condamnait huit sans procès à la déportation aux Bermudes.

Ces huit victimes étaient Wolfred Nelson, MM. Bouchette, Bonaventure Viger, Marchessault, Gauvin, Goddu, R. DesRivières et le docteur H. Masson. Ils partirent pour leur triste exil, le 7 juillet, à bord du vaisseau royal le *Vestal*; mais ils n'y furent pas longtemps, car trois mois après, le parlement impérial annulait l'ordonnance de lord Durham qui les avait condamnés sans procès.

Nelson quitta les Bermudes, mais comme il ne pouvait pas revenir dans le pays où on aurait pu l'arrêter de nouveau, il s'établit à Plattsburg avec sa famille, et se remit à la pratique de sa profession. Il avait besoin de travailler pour refaire sa fortune, car de tout ce qu'il avait si péniblement acquis au Canada il ne lui restait plus rien; les soldats qu'il avait battus étaient retournés à Saint-Denis et avaient *bravement* vengé leur défaite en incendiant toutes ses propriétés.

Lorsque M. Lafontaine eut fait adopter par la Chambre son bill d'amnistie générale, il se hâta d'en profiter pour revenir dans le pays. Il s'établit à Montréal où les sympathies et la confiance publiques lui créèrent en peu de temps une belle clientèle.

Mais sa nature militante et sa popularité devaient bientôt le rejeter encore dans les luttes politiques. Il fut de ceux qui, sous la sage conduite de M. Lafontaine, acceptèrent le nouvel ordre de choses et crurent y voir les moyens de conquérir les droits politiques pour lesquels il avait si vaillamment combattu. En 1845, les électeurs du comté de Richelieu, qui ne l'avaient pas oublié, lui demandèrent de poser sa candidature contre Denis-Benjamin Viger, qui avait accepté la tâche difficile de gouverner le pays contre les vœux de la majorité bas-canadienne.

La lutte fut vive, mais la parole et la présence de Nelson réveillèrent dans les campagnes où il avait autrefois vécu, des sympathies dont il fut impossible de triompher. Les habitants du comté de Richelieu se seraient crus déshonorés de rejeter l'homme qui pour la cause nationale avait tant souffert, celui de leurs chefs qui était resté avec eux jusqu'à la fin, celui qui avait battu les Anglais à Saint-Denis.

Nelson fut touché des preuves de reconnaissance et d'amitié qu'on lui donna dans cette élection, il apprit à estimer davantage ce qu'il y a, ce qu'il y avait surtout à cette époque de bon, de noble et de généreux dans le cœur de la population canadienne-française.

La peine qu'il se donna pour le succès du bill *d'indemnité*, la chaleur avec laquelle il plaida la cause des Canadiens, soulevèrent contre lui les colères et les vengeances des fanatiques. Aussi, lorsqu'en 1849, notre ville fut pendant plusieurs jours à la merci des émeutiers Nelson et sa famille furent obligés de se tenir cachés chez un ami, et le soir même qu'ils se sauvèrent, leur maison fut attaquée avec fureur et fort maltraitée, il n'y resta ni portes ni fenêtres.

Lorsque M. Papineau rentra, lui aussi, dans la politique à son retour de l'exil, les deux anciens amis qui avaient si longtemps combattu les mêmes combats côte à côte, se trouvèrent dans des camps opposés et se portèrent des coups terribles et regrettables.

En 1851, Nelson sortit de la politique pour se consacrer exclusivement à sa profession.

En 1854, cependant, il fut le candidat du parti conservateur pour la mairie contre M. Fabre, père de Monseigneur Fabre, et remporta la victoire après une lutte acharnée.

L'élection terminée, Nelson fut promené en triomphe à travers les rues de la ville. En passant sur la Place d'Armes, le docteur aperçut, dans la foule qui l'acclamait, quelqu'un dont la vue le frappa. Il reconnut le ministre protestant qui, en 1838, alors qu'il était prisonnier, lui avait rendu de grands services et l'avait accompagné de l'endroit où il avait été arrêté jusqu'à la prison de Montréal pour le protéger et l'encourager dans sa détresse. Il ordonna au cocher d'arrêter les chevaux, descendit de voiture, serra cordialement la main du ministre et le força de monter dans son carrosse.

Le ministre protestant aimait à raconter cette scène et il disait: «J'ai été deux fois en voiture avec le docteur Nelson, mais dans des circonstances bien différentes. La première fois, nous étions en charrette, le docteur était prisonnier et nous traversions les rues de Montréal au milieu des injures et des manifestations les moins agréables. La seconde fois, nous étions dans un carrosse tiré par quatre chevaux. Nelson venait d'être élu maire de Montréal et le peuple se pressait sur notre passage en poussant des cris de triomphe. »

Il aurait pu ajouter, pour rendre le contraste encore plus frappant, que parmi ceux qui l'avaient acclamé, la seconde fois, il y en avait plusieurs qui l'avaient hué la première fois.

Wolfred Nelson avait été nommé inspecteur des prisons en 1851; il fut plus tard nommé président du bureau des Inspecteurs et du Collège des Médecins et Chirurgiens du Bas-Canada. Il déploya dans toutes les charges qui lui furent confiées, le zèle, l'énergie et l'activité dont il avait fait preuve dans les luttes politiques.

Son zèle et son dévouement pendant le choléra de 1854, lui méritèrent l'admiration et la reconnaissance publiques; il se multiplia, brava cent fois la mort pour secourir les malheureux pestiférés. Dans les hôpitaux, au sein des épidémies comme sur le champ de bataille, il ne reculait jamais devant le danger et payait héroïquement de sa personne.

C'est ainsi qu'il termina sa carrière, faisant le bien, dévoué à toutes les bonnes causes, à toutes les œuvres de la charité ou de la science, s'occupant plus de rendre service à ses semblables que de s'enrichir, entouré de l'estime publique, cher au peuple dont il fut toujours le protecteur et l'ami dévoué. Tant de travail et d'activité, chez un homme qui se fait vieux, abrège nécessairement la vie.

Dès 1861, il s'aperçut que ses forces s'en allaient, il languit pendant près de deux ans et s'éteignit, le 17 juin 1863, à l'âge de soixante et onze ans, laissant un nom honoré et des souvenirs qui vivront aussi longtemps que le peuple canadien.

Ceux qui ont connu Wolfred Nelson se souviennent de sa grande et imposante taille – il avait six pieds et deux pouces – de sa figure vive et énergique, de son regard ardent comme celui de l'aigle, de son extérieur militaire.

Tout dans sa personne et sa physionomie, dans ses manières et ses paroles commandait ; on y voyait un singulier mélange de vivacité et de distinction, de brusquerie et de bienveillance ; c'était une nature bouillante, impétueuse et philanthropique, susceptible de terribles colères et de grands dévouements, obéissant à l'impulsion du moment, faisant ce que le devoir et l'honneur lui dictaient, sans s'occuper des conséquences de ses actions, ainsi qu'il l'a prouvé en 1837. Il avait l'âme d'un héros et le cœur d'une sœur de charité. Personne plus que lui n'admirait les œuvres de la religion catholique et ne rendait plus volontiers hommage aux grandeurs de notre foi, au dévouement de nos prêtres et de nos religieuses ; il avait le respect de tout ce que nous respectons, admirait ce que nous vénérons.

« Pourquoi cet homme-là n'est-il pas catholique ? » disaient les gens qui l'avaient entendu parler.

Ses discours dénotaient un esprit droit, une intelligence cultivée, la connaissance de l'histoire et des luttes soutenues dans tous les temps par la liberté contre la tyrannie. Comme son frère Robert, c'était plutôt un homme d'action que de discussion, un soldat qu'un orateur, un agitateur qu'un diplomate. Sa nature belliqueuse et son esprit prompt comme l'éclair répugnaient aux atermoiements et aux compromis, en face d'un principe clair, d'un sentiment juste. Il y avait plus de Brutus que de Fabius chez lui, il n'aurait pas vaincu Annibal par la temporisation.

Le peuple aimait cette nature mâle et vigoureuse, il admirait cette parole franche, énergique, cette repartie terrible, il croyait à la bonne foi et à la sincérité du docteur Nelson. « C'est un honnête homme », disaient les braves gens de la campagne. « Nous ne voulons pas d'autre médecin que lui », ajoutaient les femmes.

C'était en effet l'un des médecins les plus distingués du temps, aussi doux et dévoué pour ses malades que terrible pour ses adversaires politiques ; il y avait une chose qu'il n'oubliait jamais surtout, c'était d'avertir à temps ceux qu'il ne pouvait sauver, afin qu'ils eussent le temps de se préparer. Il était le premier à envoyer chercher le prêtre, et cependant il était protestant.

Nelson a eu ses défauts ; il a commis sans doute des fautes, son tempérament nerveux et sa nature ardente l'ont sans doute entraîné trop loin en certaines circonstances, mais il n'en restera pas moins comme l'un des types les plus populaires d'une époque de luttes, d'une génération de grands caractères. Le peuple canadien n'oubliera jamais celui dont la vie tout entière fut consacrée à la conquête de ses droits et de sa liberté politique. Nous devons d'autant plus apprécier ce qu'il a fait pour nous qu'il était d'une origine différente de la nôtre, qu'il a combattu et souffert pour un peuple dont il ne partageait pas les croyances religieuses et nationales.

P. S. – Wolfred Nelson avait épousé, en 1819, mademoiselle Charlotte de Fleurimont, d'une vieille famille française alliée à plusieurs des plus nobles familles canadiennes et dont le nom est mentionné avec honneur dans les annales militaires du Canada. De ce mariage il eut plusieurs enfants dont voici les noms : Horace et Alfred, qui furent tous deux d'excellents médecins, morts, le premier, en 1863, et l'autre, en 1872, à un âge peu avancé ; Charles-Arthur, qui passa presque toute sa vie aux États-Unis où il fonda et rédigea un journal, mort en 1866 ; Dlle Sophie, madame veuve Brosnam ; Dlle Julia, qui épousa l'honorable juge Wurtele, morte en 1869 ; et MM. Walter et Charles Nelson, autrefois marchands à Montréal. Deux autres moururent l'année même de leur naissance. Tous furent élevés dans la religion catholique.

Deuxième partie

LES ÉVÉNEMENTS DE 1838

Après les désastres de Saint-Charles et de Saint-Denis, pendant que Colborne et ses gens – soldats, volontaires et bureaucrates – parcouraient le pays, incendiant les villages révoltés et arrêtant toutes les personnes suspectes, les patriotes trop compromis se hâtaient de franchir la frontière. À Plattsburg, Rouse's Point et Swanton, ils se trouvèrent bientôt en bon nombre. Ils arrivaient là, la plupart après avoir couru toute espèce de dangers et avoir vu leurs propriétés détruites, leurs familles dispersées. Ruinés, inquiets et exaspérés, ils avaient l'esprit et le cœur ouverts à tous les projets de vengeance et d'émancipation.

Aussi, quand Papineau, Nelson, Davignon, Côte et Rodier leur parlèrent d'organisation et de soulèvement dans le but de rentrer dans la patrie, les armes à la main, et de conquérir l'indépendance, ils trouvèrent des hommes prêts à tout faire.

M. Papineau avait, le premier, jeté dans les esprits l'idée d'une pareille organisation, et formulé le projet d'une république canadienne dont il serait naturellement le président.

On comptait pour réussir sur les sympathies et l'aide des Américains.

Après quelques difficultés entre les chefs, Robert Nelson se mit à la tête du mouvement, et commença les préparatifs avec ardeur. Les patriotes accoururent de tous côtés se mettre sous ses ordres, chacun voulant contribuer à la grande œuvre de l'indépendance et rentrer dans ses foyers le plus tôt possible. On fondait des balles, on sacrifiait le peu d'argent qu'on avait à acheter des armes, et le soir, dans des endroits cachés, on faisait l'exercice.

On avait tant hâte d'exécuter ce grand projet, que, vers la fin de février, Nelson franchissait la frontière, à la tête de quelques centaines de patriotes canadiens, et lançait, comme président du gouvernement provisoire de la future république canadienne, une proclamation déclarant que tout lien politique entre le Bas-Canada et l'Angleterre était brisé.

Mais des mesures avaient été prises par les autorités américaines et canadiennes pour faire avorter l'entreprise. Ils avaient à peine mis le pied sur le sol canadien, qu'ils étaient attaqués par les loyaux et guettés par les troupes américaines qui les désarmaient. Ainsi pris entre deux feux, ils comprirent qu'ils ne pouvaient réussir et retraitèrent aux États-Unis, bien décidés à revenir mieux organisés.

Sachant que leur expédition avait avorté faute de discrétion et de préparatifs nécessaires, ils eurent l'idée d'unir tous ceux qui voudraient contribuer à l'indépendance du pays par les liens d'une vaste société secrète. Ils fondèrent l'association des Chasseurs qui, aux États-Unis et au Canada, fit de nombreux adhérents.

En 1838 comme en 1837, ce furent les comtés de Verchères, de Chambly, de Laprairie, de L'Acadie, de Terrebonne et des Deux-Montagnes qui montrèrent le plus de zèle et d'enthousiasme pour l'insurrection.

Le 3 novembre fut fixé pour le soulèvement général; les plans furent préparés, les rôles assignés. Pendant que Nelson, Côte et Julien Gagnon se dirigeraient sur Napierville, à la tête des Canadiens réfugiés et des volontaires américains, des attaques simultanées devaient avoir lieu contre Sorel, Chambly, Laprairie et Beauharnois. Les patriotes de Saint-Martin, de Sainte-Rose et de Terrebonne devaient s'emparer du pont Lachapelle à l'Abord-à-Plouffe; ceux des Deux-Montagnes et de Vaudreuil étaient chargés d'interrompre les communications par l'Ottawa et d'arrêter les bateaux qui descendaient la rivière.

Nelson et Côte se rendirent à Napierville, mais le reste du plan manqua faute d'armes, d'expérience et de direction.

Racontons les principaux incidents de cette triste journée du 3 novembre.

Les patriotes du comté de Beauharnois furent les premiers sur pied pour remplir le rôle qui leur avait été assigné. Ils étaient commandés par des hommes convaincus et intelligents, tels que le Dr Brien et Chevalier de Lorimier, de Montréal; Toussaint Rochon, de Saint-Clément; Louis Dumouchel, de Sainte-Martine, et M. Francois-Xavier Prieur.

Ils étaient une couple de cents, et divisés en deux bandes.

Ils allèrent d'abord au manoir seigneurial de M. Ellice pour s'emparer des armes et des munitions qu'ils croyaient y trouver. Mais M. Ellice et

M. Brown, l'agent de la seigneurie, ayant été prévenus, l'alarme avait été donnée parmi les bureaucrates et les volontaires, qui accoururent au manoir pour le défendre. Il fallut faire le siège de la place; des coups de fusils furent échangés il y eut des bras et des jambes écorchés par les balles, mais personne heureusement ne fut tué ni même sérieusement blessé. M. Ellice et ses amis, voyant que la résistance était inutile, mirent bas les armes et consentirent à se constituer prisonniers à la condition qu'aucun mal ne serait fait aux dames. Le Dr Brien dit que non seulement les dames n'avaient pas à craindre d'être maltraitées, mais que les personnes et les propriétés en général seraient respectées. Brown ayant alors demandé quel était le but de ce soulèvement, plusieurs voix lui répondirent : «Il y a assez longtemps que nous souffrons. Nous voulons avoir nos droits.» Les patriotes entrèrent dans le manoir, prirent possession des armes qu'ils purent trouver, allèrent chez plusieurs autres bureaucrates de Beauharnois, les firent prisonniers et les dirigèrent sur Châteauguay.

Pendant ce temps-là, une autre bande de patriotes, commandée par M. Prieur, allait prendre possession du vapeur *Henry Brougham*, amarré au quai de Beauharnois, et à la veille de sauter les rapides. Ils brisèrent la machine à vapeur de manière à l'empêcher de fonctionner, firent prisonniers le capitaine, le mécanicien et les passagers, qu'ils traitèrent bien, les dames surtout, et les placèrent au nombre de trente dans le presbytère de Beauharnois, obligeant le curé, M. Quintal, de les garder.

Tous ces prisonniers furent relâchés, quelques jours plus tard, après les malheureuses batailles de Lacolle et d'Odelltown.

Pendant que les patriotes s'agitaient à Beauharnois, ceux de Châteauguay en faisaient autant chez eux.

Châteauguay fut, en 1838, l'un des foyers les plus ardents de la rébellion. Il y avait là, comme à Beauharnois, des hommes à l'âme ardente, à l'esprit hardi, qui communiquaient à la population leurs sentiments et leurs idées en faveur de l'indépendance du pays. Ils s'étaient jetés avec enthousiasme dans le mouvement, sans arrière-pensée d'ambition ou d'intérêt personnel, sans autre but que de conquérir leur liberté politique. C'étaient de nobles cœurs, de véritables patriotes, aimant leur pays et leur nationalité. Ils ont payé cher, pour la plupart, leur imprudente mais glorieuse tentative. Nommons en particulier: Cardinal et Duquette, ces deux touchantes victimes du patriotisme, dont les noms éveillent les souvenirs les plus attendrissants. Ils avaient pour les seconder Jean-Louis Thibert, Joseph L'Écuyer, Léon ou Léandre Ducharme, François-Maurice Lepailleur, encore vivant, et plusieurs autres, tous de Châteauguay, excepté Ducharme, qui était de Montréal. Les patriotes de Châteauguay avaient pour tâche, après avoir fait prisonniers les bureaucrates de cette paroisse et les avoir désarmés, d'aller s'emparer des armes des sauvages à Caughnawaga. Ils n'eurent pas de peine à exécuter la première partie de ce programme. Ils allèrent d'abord chez M. MacDonald, le principal marchand de l'endroit, qu'ils forcèrent de leur livrer toutes les armes et la poudre qu'il avait, et l'emmenèrent prisonnier avec plusieurs autres qu'ils arrêtèrent, chemin faisant, à leur camp, près du pont de la rivière Châteauguay. Plus tard, ils les renfermèrent avec M. Ellice, M. Brown et quelques-uns des bureaucrates arrêtés à Beauharnois, dans la maison de M. Mallette, au même endroit. Ils les traitèrent bien et les relâchèrent, le lendemain de la bataille d'Odelltown.

Après avoir accompli la première partie de leur tâche, une quarantaine de patriotes, armés, la plupart, de bâtons et de piques, partirent pour Caughnawaga, autrement dit Saut Saint-Louis. Arrivés près du village, au lever du soleil, ils s'arrêtèrent dans un bois, et cinq d'entre eux, les chefs, Cardinal, Duquette, Lepailleur et deux autres, allèrent en avant pour sonder le terrain et les dispositions des sauvages.

Pendant qu'ils essaient de décider quelques-uns des sauvages à leur prêter leurs armes, une femme étant allée près du bois, aperçut les patriotes et revint tout effarée, raconter aux chefs sauvages ce qu'elle avait vu.

L'alarme fut donnée, les sauvages prirent leurs fusils, et les chefs décidèrent qu'après avoir employé la ruse pour attirer les patriotes dans le village, on les arrêterait.

Les Canadiens français furent traités en cette circonstance par les sauvages, comme ils le sont souvent par ceux qui se disent leurs alliés et leurs obligés.

Cinq ou six sauvages envoyés en avant, sans armes, firent croire aux patriotes qu'ils pourraient, peut-être, s'entendre avec les chefs et les décidèrent à s'avancer. Lorsque les chefs, qui les attendaient à la tête d'une quarantaine d'hommes bien armés, les virent dans l'impossibilité de se défendre et de s'enfuir, ils donnèrent l'ordre de se jeter sur eux et de s'en emparer. Les patriotes n'ayant point d'armes, la chose fut facile ; ils se laissèrent arrêter et conduire à Lachine, et de là à la prison de Montréal, d'où ils ne sortirent, la plupart, que pour monter sur l'échafaud.

Les patriotes du comté de Laprairie ne furent pas plus heureux que ceux de Châteauguay et de Beauharnois. Ils avaient reçu ordre de se rendre des différentes paroisses du comté à Saint-Constant, pour de là aller prendre possession de Laprairie, de ses casernes et du bateau à vapeur qui faisait la traversée entre cet endroit et Montréal. On leur avait dit qu'un corps de troupes considérable venu des États-Unis, les attendait à La Tortue, pour leur prêter main forte. Ils étaient commandés par Joseph Robert, de Saint-Édouard; Ambroise Sanguinet et Charles Sanguinet, de Saint-Philippe; Pascal Pinsonneau, de Saint-Édouard; Joseph Longtin, de Saint-Constant, et quelques autres. Leur expédition fut marquée par un événement regrettable. Après avoir fait prisonniers, chemin faisant, tous les bureaucrates qu'ils rencontrèrent, ils arrivèrent à La Tortue, chez M. David Vitty, où la plupart des bureaucrates de Saint-Philippe et de Saint-Constant étaient venus se réfugier avec l'intention imprudente de se battre au besoin. Aussi, lorsque les patriotes sommèrent M. Vitty de leur ouvrir la porte, au lieu de se rendre à cette injonction, il refusa obstinément et poussa même l'imprudence jusqu'à faire feu, espérant sans doute les effrayer. Mais ce coup de fusil eut un résultat bien différent; les patriotes irrités entourèrent la maison, et tous ceux qui avaient des fusils tirèrent. M. Walker fut tué, M. Vitty blessé, la maison fut envahie et tous ceux qu'elle contenait fait prisonniers. Des témoins ont prétendu que les patriotes avaient tiré les premiers;

mais il parait que le premier coup de fusil partit de la maison de M. Vitty. North et Hood, qui étaient dans la maison, admirent ce fait devant la cour martiale.

Naturellement, cet incident déplorable fit sensation et souleva des flots de colère parmi la population anglaise, qui demanda vengeance à grands cris. Nous dirons ici, une fois pour toutes, que la mort du pauvre jeune Weir, à Saint-Denis; celle de Chartrand, à Saint-Jean, et de Walker, à La Tortue, sont des actes regrettables; mais ce sont des faits isolés. En général, les patriotes ont montré une modération et une douceur qu'on trouve rarement chez des insurgés. Quand une population persécutée se lève pour revendiquer ses droits, elle montre rarement autant d'égards pour ceux qu'elle considère comme ses oppresseurs.

Même mouvement dans les comtés de Verchères, de Chambly, de Lacadie et de Rouville, et mêmes résultats. Se rendre à Saint-Ours et à la Pointe-Olivier pour y prendre des armes et aller s'emparer de Saint-Jean et de Chambly, était le programme des patriotes dans ces trois comtés.

Ils partirent, la nuit, par bandes de dix, vingt ou trente, portant la plupart au bout d'un bâton un petit paquet contenant une chemise et un morceau de pain et de lard, racolant des compagnons d'armes sur leur passage, et forçant les gens de se lever, de décrocher le vieux fusil de chasse suspendu au soliveau, et de les suivre. On dormit peu cette nuit-là; bien des larmes coulèrent, et les femmes de l'époque qui survivent se rappellent encore vivement les angoisses qu'elles éprouvèrent en voyant leurs maris partir pour se battre.

Mais, ne trouvant pas, dans les limites désignées, les armes promises, et ne recevant aucunes nouvelles, la plupart revinrent chez eux; les plus déterminés seulement se rendirent jusqu'à Napierville.

Les paroisses situées au nord du Saint-Laurent furent généralement paisibles en 1838. Terrebonne fut le seul endroit où il y eut un peu d'agitation; on y administra le serment secret, on fabriqua des balles, et on se prépara à prendre possession du village et du pont.

Les chefs du mouvement en cet endroit étaient Charles-Guillaume Bouc, Léon Leclaire, Paul Gravelle, Antoine Roussin, François Saint-Louis, Édouard-Pascal Rochon, Joseph-Léandre Prévost, notaire, et Éloi Marié. Ils avaient dans les personnes de MM. Joseph Masson, John McKenzie, Alfred Turgeon et Jean-Baptiste Prévost, des adversaires influents et habiles qui déjouèrent leurs efforts et paralysèrent leurs mouvements dès le commencement, en les faisant arrêter.

Le 4 novembre, vers onze heures du soir, le fameux chef de police Comeau, accompagné de Loiselle, arrivait à Terrebonne. Les patriotes ayant été prévenus à temps, Comeau ne put mettre la main que sur Marié, qu'il emmena prisonnier à Montréal. Le 6, il retourna à Terrebonne pour arrêter les autres, et, comme il avait appris qu'il éprouverait de la résistance, il se fit accompagner de deux magistrats et d'une douzaine d'hommes de police.

Bouc et ses amis avaient, en effet, résolu de ne pas se laisser arrêter sans mandat.

Lorsque Comeau et sa bande arrivèrent à la maison de Bouc, ils y trouvèrent une dizaine d'hommes qui les reçurent à coups de fusil. Loiselle, qui était en avant, reçut deux blessures, et le reste de la troupe se hâta de s'éloigner et de se réfugier chez M. Masson.

Comeau et ses gens, furieux de leur échec, ne voulurent pas partir comme cela pour Montréal; ils retournèrent chez Bouc, trouvèrent la maison vide, la criblèrent de balles et y mirent le feu. Heureusement que Pangman les força d'éteindre les flammes avant qu'elles eussent causé beaucoup de dommage. Ces événements eurent naturellement pour effet d'exaspérer les patriotes de Terrebonne; l'agitation fit de grands progrès, surtout parmi les habitants du haut de la Côte.

Le 7, pendant qu'un certain nombre de bureaucrates essayaient vainement de désarmer les habitants de la Côte, une cinquantaine de patriotes se rendaient au village, s'emparaient du pont, et plaçaient partout des sentinelles. M. Masson et ses amis, MM. Turgeon, McKenzie, Pangman et Fraser, effrayés de la tournure que prenaient les choses, résolurent d'avoir recours à la douceur. M. Masson, qui était bien vu parmi les insurgés, fut chargé de leur tendre la branche d'olivier. Une convention intervint par laquelle les patriotes consentirent à mettre bas les armes, si M. Masson et ses amis s'engageaient, de leur côté, à ne pas témoigner contre eux. Cette convention fut écrite dans les termes suivants:

« 7 novembre 1838, $5^1/_2$ heures p.m.

« Il est convenu entre MM. Joseph Masson, John McKenzie et Jean-Baptiste Prévost d'une part, et MM. le capitaine Bastien, Joseph Roussin, Charles Bouc et Jean-Baptiste Dagenais, d'autre part, que les premiers s'abstiendront de toute attestation contre ces derniers et leur parti, pour tout ce qui a été fait ou commis par eux contre le gouvernement jusqu'à cette heure ; et que les derniers mettront bas les armes et se retireront dans leurs maisons, en par les dites parties se rendant réciproquement les prisonniers par elles faits et ont signé à l'instant à Terrebonne.

« J.-L. Prévost,
« Ch.-G. Bouc,
« Michel Balent,
« Toussaint Bastien,
sa
« Joseph X Roussin,
marque
sa
« Léon X Leclaire,
marque
sa
« Pierre X Urbain,
marque
sa
« Pierre X Labelle.
marque

« Ant. Dumas, fils ⎫
« G.-M. Prévost. ⎭ témoins. »

Cette convention eut pour effet de rétablir la paix et l'ordre dans le comté de Terrebonne, mais n'empêcha pas que deux mois après, Bouc, Rochon, Leclaire, Gravelle, Roussin et Saint-Louis étaient arrêtés, subissaient leur procès et étaient condamnés à être pendus.

Après Terrebonne, Sainte-Anne fut la paroisse du Nord où il y eut le plus d'agitation en 1838. Parmi les patriotes de cet endroit, signalons entr'autres M. Guillaume Prévost, père d'une famille bien connue et remarquable comme lui par la vigueur de l'esprit et du caractère. En 1838 comme en 1837, sa maison fut un centre de réunion pour les patriotes, un magasin d'approvisionnement et même une véritable manufacture de balles. Deux de ses fils n'étaient encore que des enfants – l'aîné n'ayant que dix-sept ans – mais c'étaient déjà des hommes par l'énergie et la détermination. Ceux qui connaissent M. Ménésippe Prévost, de Terrebonne, et son frère Melchior, de Saint-Jérôme, savent qu'ils n'ont pas du être enfants bien longtemps; et on peut en dire autant de leurs frères. Rien ne pouvait modérer leur ardeur, tempérer leur enthousiasme; porter des messages à Terrebonne et à Saint-Vincent-de-Paul, fondre des balles du matin au soir, marcher le jour et la nuit, rien ne leur coûtait.

Lorsque Comeau et ses satellites passèrent à Sainte-Anne pour arrêter Granger, Latour et plusieurs autres, M. Prévost et ses deux garçons échappèrent, grâce à la discrétion des gens de l'endroit, qui refusèrent de parler.

M. G. Prévost était l'oncle de Joseph-Léandre Prévost, notaire, de Terrebonne, et l'un des chefs patriotes les plus ardents de toutes les paroisses du Nord.

À Sainte-Rose, il y eut aussi des réunions secrètes chez un aubergiste du nom d'Augustin Tassé. On se prépara à marcher le 3 novembre, et quelques-uns se rendirent au camp de Terrebonne. L'agitation dans cette paroisse était encouragée par le curé, M. Turcotte, qui, se croyant en danger, s'était enfui, l'année précédente, aux États-Unis où il avait vu Nelson, Côté et les autres chefs patriotes, et était revenu à Sainte-Rose, très excité, prédisant à qui voulait l'entendre qu'un massacre effrayant aurait lieu le 3 novembre.

En 1838 comme en 1837, ce curé joua un rôle double ; pendant qu'il parlait de manière à exciter les patriotes, il racontait aux bureaucrates tout ce qui se passait. La veille du 3 novembre, il partit de nouveau pour les États-Unis.

Voilà, à peu près, tout ce qui eut lieu en 1838 dans les paroisses situées au nord du fleuve.

Que faisait-on à Montréal, pendant ce temps-là ?

C'est là que se trouvait le comité central de l'organisation secrète des *Chasseurs*. Le comité avait ses réunions dans le bureau de John McDonell, avocat, rue Saint-Vincent, et avait pour but de fournir de l'argent aux chefs de l'insurrection. Malhiot, le principal organisateur des paroisses du sud du Saint-Laurent, et qui occupait le grade de *Grand-Aigle*, dans la société des *Chasseurs*, venait souvent visiter le comité et s'en retournait avec l'argent souscrit. Les principaux membres de ce comité étaient : McDonell, François Mercure, Lemaître, Célestin Beausoleil, Féréol Thérien, Guillaume Lévesque et David Rochon, deux jeunes gens employés au bureau du shérif.

MM. Georges de Boucherville, Richard Hubert, Féréol Peltier, et plusieurs autres citoyens importants de Montréal, favorisaient le mouvement, et aidaient le comité sans avoir prêté le serment nécessaire pour faire partie de l'association.

Le secret des délibérations du comité fut si bien gardé, et toutes les précautions si bien prises, que les autorités, malgré tous leurs efforts et leur vigilance, ne purent mettre la main, à Montréal, sur ceux qui s'étaient le plus compromis. Elles se vengèrent en arrêtant au hasard et sur simple soupçon un grand nombre de personnes distinguées, dont la plupart ne connaissaient rien de l'affaire.

Dès le 4 novembre, le dimanche, aussitôt qu'on eut appris ce qui s'était passé à Beauharnois et à Laprairie, on arrêta M. Lafontaine à son bureau où il était tranquillement occupé à travailler avec son associé, M. Berthelot, et on le conduisait au corps de garde. M. Girouard, de Saint-Benoît, et Pierre Badeaux, de Montréal, étant allés, dans l'après-midi, à la maison de M. Lafontaine, pour s'enquérir des circonstances de son arrestation, furent eux-mêmes arrêtés et conduits au poste. Vers cinq heures, ils se trouvèrent une trentaine au corps de garde, entr'autres MM. D.-B. Viger, Fabre, J. Donegani, H. Desrivières, le Dr Lusignan, D. Chopin et Pierre de Boucherville. De là on les conduisit à la prison actuelle, au Pied-du-Courant. Le 6 et les jours suivants, on procéda à d'autres arrestations, et M. Berthelot (aujourd'hui juge), qui se croyait sauvé et n'avait rien à se reprocher, fut obligé d'aller rejoindre son associé, M. Lafontaine. Comme on ne pouvait rien prouver contre ces citoyens, on les relâcha au bout de quelques jours, à l'exception de M. Viger, qui ne voulut pas sortir avant d'avoir été confronté avec ses accusateurs. On ne lui accorda pas, bien entendu, ce qu'il demandait, et il lui fallut bien quitter la prison.

NELSON À NAPIERVILLE

Robert Nelson arriva à Napierville, le 3 novembre, vers neuf heures du matin. Il était accompagné de Touvrey et de Hindelang, deux officiers français qu'on avait décidés à prendre part au mouvement. Leur arrivée fut saluée avec enthousiasme par les patriotes réunis à Napierville. Le docteur Côté étant allé à leur rencontre, les présenta à la foule dans des termes éloquents. Il dit, s'adressant aux patriotes : « Messieurs, je vous présente l'homme que nous attendions avec tant d'impatience et de confiance, Robert Nelson, le chef des patriotes et le président de la future république canadienne. Voilà notre chef, messieurs ; il est venu au milieu de nous, comme il l'avait promis ; il vient se mettre à notre tête pour arracher le pays à la tyrannie et conquérir l'indépendance du Canada. Je vous présente aussi ses deux compagnons, deux nobles et vaillants officiers français qui seront vos généraux et vous conduiront à la victoire. »

Le Dr Nelson répondit :

— Mes amis, je n'ai qu'un mot à vous dire : merci pour votre accueil. J'espère que je saurai mériter votre confiance ; la tâche que nous entreprenons est difficile, mais elle n'en sera que plus glorieuse. L'année dernière, vous avez été écrasés parce que vous n'aviez pas d'armes, mais cette année nous triompherons parce que nous aurons ce qu'il nous faut : de l'argent, des hommes et des fusils. Courage, mes amis, et soyez convaincus qu'avant longtemps nous aurons délivré notre pays de la tyrannie et conquis la liberté. »

Ces paroles furent accueillies par des hourras enthousiastes.

Il y avait alors à NapiervIlle cinq ou six cents patriotes ; mais il en vint toute la journée et les jours suivants, et il y en eut jusqu'à deux ou trois mille.

Il fallait loger, nourrir, armer et discipliner ces hommes.

On les distribua comme on put dans les maisons du village, au presbytère, dans les magasins, les auberges et surtout chez les bureaucrates anglais, qui furent obligés de déguerpir. Pour les nourrir, on faisait des réquisitions de pain et de viande dans le village et la paroisse et on payait les gens avec des bons signés par C. Huot, au nom du gouvernement provisoire. Il existe encore de ces bons, mais ceux qui les possèdent aiment mieux, malgré tout, les billets de la banque de Montréal.

Côté était le général en chef, mais c'est Hindelang qui, en qualité de brigadier-général, fut chargé de l'organisation militaire. Il forma des compagnies de cinquante hommes, et cinq divisions composées chacune de neuf compagnies. Parmi ceux qui le secondaient avec le plus de zèle et d'efficacité, on remarquait les capitaines Frs Trépanier, Narbonne, Nicolas, Antoine Coupal dit Lareine, Joseph Marceau dit Petit-Jacques, Théodore Béchard, Pierre-Théophile Decoigne, Achille Morin, Joseph-Jacques Hébert et plusieurs autres.

Cette organisation faite à la hâte, ces généraux, ces officiers et ces soldats improvisés du matin au soir, offraient, il faut l'avouer, peu de garanties. Si encore on avait eu des armes ! Hélas ! comme en 1837, on avait compté sur les Américains pour en avoir. Lorsque, lundi, le 5 novembre, Nelson fit la revue de ses soldats, sur deux mille, il y en avait deux à trois cents qui avaient des fusils, et encore, quels fusils ! Les autres étaient armés de piques, de fourches et de bâtons pointus.

C'était 1837 qui recommençait.

Un certain nombre de citoyens américains avaient promis de l'argent et des armes, mais une proclamation du président des États-Unis et l'intervention énergique des autorités militaires refroidirent leur zèle et les empêchèrent de tenir leurs promesses.

L'affaire de Lacolle acheva de les décourager.

Ils avaient réussi à mettre deux cent cinquante fusils, un canon et des munitions à bord d'un *schooner* qui, descendant le lac Champlain, avait jeté l'ancre vis-à-vis de Rouse's-Point, le 5 novembre au soir. Mais les volontaires d'Odelltown, s'organisant à la hâte, étaient allés prendre possession du moulin de Lacolle, de manière à empêcher toutes communications entre Rouse's-Point et Napierville, et à intercepter les convois d'armes et de munitions destinés aux patriotes. Côté, Lucien Gagnon et les capitaines Grégoire et Morin, étaient partis aussitôt de Napierville, à la tête d'une centaine d'hommes, pour déloger les volontaires. Le sept, vers neuf heures du matin, ils tombaient sur ceux-ci qui occupaient une forte position. Les loyaux n'auraient pas résisté longtemps, si, pendant le combat, un corps considérable de miliciens de Hemmingford n'étaient venu à leur secours. Les patriotes, attaqués de tous les côtés, virent avec désespoir que la lutte était inutile et retraitèrent vers la frontière américaine. Ils eurent une dizaine d'hommes tués, entre autres, le brave capitaine Grégoire.

Cet échec, qui coupait les communications de Nelson avec les États-Unis et lui enlevait la dernière espérance qu'il avait de recevoir des secours – des armes surtout – était désastreux.

Nelson apprenait en même temps que Colborne marchait sur Napierville à la tête d'un corps de troupes considérable. Il n'y avait pas à hésiter, il fallait reprendre la position perdue, risquer le sort de l'insurrection dans un combat décisif. Il ne restait plus à Napierville que sept à huit cents hommes dont la moitié avaient de mauvais fusils, et le reste, des piques et des bâtons en forme de lances. Le 9 au matin, Nelson partit à la tête de ces pauvres et braves gens, et les dirigea du côté d'Odelltown.

ODELLTOWN

Les patriotes, partis de Napierville le 9 au matin, arrivèrent à Lacolle, le soir, vers cinq heures. Leur marche ne fut troublée que par quelques coups de fusil qu'ils reçurent en passant sur le pont de Lacolle. Comme ils étaient fatigués, ils accueillirent avec plaisir l'ordre de se préparer à passer la nuit à Lacolle.

Un incident fâcheux leur causa beaucoup de malaise. Vers huit heures, leur général, le Dr Nelson, leur était ramené prisonnier, pieds et poings liés, par un détachement de patriotes qui prétendait l'avoir arrêté, lorsqu'il était en train de passer la frontière.

Les chefs du détachement avaient eu l'intention de le livrer immédiatement à l'ennemi, et il eut toutes les peines du monde à se faire ramener au camp ; sans les capitaines Nicolas et Trudeau, il n'y serait pas revenu.

La confiance des patriotes fut ébranlée, et, un moment, ces pauvres gens se croyant trahis, eurent l'idée de se débander, mais Nelson protesta avec tant d'énergie contre les intentions odieuses qu'on lui prêtait, qu'il les convainquit de son innocence. Il ne manque pas de gens qui croient encore que, pris de découragement et effrayé de la responsabilité qu'il assumait, il voulut réellement s'évader. En l'absence de preuves certaines, mieux vaut croire qu'il était allé en avant pour faire, comme il le prétendit, une reconnaissance. Nelson jura à ses soldats qu'il leur prouverait sa sincérité en les conduisant, le lendemain matin, à Odelltown, où l'ennemi les attendait.

Odelltown, situé à trois milles de Lacolle, est un point stratégique important, une base d'opération précieuse dans une guerre entre le Canada et les États-Unis.

Odelltown et Lacolle au pouvoir des bureaucrates, c'était la ruine des plans de Nelson qui se trouvait privé de ses communications avec les États-Unis pour avoir des secours ou opérer sa retraite en cas de défaite. Tous les patriotes, convaincus de l'importance d'enlever ce poste à l'ennemi, se couchèrent satisfaits de la résolution qui venait d'être prise. Le lendemain, 10 novembre, ils furent sur pied de bonne heure et partirent pour Odelltown au nombre de quatre à cinq cents, armés, comme nous l'avons dit. Il était entendu que les patriotes qui n'avaient pas de fusils prendraient ceux des ennemis qui seraient tués pendant le combat.

Les volontaires, au nombre de trois cents, étaient bien armés, pourvus de munitions, en possession d'un canon, et fortement retranchés dans l'église d'Odelltown. Les chefs patriotes virent bien que le combat serait rude, la victoire difficile à gagner ; mais il était trop tard pour reculer, il fallait marcher.

La petite armée s'avança en trois colonnes, celle du centre sous le commandement du major Hébert, la droite commandée par Hindelang, qui avait pour lieutenant M. Hypolite Lanctôt, et la gauche sous les ordres du général en chef Nelson.

Ce fut la colonne du centre qui essuya, la première, le feu de l'ennemi ; le cheval du major Hébert, atteint légèrement par un boulet de canon, renversa son cavalier et s'élança à bride abattue à travers les champs. Hébert se releva aussitôt, et, voyant le danger auquel la colonne qu'il commandait était exposée en suivant le chemin public, donna ordre à ses soldats de se diviser et de se joindre aux colonnes de la droite et de la gauche, qui s'étaient embusquées, l'une derrière une grange, et l'autre derrière une clôture construite partie en bois et partie en pierre. De ces deux postes les patriotes entretinrent pendant près de cinq heures un feu nourri sur les volontaires qu'ils atteignaient difficilement, et seulement, lorsque pour tirer, ceux-ci apparaissaient aux fenêtres de l'église.

Il y avait parmi les patriotes des chasseurs dont le tir était admirable, et qui, répétant ce que les Laflèche et les Bourdages avaient fait à Saint-Denis, culbutaient chaque soldat qui se présentait, la mèche à la main, pour faire partir le canon placé devant l'église.

Les volontaires, furieux des ravages que faisaient parmi eux les balles des patriotes embusqués derrière la clôture et surtout derrière la grange, résolurent de leur porter un coup mortel en mettant le feu à cette grange. Après plusieurs tentatives qui leur coûtèrent la vie de sept ou huit hommes, ils réussirent ; bientôt la grange s'écroula, et les patriotes, privés de cet abri, allèrent rejoindre ceux qui combattaient derrière la clôture, où la position n'était pas aussi avantageuse.

Pour comble de malheur, vers quatre heures, les munitions des patriotes étaient presque épuisées, les volontaires recevaient un renfort de cent hommes de Caldwell Manor, et, quittant l'église, se préparaient à cerner les patriotes.

« Nous sommes perdus », dit le brave major Hébert à ceux qui l'entouraient. Un conseil des officiers fut improvisé à la hâte, et l'ordre de retraiter fut donné La retraite se fit en assez bon ordre ; les volontaires, fatigués du combat, ne jugèrent pas à propos de poursuivre les vaincus.

Quelle fut la conduite de Nelson pendant cette journée ? Il est étonnant que les opinions soient si partagées à ce sujet ; les uns disent qu'il s'enfuit au commencement de la bataille, les autres affirment qu'il se comporta bien pendant l'action et ne disparut qu'à la fin du combat. Il paraît certain, malheureusement, qu'il partit plus tôt qu'il n'aurait dû le faire, cherchant son salut dans la fuite, pendant que les pauvres gens qu'il avait jetés dans l'insurrection se battaient et tombaient en braves.

Parmi ceux qui se distinguèrent le plus il faut citer, Hindelang, qui, s'exposant au feu de l'ennemi avec le plus grand sang-froid, disait à ses hommes : « En avant, mes amis, ne craignez rien, les balles ne vous feront pas plus de mal qu'à moi. »

M. Hypolite Lanctôt eut un de ses parents tué sous ses yeux, et un autre blessé grièvement, pendant qu'ils se battaient tous deux avec bravoure.

Les patriotes comprenant qu'après cette défaite tout était fini, se débandèrent à quelques milles d'Odelltown. Un bon nombre furent arrêtés en voulant franchir la frontière ; plusieurs parvinrent à s'évader ; les autres s'en retournèrent dans leurs foyers. Il y en a qui vécurent pendant des mois dans leurs caves, leurs greniers ou leurs granges afin d'échapper à la vengeance des bureaucrates.

Environ deux cent patriotes, commandés par l'énergique Malhiot, avaient formé un camp à la montagne de Montarville; ils se dispersèrent avant l'arrivée des troupes envoyées de Sorel pour les soumettre. Les patriotes de Beauharnois en firent autant ainsi que nous l'avons déjà dit.

Alors commença l'œuvre de la vengeance.

EXPIATION ET VENGEANCE

Bureaucrates, volontaires et soldats parcoururent en tous sens les comtés situés au sud du Saint-Laurent, pillant, dévastant et brûlant les maisons et les granges des patriotes, accablant les femmes et les enfants de mauvais traitements et les lançant sur le chemin public par des temps affreux, obligeant de pauvres mères d'aller, pendant la nuit, suivies de leurs enfants, mendier l'hospitalité. On pouvait suivre Colborne et ses farouches soldats à la lueur des incendies qui illuminait leur marche triomphale. Ils furent sans pitié et d'autant plus braves et insolents que les hommes ayant fui pour ne pas tomber entre leurs mains, ils ne rencontraient partout que de pauvres femmes et d'infortunés enfants sans défense et sans protection.

Que de larmes! Que de scènes de désolation!

Tous les jours, pendant le mois de novembre, des escouades de dix à trente prisonniers traversaient les rues de Montréal.

Ces braves gens, des hommes respectables en général, l'élite de la population, étaient accueillis par des vociférations, des menaces de mort d'une populace enragée que la force armée était obligée de contenir pour l'empêcher de se porter à des voies de fait.

Il y avait trois bâtisses servant de prisons : une à la Pointe-à-Callières près du couvent des Sœurs-Grises, était une espèce de hangar malpropre, froid, où l'air était insupportable ; une autre – *l'ancienne prison* – était située sur la place Jacques-Cartier, à peu près à l'endroit où se trouve maintenant le Palais de justice, et le troisième était la *nouvelle prison* au Pied-du-Courant où presque tous les prisonniers furent transportés après un certain temps. On en mit une centaine dans les cachots, et on logea les deux à trois cents autres dans les étages supérieurs de la prison.

Dans les commencements, les prisonniers furent traités durement ; ils souffrirent du froid, et le pain – leur seule nourriture – était peu abondant. Plus tard on adoucit le régime, on leur permit de se voir et de se parler dans les corridors, de recevoir leurs parents et leurs amis, et d'en accepter des secours. Quelques personnes charitables, s'intéressant au sort de ceux qui n'avaient personne pour les soulager, allaient de porte en porte dans la ville demander pour eux des vivres, du linge et de l'argent qu'elles leur portaient. Il en est deux surtout qui méritent une mention spéciale et que les prisonniers de 1838 n'ont jamais oubliées : – Mme Gamelin, qui devient plus tard fondatrice de la Providence, et Mme Gauvin, mère du Dr Gauvin qui prit part aux événements de 1837, et fut un des membres les plus actifs de l'association des *Fils de la liberté*.

Le shérif, à cette époque, était M. de Saint-Ours. M. A.-M. Delisle, était greffier de la Couronne, M. Leclerc, magistrat, M. Wand, geôlier, et le vieux Dr Arnoldi, médecin de la prison.

On n'a jamais pardonné aux Canadiens français qui se trouvèrent obligés par leurs positions de sévir contre leurs compatriotes. Il n'y a pas de doute qu'il y eut alors, ainsi qu'il arrive toujours en temps de révolution, des délateurs, des lâches ou des traîtres, mais on s'accorde à dire qu'à moins de renoncer à leurs charges, ceux que nous venons de nommer ne pouvaient agir autrement qu'ils n'ont fait. Mais si on ne doit pas trop les blâmer, on peut les plaindre d'avoir été obligés de remplir des devoirs si pénibles. Ajoutons que plusieurs, M. Leclerc en particulier, profitèrent de leur position pour favoriser en certaines circonstances les patriotes, et que souvent ils fermèrent les yeux pour ne point voir ce qui se passait.

Le mois de novembre 1838 fut triste pour les pauvres prisonniers.

Ils ne savaient pas ce qu'ils allaient devenir; mais les cris de mort qui retentissaient partout, les écrits sanguinaires des journaux anglais, l'organisation de la cour martiale, les sinistres proclamations de Colborne faisaient assez prévoir le sort qui leur était réservé. À ces angoisses venait se joindre la pensée de leurs demeures incendiées, de leurs propriétés détruites, de leurs femmes et de leurs enfants sans pain, sans abri, sans protection. Et ces pauvres femmes, ces enfants infortunés naguère si heureux, aujourd'hui errant sur les chemins publics, mendiant un asile et du pain, combien leur situation était lamentable! On vit des femmes dévouées partir de quinze ou vingt lieues par des temps et des chemins affreux, arriver à la prison, attendre des heures à la porte, essuyer tous les affronts, pour voir leurs maris, un instant, connaître leurs besoins et leur donner le peu d'argent ou de hardes qu'elles avaient obtenus de la charité publique.

Les entrevues étaient tristes, la séparation cruelle. On n'était jamais sûr de se revoir.

Nous avons dit que la loi martiale avait été proclamée le 4 novembre. Le 8, Colborne lançait une proclamation suspendant l'opération de la loi relative au *writ d'Habeas Corpus*; le 27, il constituait la cour martiale et nommait les avocats chargés de représenter la Couronne, et le 28 les procès commençaient.

La cour martiale était présidée par le major général Clitherow, et se composait de quinze des principaux officiers des régiments anglais venus dans le pays pour combattre l'insurrection. Il y avait parmi eux des jeunes gens peu en état d'apprécier la gravité de leurs devoirs et la responsabilité de leur position. Leur conduite dans les procès, leur attitude insolente ou ironique leurs cruelles plaisanteries montrèrent qu'ils n'avaient pas plus de cœur que d'intelligence. On assure que plusieurs s'amusèrent à faire au crayon, sur des morceaux de papiers qu'ils se passaient en riant, des échafauds où l'on voyait suspendus à des cordes, les malheureux qui subissaient leurs procès devant eux.

Les avocats de la Couronne ou les juges-avocats, ainsi qu'on les désignait, étaient l'honorable Dominique Mondelet (un Canadien français!) Charles Dewey Day (devenu le juge Day) et le capitaine Edward Muller, un officier anglais.

Voici les noms des patriotes qui furent appelés les premiers à comparaître devant ce tribunal: – Joseph-Narcisse Cardinal, notaire; Joseph Duquet, étudiant en loi; Joseph L'Écuyer, cultivateur;

Jean-Louis Thibert, cultivateur; Joseph Guimond, cultivateur; Léon Guérin dit Dusault autrement appelé Blanc Dusault, cultivateur; Edouard Thérien, cultivateur; Antoine Côté, cultivateur; François-Maurice Lepailleur, huissier de la Cour du Banc du Roi; Louis Lesiège autrement appelé Louis Lesage dit Laviolette, – tous la paroisse de Châteauguay, et Léon ou Léandre Ducharme, de Montréal.

Les patriotes eurent pour les défendre un jeune avocat, qui devint l'un des premiers hommes du pays, et dont le souvenir sera éternellement lié à celui de cette époque. Nous voulons parler de M. Drummond, qui après avoir fait tout ce qui était possible pour ses nobles clients, resta fidèle à leur mémoire et n'oublia jamais leurs familles.

Il ne put obtenir la permission de plaider devant la cour martiale, mais on lui permit de produire des plaidoyers écrits dans lesquels il s'applique à démontrer l'illégalité des procédures prises contre les patriotes.

CARDINAL

Joseph-Narcisse Cardinal naquit à Saint-Constant, le 8 février 1808, d'une honnête famille de cultivateurs. Après avoir fait un bon cours d'études au collège de Montréal, il étudia la loi sous M. Georges Lepailleur, de Châteauguay, dont il devint l'associé, lorsqu'il eut fini sa cléricature. En 1831, il épousait Mlle Eugénie Saint-Germain et goûtait dans ce mariage autant de bonheur qu'il en avait espéré. Aux élections générales de 1834, on l'avait élu par acclamation député du comté de Laprairie.

En 1837, Cardinal avait tout ce qu'il faut pour aimer la vie, être heureux : une femme de cœur, quatre jeunes enfants, une belle clientèle, une grande popularité. Il était aimé pour sa bonté, estimé pour son talent et son honnêteté, admiré pour son patriotisme. Ce n'était pas un homme enthousiaste, exalté, il était calme, réfléchi, prudent, mais déterminé, entêté même une fois décidé.

Il resta tranquille pendant l'insurrection de 1837 ; il croyait et disait à qui voulait l'entendre que c'était une échauffourée, qu'aucun mouvement ne réussirait sans l'aide des Américains. Il voulait une insurrection sérieuse, faite avec de l'argent, des fusils et des canons, et ayant pour but l'indépendance du pays.

Les derniers actes du gouverneur et les propositions de lord John Russell l'avaient exaspéré et convaincu que l'émancipation seule sauverait la liberté du pays. Il cachait si peu ses pensées que son abstention, pendant l'insurrection de 1837, n'empêcha pas les bureaucrates du comté de Laprairie de chercher à le faire arrêter. Sa femme et ses amis lui ayant conseillé de se soustraire à la vengeance de ses ennemis, il partit pour les États-Unis et se rendit à Covington où il rencontra Nelson et bon nombre d'autres patriotes réfugiés.

Un seul sentiment anima bientôt ces braves gens, c'était de rentrer dans leur pays, les armes à la main.

Cardinal promit de se dévouer à tout mouvement qui aurait l'appui des États-Unis.

Il revint au Canada, dans le mois de février, et se fiant à ce qu'on lui disait relativement aux secours étrangers que les patriotes devaient recevoir, il travailla énergiquement au succès de l'insurrection de 1838.

Le 3 novembre, Cardinal et Duquette étaient à la tête des patriotes qui allèrent au village de Caughnawaga pour s'emparer des armes des sauvages. Nous avons déjà fait le récit de cette triste expédition, de l'arrestation de Cardinal et de ses compagnons, de leur procès et condamnation.

C'est le 8 que Cardinal, Duquette et François-Maurice Lepailleur furent condamnés à mourir.

M. Lepailleur échappa cependant à l'échafaud; il fut transporté en Australie d'où il revint après cinq ans d'un exil douloureux. Il s'établit à Montréal, épousa la veuve de son pauvre ami Cardinal, et devint l'un des citoyens les plus paisibles et les plus estimés de notre ville. Il vit encore, jouit d'une bonne santé et se propose de vivre encore longtemps.

M. Lepailleur a passé avec Cardinal et Duquette les derniers jours de leur vie, il a été le confident de leurs dernières pensées, le témoin des luttes de leur âme contre les affections qui les attachaient à la terre.

Il ne peut raconter, sans être profondément ému, ce qu'il a vu et entendu.

Il nous montre Cardinal ferme, impassible, résigné lorsqu'il ne pense qu'à lui-même, au sacrifice de sa vie, mais attendri, bouleversé par moments, lorsqu'il songe à sa femme, à ses chers enfants. C'est dans ces tristes moments que Cardinal a écrit d'une main nerveuse ces lettres touchantes qu'on ne peut lire sans verser des larmes, où on voit comme, dans un miroir, le fond tendre et généreux de cette nature d'élite.

Le 20 décembre, veille de son exécution, il écrit à sa femme:

« Demain, à l'heure où je t'écris, mon âme sera devant son Créateur et son Juge. Je ne crains pas ce moment redoutable. Je suis muni de toutes les consolations de la religion, et Dieu, en se donnant à moi-même, ce matin, me laisse espérer avec confiance qu'il me recevra dans son sein aussitôt après mon dernier soupir. Je suis dégagé de toute affection terrestre, et le seul regret que j'ai en mourant, c'est de te laisser, chère amie, ainsi que cinq pauvres malheureux orphelins, dont l'un est encore à naître. Je te prie de croire que sans vous, rien ne pourrait me faire désirer la vie et que je recevrais ma grâce avec plus de répugnance que de satisfaction... »

Il regrette, par-dessus tout, de ne pouvoir embrasser avant de mourir, son épouse à laquelle les médecins défendent de sortir. « Qu'il est dur, lui écrit-il, de mourir sans te donner le baiser d'adieu ! On me dit que tu es trop faible pour supporter une entrevue ; moi, je te croirais assez forte ou du moins assez raisonnable pour me venir voir sans faire des extravagances. Ceux qui te défendent de venir me voir n'ont jamais été dans notre situation. Ils ne pensent pas qu'ils me privent de la seule et dernière consolation que je pourrais espérer en ce monde, et, que par rapport à toi, ils s'exposent à de justes reproches pour t'avoir privée de recevoir les prières d'un époux mourant. Pardonne, ma chère amie ; nous sommes nés pour souffrir, c'est un sacrifice de plus à offrir à Dieu et qui nous servira à nous obtenir plus de mérites auprès de lui. Du moins s'ils m'amenaient Marguerite et Charlotte afin qu'elles pussent toutes deux recevoir les baisers de leur père pour te les rendre. Oh ! Dieu, ayez pitié de moi, de ma femme et de mes enfants, je vous les recommande ;

veillez sur eux, servez-leur d'époux et de père et ne tardez pas de les réunir tous avec moi dans votre saint paradis. »

« Rien de plus consolant, continue-t-il, ma chère Eugénie, que d'envisager la mort avec les yeux d'un mourant. On se sent dégagé des peines et des angoisses de ce monde de misère pour s'envoler dans un lieu de paix et de délices, et l'on plaint ceux que l'on a aimés sur la terre de ce qu'ils ne peuvent jouir assez tôt d'un bonheur qui nous paraît si parfait. Chère Eugénie, ne t'apitoie pas sur mon sort ; bénis la Providence de ce qu'elle ne m'a pas fait mourir subitement lorsque j'avais la conscience moins préparée. Eh bien ! Dieu a exaucé mes vœux ; je suis courageux autant qu'il est possible de l'être, et si je pouvais te communiquer la moitié de mes forces, il m'en resterait encore assez pour le moment fatal. »

De grands efforts avaient été faits par des personnes influentes pour obtenir la grâce de Cardinal ou plutôt la commutation de la terrible sentence. Colborne avait résisté à toutes les instances, il était resté sourd à toutes les prières.

Mme Cardinal, croyant qu'une femme serait plus sensible à la douleur d'une mère et d'une épouse, avait écrit à lady Colborne la lettre suivante :

« Mylady,

« Vous êtes femme et vous êtes mère ! Une femme, une mère poussée par le désespoir, oubliant les règles de l'étiquette, qui la séparent de vous, tombe à vos pieds, tremblante d'effroi et le cœur brisé, pour vous demander la vie de son époux bien-aimé et du père de ses cinq enfants ! L'arrêt de mort est déjà signé ! ! L'heure fatale approche ! Demain ! hélas ! demain !!!... Dieu ! ô Dieu ! Je n'ai pas la force d'envisager un sort aussi horrible. La seule pensée que j'en ai remplit mon âme de désespoir: que sera la réalité? Oh! je ne pourrai jamais supporter une pareille calamité! Le coup qui tranchera le fil de ses jours, nous frappera tous deux. Je serais plus forte si une autre existence ne dépendait pas de la mienne! Mais mon malheureux enfant ne verra jamais la lumière du jour! Il périra avec sa mère sous l'échafaud où son père, qui méritait un meilleur sort, aura péri. Ô Dieu! est-ce ainsi que vous punissez? Non, non, pardonnez-moi ce blasphème. Les hommes seuls ont recours à de telles vengeances. Les hommes seuls font périr l'innocent avec le coupable... coupable... Que dis-je? Et mon mari, de quoi s'est-il rendu coupable? Le plus qu'on puisse dire, c'est qu'un peu d'excitation, de faiblesse peut-être, l'a perdu. Son ennemi juré, celui qui avait résolu sa mort... est le même homme qui n'a pu le convaincre d'un seul acte de violence! Faut-il que son sang soit répandu, lui qui loin de répandre le sang de ses semblables n'a jamais causé le moindre tort dans tout le cours de sa vie? Car c'est une atroce calomnie de dire qu'il a causé la ruine des autres. D'un caractère très timide, fréquentant peu la société – ne jouissant de la vie qu'au milieu de sa famille qui l'adorait – il n'a pris aucune part à l'agitation qui a précédé les dernières scènes de malheur. C'est donc dans sa maison qu'il a été surpris par un mouvement soudain et non prévu. Il n'a pas fait de victimes, au contraire, il est lui-même victime. Voilà tout son crime, et ce crime, (si c'en est un), ne l'a-t-il pas déjà expié? N'a-t-il pas déjà trop souffert? Et durant tout le temps de sa détention dans son cachot solitaire, négligés de tous, nous, votre humble requérante et ses enfants, n'avons-nous pas souffert suffisamment pour lui ? Autrefois, heureux avec lui, bien que de condition humble, n'avons-nous pas été bannis de notre demeure par la torche et la brutalité de l'incendiaire ? N'avons-nous pas été dépouillés de tout, même de nos vêtements ? N'avons-nous pas été obligés de vivre du pain provenant de la bonté du Très-Haut et qui nous était donné par les personnes charitables, qui pour l'amour de Dieu, prennent plaisir à le distribuer a ceux qui sont dans le besoin ? Et vous, Mylady quel trésor le ciel n'a-t-il pas mis entre vos mains ? Ne vous a-t-il pas donné une influence immense sur l'esprit et le cœur de celui qui aujourd'hui gouverne nos destinées ? Faites comme les personnes charitables dont je viens de parler, servez-vous de ce trésor pour votre avantage dans l'éternité, pour celui de l'époux que vous chérissez et des enfants qui font votre gloire et votre bonheur. Oh ! l'humanité n'est certainement pas bannie de cette terre de vengeance, elle doit s'être réfugiée dans le cœur des femmes, sans doute, dans le cœur des mères, comme le vôtre. L'humanité parlera par vos lèvres, – elle sera persuasive, éloquente, irrésistible, – elle arrêtera le glaive de la mort, prêt à immoler tant de victimes, elle apportera la joie dans le cœur de tant d'infortunés qui redoutent le lever du soleil de demain, elle sera entendue même dans le ciel et sera inscrite à votre crédit dans le livre de vie.

« J'ai l'honneur d'être,

« My lady,

« Votre très humble et affligée servante,

« Eugénie Saint-Germain,

« Épouse de Joseph-Narcisse Cardinal. »

Cardinal était chrétien ; sa foi égalait l'amour qu'il portait à son pays, à sa famille. Il demanda à la religion la force que les martyrs de la foi et du patriotisme ont toujours puisée dans ses augustes sacrements pour mourir héroïquement sur les bûchers, les échafauds ou les champs de bataille. Il pria beaucoup, mais toujours plus occupé de ceux qu'il aimait que de lui-même, il pria pour eux, pour sa femme et ses enfants, pour son jeune ami Duquet, son compagnon d'héroïsme et d'infortune, auquel il voulut donner jusqu'au dernier moment l'exemple du courage et de la résignation.

Cardinal avait perdu l'espoir de voir, avant de mourir, sa femme et ses enfants, mais, la veille de son exécution, tard dans la soirée, on lui accorda la grâce qu'il sollicitait si ardemment.

Pauvre père, pauvre femme, pauvres enfants ! quelle scène ! Cardinal se tortura pour être fort, pour paraître résigné. Il n'osait parler pour ne pas succomber à l'émotion qui l'étreignait ; il était pâle comme la mort, il souffrait à suer du sang.

Et sa pauvre femme, comment décrire sa douleur ?

Quand l'heure fatale de la séparation sonna à l'horloge de la prison, quand ils se donnèrent dans un long sanglot le baiser de l'éternel adieu, ils étaient plus morts que vivants.

Quelle nuit pour l'un et l'autre, ou plutôt quelle agonie ! Cardinal cependant redevint calme, il dormit peu et pria la plus grande partie du temps.

Le lendemain, vers neuf heures, Cardinal et Duquet étaient à s'entretenir avec le ministre de Dieu, lorsqu'on vint les avertir de se préparer. « Nous sommes prêts, dirent-ils », et ils se remirent entre les mains du bourreau pour subir le supplice décoré du nom de « toilette des condamnés. »

Quelques minutes après, ils gravissaient les degrés de l'échafaud, pendant que les prisonniers, leurs amis et leurs compagnons, presque anéantis par la douleur essayaient de réciter le *De profundis*.

Le ciel était sombre; d'épais nuages le couvraient d'un immense suaire que le vent soulevait en poussant des gémissements. Tout, au ciel comme sur la terre, respirait la tristesse.

Tout à coup un immense cri d'angoisse s'échappa de la foule qu'encombrait les abords de la prison. La trappe était tombée; tout était fini. La liberté comptait un martyr de plus.

Pendant ce temps-là une pauvre femme à genoux avec ses quatre enfants qu'elle inondait de ses larmes adressait au ciel les supplications les plus touchantes.

Joseph Duquet

Duquet avait vingt ans en 1837, et il paraissait aussi jeune que son âge. C'était un aimable garçon, assez grand, mais d'apparence maladive.

Il avait l'esprit droit, l'imagination ardente et s'exprimait avec élégance et facilité. Il était doux, délicat, aimant et dévoué. Il chérissait ardemment sa famille, sa mère, ses sœurs, ses compatriotes, sa religion, sa patrie. Calme, paisible, sérieux, d'un tempérament nerveux-lymphatique, l'air un peu triste et insouciant, on ne l'aurait pas cru capable, à le voir, de résolutions énergiques, d'actions audacieuses.

L'expérience apprend que sous les dehors de l'insouciance se cachent souvent les natures les plus ardentes, les caractères les plus héroïques. Ce ne sont pas toujours les plus gros et les plus beaux soldats, qui sont les plus braves, et ceux qui font le plus de bruit au camp sont souvent les plus froids sur le champ de bataille. On dirait même que les grands cœurs, les âmes héroïques aiment à habiter des corps frêles.

Joseph Duquet naquit à Châteauguay en 1817. Son père était commerçant et jouissait de l'estime publique. Il commença ses études au collège de Montréal et les termina au collège de Chambly. Il réussissait bien. M. Charland, de Saint-Jean, conserve précieusement quelques uns des prix qu'il remporta.

Il était à peine sorti du collège, que son père mourait, laissant sa famille dans l'indigence. Ce triste événement le mûrit avant le temps et lui fit accepter les charges et les devoirs de la vie, à un âge où l'on n'en voit généralement que les plaisirs et les illusions.

Mme Duquet, connaissant le cœur de son fils, n'hésita pas à sacrifier le peu qui lui restait pour lui permettre d'étudier la profession de notaire qu'il avait adoptée.

Il eut d'abord pour patrons Cardinal et de Lorimier.

Tout le secret de sa destinée est là. On comprend l'effet que produisit sur cette nature généreuse et dévouée le patriotisme ardent de ces deux hommes.

Le sort voulut qu'il allât compléter sa cléricature chez son oncle Demaray, notaire de Saint-Jean et député, au moment même où les autorités faisaient arrêter ce dernier avec le Dr Davignon. Cette arrestation acheva d'exaspérer Duquet. Il aurait voulu l'empêcher par la force ; il disait hautement qu'on aurait dû se préparer à recevoir la troupe à coups de fusil. Mais les patriotes, pris à l'improviste, n'avaient pas eu le temps de se préparer.

Duquet voyant la résistance inutile, part à course de cheval pour Montréal, afin de prévenir les amis de ce qui venait de se passer et de prendre les moyens d'arracher les prisonniers aux mains de la police. Arrivé à Laprairie, il ne peut traverser; les communications sont rompues. Il se rend alors à Longueuil et a le plaisir d'apprendre en arrivant dans ce village que Bonaventure Viger et une vingtaine de braves avaient délivré les prisonniers sur le chemin de Chambly. Il se fit conduire à l'endroit où étaient les patriotes et arriva au moment où ils célébraient la victoire qu'ils venaient de remporter. Quand on connut le but de son voyage, on le félicita chaleureusement et on lui fit une véritable ovation.

Mais lorsqu'après les fumées de l'enthousiasme on se demanda ce qu'on devait faire, on arriva à la conclusion que pour échapper aux poursuites du gouvernement, il fallait fuir. Quelques uns se rendirent à Saint-Denis, mais Davignon et Demaray prirent le chemin des États-Unis et Duquet les suivit.

Le 6 décembre, Duquet était au premier rang dans le bataillon qui, sous la conduite de Malhiot et de Gagnon, traversa la frontière, le drapeau de l'indépendance à la main. Il se battit bravement à Moore's Corner et retourna aux États-Unis après la défaite. Il demeura à Swanton jusqu'à la proclamation d'amnistie de lord Durham, et revint alors dans le pays.

Il revit avec bonheur sa mère et ses sœurs qui le reçurent avec des larmes de joie, et lui reprochèrent tendrement de les avoir rendues si inquiètes. Il promit d'être plus sage à l'avenir et la paix fut scellée par des baisers innombrables.

Quand il apprit que les patriotes réfugiés aux États-Unis se préparaient à rentrer dans le pays, sous la conduite de Robert Nelson, ses rêves d'indépendance revinrent, et il se jeta, tête baissée, dans le mouvement. Intelligent, actif et dévoué, toujours prêt à marcher et à travailler, à s'exposer pour la cause commune, il était très populaire parmi les patriotes. Il fut un des plus actifs organisateurs de l'association secrète des *Chasseurs*, et fut nommé *Aigle ou* chef de division. Il fut sur le chemin nuit et jour, dans les mois de septembre et d'octobre, allant d'une paroisse à l'autre, donnant des instructions et des nouvelles, excitant les gens à se préparer au grand soulèvement du trois novembre. Cardinal, qui lui avait inspiré ses sentiments et avait beaucoup contribué à le lancer dans l'insurrection, l'aimait comme son enfant.

Le trois novembre, Cardinal et Duquet furent à leur poste ; ils s'emparèrent des principaux torys du village de Laprairie et, le 4, de bon matin, ils partirent, à la tête d'une centaine d'hommes, pour prendre possession des armes des sauvages à Caughnawaga. Mais, trahis par ceux qui devaient les aider, ils échouèrent dans leur entreprise, furent arrêtés et conduits à la prison de Montréal.

La vengeance des bureaucrates et des volontaires fut, comme nous l'avons dit, cruelle. Pendant qu'on jetait dans les cachots ces braves gens, victimes de leur patriotisme, on incendiait leurs demeures, on lançait sur les chemins publics leurs femmes, leurs mères et leurs enfants.

Mme Duquet, au désespoir, confiait ses trois petites filles à des parents et amis, et se rendait à Montréal pour voir son fils, être près de lui, le consoler, le sauver si c'était possible. Les barbares qui avaient brûlé sa maison et tout ce qu'elle possédait, lui avaient dit que son fils serait pendu dans quelques jours. On peut se faire une idée de la tristesse de la première entrevue qui eut lieu entre cette mère et ce fils qui s'aimaient tant.

Mme Duquet espéra jusqu'au dernier moment ; elle ne pouvait croire qu'on lui enlèverait son fils, son seul soutien, son espérance, son orgueil ; elle était convaincue qu'on aurait pitié d'elle, qu'on pardonnerait à un enfant de vingt ans de s'être laissé entraîner par des sentiments si nobles, si louables. Même quand il fut condamné, lorsqu'il n'avait plus que trois jours à vivre, elle refusa de croire à la réalité ; faisant un effort sublime d'énergie, elle descendit à Québec, alla se jeter aux pieds de Colborne et lui demanda la grâce de son fils dans la lettre touchante qui suit :

« À son excellence Sir John Colborne,

« *Gouverneur-Général, etc.*

« Qu'il plaise à Votre Excellence. La vieille mère d'un fils malheureux, que son âge tendre a entraîné au bord de l'abîme, se jette aux pieds de Votre Excellence, la douleur dans le cœur, les sanglots dans la voix, pour demander à Votre Excellence le pardon de son fils. Demain, l'ordre fatal en vertu duquel le fil de ses jours sera tranché, doit être exécuté. Faut-il qu'il meure au matin de la vie, lui, le seul soutien de sa vieille mère dans les derniers jours de son existence, lui, le seul protecteur de ses trois jeunes sœurs, lui, ce modèle parfait de piété filiale et d'amour fraternel, lui, si chéri de tous ses amis ! Faut-il que sa jeune tête tombe en sacrifice sur l'échafaud ensanglanté ? Faut-il que votre Requérante et les enfants qui lui restent (peut-être, hélas ! pour son malheur) soient réduits à mendier leur pain de chaque jour ? Si abondant que serait ce pain, il sera toujours mangé dans l'amertume de notre âme, car il ne viendrait plus d'un fils bien-aimé, d'un frère idolâtré! Et tout cela, parce que l'infortuné jeune homme s'est un moment laissé égarer et s'est jeté dans la tempête qui a enveloppé tant d'hommes d'âge et d'expérience. Non, non! Votre cœur qui connaît le sentiment de l'amour paternel, doit compatir à ma situation. Vous ne pouvez dédaigner la prière d'une mère malheureuse; et si vous ne me rendez pas mon fils, vous commuerez au moins sa sentence et lui donnerez au moins le temps de se repentir. Vous vous souviendrez qu'il n'a pas répandu une seule goutte du sang de ses semblables. Vous n'oublierez pas ce qu'il a déjà souffert. Vous n'oublierez pas non plus ce que votre Requérante a souffert pour lui, lorsqu'elle fut chassée de sa demeure par le feu qu'y avait allumé la main de l'incendiaire. La clémence, qui est la vertu des rois, devrait être une de vos plus nobles jouissances. Pardonnez donc à mon fils, et tous ses compatriotes se joindront à moi pour bénir votre mémoire. Pardonnez à mon fils, et l'expérience apprendra au monde que la miséricorde et non la rigueur produit la loyauté.

« Et votre Requérante ne cessera d'implorer le ciel pour la conservation et la gloire de Votre Excellence et le bonheur de votre famille.

« L. Dandurand,

« Veuve Duquet.

« Montréal, 20 décembre 1838. »

Colborne fut insensible aux prières de la mère de Duquet comme il l'avait été à celles de l'épouse de Cardinal.

La pauvre mère revint, le cœur brisé, l'esprit presque troublé. Quand, à moitié étouffée par les sanglots, elle raconta à son fils ce qui s'était passé, il lui dit :

« Je savais bien, ma mère, que c'était peine perdue ; je ne me suis jamais fait illusion depuis que je suis ici ; après demain je serai dans un monde meilleur. Mon sacrifice est fait ; soumettons-nous, ma mère, à la volonté de la providence. »

Ce fut la dernière fois que Mme Duquet vit son fils ; ses parents et ses amis l'empêchèrent de retourner le voir, afin d'épargner à l'infortuné jeune homme les angoisses d'une dernière entrevue, les tortures des derniers adieux.

Duquet se révolta d'abord contre la pensée de la mort ; il repoussa le spectre hideux de l'échafaud. Il n'avait que vingt ans ! Il avait à peine commencé à vivre ! À vingt ans, à l'âge où la vie semble un jardin de fleurs, où l'âme est imprégnée des parfums de l'amour, de la gloire, des sentiments les plus purs, on ne meurt pas sans regret. Lui si bon, si généreux, il ne pouvait croire qu'on le ferait mourir sur l'échafaud pour avoir trop aimé son pays !

Il comprit bientôt que ni son âge, ni ses conviction ni l'amour de sa mère ne le sauveraient.

Sa pauvre mère ! ses chères petites sœurs ! Il ne pensait qu'à elles, ne s'occupait que d'elles. Leur douleur était ce qui le faisait le plus souffrir, la pensée de leur avenir, ce qui le tourmentait le plus. Elles qui avaient tant compté sur lui pour vivre, qui l'avaient tant aimé, il mourait au moment où il aurait pu leur être utile, rendre à sa mère bien-aimée ce qu'elle avait fait pour lui ! Il se reprochait quelquefois de leur causer tant de chagrin, d'avoir compromis le bonheur de toute leur vie, peut-être. La dernière fois qu'il vit sa mère, il lui dit :

« Je m'étais promis de faire une position heureuse à mes chères petites sœurs ainsi qu'à vous-même ; ma folle précipitation a déjoué mes projets, détruit vos espérances et les miennes. C'est mon seul regret, mon seul remords. Mais croyez, ma mère, et dites-le à mes sœurs, que ce n'est pas par mauvais cœur que j'ai agi. »

Prenant alors une image de Notre-Dame-des-Sept-Douleurs qu'il portait constamment sur lui depuis qu'il était en prison, il pria sa mère de la remettre à ses sœurs, et ajouta cette recommandation :

« Dites-leur, ma mère, de baiser la partie de cette image qui porte la marque de mes pleurs. »

Duquet était généralement sérieux et pensif ; son sourire était triste, et on put voir plus d'une fois qu'il avait dû pleurer pendant la nuit. Qui dira ce qu'il a souffert, lorsque, dans sa cellule, il restait seul avec ses pensées ? Le cœur bat si fort dans la poitrine de celui qui, en pleine santé, voit approcher la mort ! On aime tant ce qu'on est à la veille de quitter pour toujours !

Lorsqu'il ne pouvait pas dormir, il se levait et passait une partie des nuits à prier. Comme de Lorimier et Cardinal, il priait plus pour ceux qu'il quittait que pour lui-même. Il se confessa plusieurs fois et fit tout ce qu'il put pour mourir en brave et en chrétien.

Nous avons entendu un protestant intelligent et impartial dire :

« Pour vivre, je préfère être protestant, mais pour mourir j'aimerais mieux, il me semble, être catholique. »

Si c'est vrai dans les cas ordinaires, c'est encore beaucoup plus vrai dans des circonstances terribles comme celles où se trouvaient Cardinal et Duquet. La religion catholique seule peut alors, avec ses augustes sacrements, offrir à l'âme les consolations et la force dont elle a besoin.

Le 21 décembre arriva. Jour sinistre qui vit pour la première fois au Canada la tyrannie immoler sur l'échafaud les martyrs de la liberté !

Duquet avait peu dormi ; il était très pâle, très abattu et paraissait faible. Il parlait peu et faisait machinalement tout ce qu'on lui ordonnait.

Il avait l'air de l'agneau qu'on traîne à la boucherie.

Ses forces ne l'abandonnèrent pas, pourtant ; il marcha d'un pas ferme à l'échafaud, ayant à ses côtés son confesseur, M. l'abbé Labelle, curé de Châteauguay.

Sa jeunesse, son air maladif, sa figure empreinte de douleur, de résignation et de dignité, touchèrent profondément toutes les personnes présentes, même ses bourreaux.

Pauvre enfant ! l'échafaud lui fit peur ; il ne put s'empêcher de frémir quand il en gravit la première marche. Il l'aurait beaucoup plus redouté s'il avait prévu le supplice qui l'attendait. C'est vite fait généralement, comme disait l'héroïque de Lorimier ; mais pour l'infortuné Duquet ce fut long.

Lorsque la trappe tomba, la foule assista à un spectacle horrible. La corde, mal ajustée, s'étant dérangée, on vit le corps de l'infortuné jeune homme aller de droite à gauche et frapper violemment la charpente ferrée de l'échafaud.

Le pauvre enfant avait le visage meurtri et ensanglanté, mais il vivait encore.

Le bourreau, troublé, ne savait trop que faire. Quelques voix crièrent, dit-on: «Grâce! grâce!»

Inutile pitié! Il fallait que l'œuvre odieuse fût achevée.

Le bourreau saisit la corde, ramena le supplicié sur l'échafaud et recommença l'exécution. Cette fois il réussit.

Qu'on imagine ce que dut souffrir l'infortunée victime!

Il est une femme qui n'a jamais pardonné à Colborne et aux bureaucrates la mort de Duquet, qui a pleuré tous les jours de sa vie, pendant trente ans, celui qu'elle aimait tant.

Cette femme, on le devine, c'est sa mère.

Elle ne pouvait voir ou entendre sans verser d'abondantes larmes, tout ce qui lui rappelait son fils.

Un jour, elle rencontra celui qui avait été la principale cause de sa mort; il lui demanda pardon et voulut lui serrer la main.

«Oh! lui dit-elle avec horreur, n'approchez pas de moi; je vous pardonne, parce que je suis catholique, et que mon fils me l'a ordonné; mais je ne puis oublier que vos mains sont encore teintes du sang de mon fils.»

Mme Duquet est morte, il y a quelques années. Elle vécut avec ses filles chez Mme Charland, mère de MM. Arthur et Alfred Charland, qu'elle a, en grande partie, élevés. Une autre de ses filles épousa M. Nolin, shérif du district d'Iberville, et père du R. P. Nolin, oblat, du collège d'Ottawa. La troisième, Sophie, est restée fille.

Si le souvenir de Duquet excite tant de sympathie dans le cœur de tous les Canadiens français, on peut se faire une idée des sentiments vivaces et profonds que ce souvenir nourrit dans l'âme de ceux qui ont l'honneur d'être liés par le sang à ce jeune martyr de la liberté.

Pétition des sauvages de Caughnawaga

Lorsque les sauvages du Saut Saint-Louis apprirent que Cardinal et Duquet avaient été condamnés à mort, ils regrettèrent leur excès de zèle, et adressèrent à sir John Colborne la pétition suivante :

« À son Excellence Sir John Colborne, Gouverneur-Général, etc.

« La pétition des soussignés sauvages du Saut Saint-Louis, expose humblement :

« Que nous avons ressenti une profonde douleur en apprenant que notre Père avait résolu de mettre à mort deux des prisonniers que nous avons faits, Joseph-N. Cardinal et Joseph Duquet. Nous venons donc à notre Père pour le supplier d'épargner la vie de ces hommes infortunés. Ils ne nous ont fait aucun mal. Ils n'ont pas trempé leurs mains dans le sang de leurs frères. Pourquoi répandre le leur ? S'il doit y avoir des victimes, il y en a d'autres que ces malheureux, qui sont mille fois plus coupables qu'eux.

« La femme et les enfants de l'un, la vieille mère de l'autre, joignent leurs larmes à notre voix pour implorer votre miséricorde.

« Les services que nous avons rendus à Sa Majesté ; ceux qu'elle attend encore de nous et que nous n'hésitons pas à lui rendre dans l'occasion, nous portent à croire que notre humble prière trouvera le chemin du cœur de Votre Excellence.

« Et nous ne cesserons de prier le Grand-Esprit, et de lui demander la gloire pour notre Père, sa conservation et le bonheur pour ses enfants.

«Saut Saint-Louis, 20 décembre 1838.»

Lettre de Lewis-Thomas Drummond, avocat, adressée à Son Excellence sir John Colborne, la veille de l'exécution de Cardinal et Duquet.

«À Son Excellence, le lieutenant-général Sir John Colborne, administrateur du gouvernement du Bas-Canada, etc., etc.

«*Qu'il plaise à Votre Excellence,*

«Ayant accompli ma lourde tâche, comme avocat des infortunés dont l'arrêt de mort a été prononcé, j'ai encore un devoir à remplir comme sujet anglais dont le seul désir est de voir la paix rétablie dans son malheureux mais bien-aimé pays d'adoption. Il ne sera pas dit qu'aucun autre que l'avocat payé n'a osé élever la voix pour réprouver les procédés pris avant l'exécution des malheureuses victimes. Non, car si, en ce moment, je m'adresse à Votre Excellence, en mon caractère particulier, comme homme et comme chrétien, c'est pour vous demander, c'est pour vous implorer, dans l'intérêt de la justice, pour l'honneur de la nation anglaise, de vous arrêter avant la consommation de l'acte qui doit mettre fin à l'existence de deux de vos semblables, dont la culpabilité, (comme il sera démontré avant longtemps), n'a pas été établie d'une manière légale. S'il n'existe qu'un doute sur la légalité du pouvoir du tribunal qui les a jugés, *le doute seul* devrait, je le suggère humblement, porter Votre Excellence à suspendre leur exécution jusqu'à ce que l'on ait eu l'occasion de faire de ce doute une certitude ou de l'anéantir. Mais les principes de l'équité mis par la nature dans le cœur de l'homme, et consignés au code de toutes

les nations civilisées du monde, nous crient hautement qu'aucun homme ne peut être mis en jugement par une loi promulguée après la perpétration
de l'offense dont il est accusé; et qu'elle est la conclusion à tirer ici? C'est que Cardinal et Duquet,
qui étaient commis à la garde des autorités civiles,
avant la proclamation de la loi en vertu de laquelle
ils ont été condamnés à mort, seront, si la sentence
est exécutée, élevés de la position de coupables pré-
sumés, à celle de martyrs d'une persécution odieuse.
Je ne parle pas de la nature de la preuve faite contre eux. Je ne parle pas du fait qu'ils n'ont pas trempé leur main dans le sang; que leur plus féroce
ennemi n'a pu leur imputer un seul acte de violence. Je ne veux pas peindre la douleur de la
femme mourante et des enfants abandonnés de l'un
ni de la vieille mère de l'autre; leurs larmes ont
coulé en ma présence depuis trois jours; je ne parle
pas de leurs malheurs présents, ni de ceux qui les
attendent. Je ne fais pas appel aux sentiments d'humanité qui jusqu'à présent ont distingué Votre Excellence. Je n'élève la voix que pour demander
justice et pour que l'exécution de la sentence qui a
été prononcée contre eux, soit suspendue jusqu'à ce
qu'on puisse faire voir qu'ils ont été condamnés sans
avoir subi de procès légal. Je parle librement, mais
consciencieusement, et Votre Excellence recevra
sans doute, avec indulgence, l'appel que m'inspirent
des motifs qu'on ne peut désavouer.
«Très obéissant et humble serviteur,
«(Signé) Lewis T. Drummond.
«Montréal, 20 décembre 1838.»

Les victimes du 18 janvier

Le 18 janvier, cinq autres victimes montèrent sur l'échafaud : Robert, Hamelin, les deux Sanguinet et Decoigne.

Les quatre premiers étaient accusés d'avoir été les organisateurs du soulèvement dans le comté de Laprairie, et d'avoir pris part à l'expédition de La Tortue qui eut pour résultat la mort de l'infortuné Walker.

Joseph-Jacques Robert

Joseph-Jacques Robert était le chef de la troupe qui, dans la nuit du 3 novembre, entreprit de désarmer les bureaucrates de Saint-Philippe, de Saint-Constant et de Laprairie, et fit le siège de la maison de Walker.

C'était un cultivateur à l'aise de Saint-Philippe. Sa position, son âge et son caractère lui donnaient beaucoup d'autorité parmi les patriotes de cette paroisse. Il était connu depuis longtemps pour un partisan enthousiaste de la cause libérale et de Papineau. Il avait été un des premiers à remettre aux autorités sa commission de capitaine de milice.

Il comprit qu'il ne pouvait échapper à la sentence de mort portée d'avance contre tous ceux qui avaient pris part à l'expédition de La Tortue.

Il ne chercha pas à se sauver, et subit son procès avec indifférence ; il fit peu de questions aux témoins et ne chercha pas à affaiblir la preuve faite contre lui.

Le major Robert était fortement trempé ; il subit avec résignation les conséquences d'un acte qu'il avait cru nécessaire à la cause de la liberté.

Comme tous ceux qui meurent laissant une femme et des enfants désolés, il eut des moments de tristesse profonde, mais la pensée qu'il mourait pour l'indépendance de son pays lui rendait promptement son courage.

Quelques uns de ses amis avaient espéré que son grand âge le sauverait; mais c'était une vaine espérance.

Le 18 janvier, il monta sur l'échafaud, suivi des deux Sanguinet, de Decoigne et de Hamelin. Lorsqu'il sortit à la suite du bourreau, de la chambre de toilette des condamnés, il aperçut plusieurs patriotes à genoux et fondant en larmes. Il leur dit de se consoler, mais de continuer à prier pour lui et ses compagnons.

FRANÇOIS-XAVIER HAMELIN

François-Xavier Hamelin était lieutenant dans la compagnie de Joseph Robert. Il fut prouvé, lors du procès, qu'il avait pris une part active à l'attaque de la maison de Walker. Il chercha à se sauver en prouvant qu'il avait été forcé de marcher dans la nuit du 3 novembre. On prouva aussi qu'il appartenait à une nombreuse famille dévouée au gouvernement, et qu'il avait toujours lui-même été très paisible et modéré. Mais, comme Robert et les Sanguinet, il devait payer de sa tête sa participation à la mort de Walker.

C'était un jeune homme, presqu'un enfant; il n'avait que dix-huit ans comme Daunais. Sa famille fit ce qu'elle put pour le sauver; tout fut inutile. Quand il vit qu'il fallait mourir, il pleura et tomba dans un grand abattement, mais il reprit ensuite son courage et ne s'occupa plus que de bien mourir. Il reçut les derniers sacrements avec beaucoup de ferveur, et montra une grande résignation pendant les terribles préparatifs de l'exécution. Toutes les personnes présentes le regardaient avec pitié. Il était si jeune pour mourir sur l'échafaud !

Mais on n'épargna pas plus la jeunesse que la vieillesse.

LES DEUX SANGUINET

Les deux Sanguinet étaient frères. Ils appartenaient à une des familles les plus anciennes et les plus importantes du pays. Leur père était propriétaire de la seigneurie Lasalle dans le comté de Laprairie, mais il en fut dépouillé par le gouvernement du despote Craig, malgré un jugement de la Cour du banc de la reine en sa faveur. M. Sanguinet fut ruiné et ses ennemis se partagèrent ses dépouilles. On prétend que quelques-uns des conseillers du gouvernement eurent leur part.

Les Sanguinet étaient convaincus qu'ils avaient été ruinés, volés même par le gouvernement; cela explique l'ardeur avec laquelle ils embrassèrent la cause libérale en 1837. Le motif personnel se joignait chez eux aux raisons d'intérêt politique et national. Aussi, dès 1822, on trouve leurs noms parmi les signataires d'une pétition contre l'union du Haut et du Bas-Canada. En 1828, ils prenaient part à une grande assemblée convoquée à Saint-Philippe, dans le but de demander le rappel de lord Dalhousie qui avait refusé de reconnaître l'élection de M. Papineau comme orateur de la Chambre d'assemblée. En 1834, ils contribuaient grandement par leur activité à faire élire l'infortuné Cardinal député du comté de Laprairie.

Ils étaient tous deux pères de famille, à l'aise et très estimés de leurs concitoyens. L'aîné s'appelait Ambroise et avait trente-huit ans; l'autre portait le nom de Charles et avait trente-six ans. Ambroise demeurait à Saint-Constant, et Charles à Saint-Philippe. Le premier était gras et grand, l'autre beaucoup moins grand, trapu et vigoureux.

Le 3 novembre, ils agissaient, Ambroise comme capitaine, et Charles comme lieutenant, dans la troupe de Joseph Robert.

DECOIGNE

Decoigne qui fut exécuté le même jour que les autres infortunés dont nous venons de parler, avait subi son procès vers la fin de décembre avec Lévesque, Morin et plusieurs autres, mais ses compagnons ayant tous échappé à la mort, on retarda de quelques jours l'exécution de sa sentence.

Decoigne était notaire à Napierville, père de famille et n'avait que vingt-neuf ans. Il fut condamné pour avoir figuré parmi les chefs des patriotes au camp de Napierville. La preuve contre lui fut faible; elle constata qu'il avait été forcé de prendre part au soulèvement, qu'on l'avait en quelque sorte arraché à sa famille. Lorsqu'il vit que les sentences portées contre ses compagnons étaient toutes commuées, il espéra que n'étant pas plus coupable qu'eux, il échapperait, lui aussi, à l'échafaud. Aussi, son désappointement fut cruel, lorsque, le 12 janvier, on brisa soudain ses espérances en l'avertissant de se préparer à mourir le 18.

La résignation finit par remplacer dans son âme l'abattement, et il mourut comme les autres, fortifié par les sacrements et l'espérance d'un monde meilleur.

Narbonne, Nicolas, Daunais,
Hindeland, de Lorimier

Pierre-Rémi Narbonne

Pierre-Rémi Narbonne avait trente-trois ans. C'était un homme de moyenne taille; il avait le teint animé, les yeux vifs, la figure intelligente, une épaisse chevelure bouclée. Affable, sympathique, remuant, d'un patriotisme ardent, il était très populaire. Peintre et huissier, il cumulait deux professions peu lucratives à cette époque.

Il était né à Saint-Rémi, mais il demeurait en 1837 à Saint-Édouard, paroisse paisible que les bureaucrates avaient toujours considérée comme un de leurs châteaux forts. Il contribua beaucoup à changer les sentiments de cette paroisse et à la rendre libérale.

Après la défaite des patriotes à Saint-Charles, sachant que depuis longtemps les bureaucrates avaient l'œil sur lui, il partit pour les États-Unis, s'enrôla dans la troupe organisée par Gagnon pour venger la défaite de Saint-Charles, et prit part à la malheureuse affaire de Moore's Corner où il se distingua.

Cette défaite ne le découragea pas; apprenant que les patriotes du comté des Deux-Montagnes se préparaient à frapper un grand coup, il résolut d'aller leur offrir ses services et partit pour Saint-Eustache. Fait prisonnier par des volontaires près de Sherrington, il fut conduit à Saint-Jean. La petite troupe qui l'escortait ayant pris le chemin de Saint-Édouard, on passa devant la maison de Narbonne. Le prisonnier demanda qu'on lui permit de s'arrêter, un instant, pour embrasser ses enfants et voir sa femme que l'inquiétude et les mauvais traitements, dont elle avait été victime pendant l'absence de son mari, avaient rendue très malade.

On lui refusa cette faveur.

Quelques jours après, Narbonne apprenait, dans la prison de Montréal, que la nouvelle de son arrestation avait achevé de tuer sa pauvre femme; elle lui laissait trois enfants en bas âge, dénués de tout. On peut se faire une idée des sentiments de douleur et d'exaspération qu'il éprouva, des projets de vengeance qui envahirent son âme. Personne ne trouva plus que lui le temps long en prison, ne manifesta plus d'impatience. La pensée de l'état misérable de ses pauvres petits enfants le tourmentait sans cesse.

L'amnistie de lord Durham l'ayant rendu à la liberté, dans le mois de juillet, il se hâta de retourner à sa maison. Il y rentra le cœur gros, car sa femme n'y était plus.

Les chefs patriotes le sachant capable de tout pour se venger de ce qu'il avait souffert, eurent soin de s'adresser à lui, lors du soulèvement de 1838. Le 6 novembre, il était à côté de Nelson et d'Hindelang à Napierville, et il recevait le grade de colonel. Il prouva, à Odelltown, qu'on avait eu raison de compter sur sa bravoure. Il essaya de traverser les lignes après la défaite, mais il fut arrêté, conduit à Napierville où il eut beaucoup à souffrir du froid, et traîné à la prison Montréal au milieu des insultes, cris de mort d'une foule stupide.

Le 26 janvier, il subit son procès avec Daunais, Nicholas, Pierre Lavoie, Antoine Coupal dit Lareine, Théodore Béchard, François Camyré, Francois Bigonesse dit Beaucaire et Joseph Marceau dit Petit Jacques.

Ils furent tous condamnés à être pendus, mais trois le furent seulement : Narbonne, Nicolas et Daunais.

Nous ne pourrions pas comparer Narbonne comme Duquet à un agneau qu'on mène à la boucherie ; il manifesta jusqu'au dernier moment ses sentiments de haine contre les bureaucrates et le gouvernement. Il resta implacable, inexorable, et il n'y a pas de doute que s'il avait reçu sa grâce, il aurait, le lendemain, repris les armes.

Le spectacle de son exécution fut presqu'aussi émouvant et pénible que celui du supplice du pauvre Duquet. Il était manchot, ayant eu presque tout un bras coupé, lorsqu'il était enfant. Le bourreau ne réussit pas à l'attacher assez solidement. Lorsque la trappe tomba, Narbonne réussit à saisir la corde et resta suspendu par le bras. Deux fois on lui fit lâcher prise, deux fois, il ressaisit la corde.

Quel triste spectacle !

La mort vint enfin terminer les souffrances de l'infortuné Narbonne.

NICOLAS

Nicolas était né à Québec en 1797. Ayant perdu ses parents, lorsqu'il était encore enfant, il avait été élevé par un de ses oncles, M. François Borgia, avocat distingué de Québec, qui siégea pendant près de quarante ans dans l'ancienne Chambre d'assemblée.

Nicolas fit un cours d'études et se mit dans le commerce, mais n'ayant pas réussi, il quitta Québec en 1831 et alla se fixer à L'Acadie comme instituteur.

Instruit, parlant facilement, bel homme, vigoureux, plein d'énergie et d'ardeur, il était fait pour jouer un rôle dans un temps de révolution.

Il se lança avec enthousiasme dans les troubles de 1837, prit part à presque toutes les assemblées qui précédèrent l'insurrection, se cacha après la bataille de Saint-Denis, fut découvert et jeté en prison. Exclu des bénéfices de l'amnistie proclamée par lord Durham au mois de juillet 1838, il subit son procès au mois d'août suivant pour avoir pris part au meurtre de Chartrand.

La loi martiale n'étant plus en force, son procès eut lieu devant un jury composé en grande partie de Canadiens français. L'affaire fut émouvante et créa une grande excitation; la cour fut tout le temps encombrée d'une foule excitée. Les fanatiques anglais et bureaucrates demandaient à grands cris la mort de Nicolas et menaçaient de tuer, s'il était acquitté, les jurés et les avocats.

Chartrand était de Saint-Jean; après avoir sympathisé avec les patriotes, il se tourna contre eux et se fit leur espion. Nicolas, Daunais, et quelques autres furent accusés de l'avoir surpris, un soir, de l'avoir traîné dans un bois et mis à mort.

La preuve contre Nicolas fut forte. MM. Walker et Charles Mondelet, ses avocats, s'efforcèrent de démontrer que la mort de Chartrand n'était pas un meurtre, mais une exécution politique, un acte de guerre. Nicolas fut acquitté au milieu d'un tumulte extraordinaire. Les loyaux manifestèrent leur colère par des cris, des hurlements et des menaces de mort.

Après son acquittement, Nicolas se rendit aux États-Unis, et prit naturellement part à l'organisation de l'insurrection de 1838, se battit à Odelltown, et essaya de s'enfuir aux États-Unis. Mais n'ayant pu franchir la frontière, il retourna à Saint-Valentin où il resta caché jusqu'au 17 janvier 1839.

M. McGinnis, magistrat de Saint-Jean, apprit qu'on avait vu dans le bois, à Saint-Valentin, un homme qui paraissait craindre d'être reconnu. M. McGinnis, trouvant l'occasion bonne pour exercer son zèle, envoya une compagnie de volontaires battre le bois. Dans une misérable cabane, qu'on avait cru d'abord inhabitée, on trouva Nicolas à moitié mort de froid et de faim. On l'arrêta et on le conduisit à la prison de Montréal.

C'était le 18 janvier.

Nicolas passa sous l'échafaud ou, quelques heures auparavant, ses amis Decoigne, Robert, les deux Sanguinet et Hamelin avaient été exécutés.

L'un de ses gardiens lui dit:

— Regarde ces cordes, il y en a une qui t'attend.

Nicolas répondit tranquillement:

— Je mourrai comme j'ai vécu, en patriote.

Son arrestation remplit les bureaucrates de joie, ils crièrent sur tous les tons que cette fois il n'échapperait pas.

«La providence favorise évidemment les loyaux, dit un journal anglais, puisqu'elle a livré à la justice un si grand coupable; personne ne convient mieux à l'échafaud que Nicolas.»

Les autorités, heureuses de jeter une si bonne proie en pâture à ces fanatiques, se hâtèrent de faire le procès de Nicolas. Huit jours après son arrestation, il comparaissait devant la cour martiale.

Sachant que son sort était fixé d'avance, Nicolas fit peu d'efforts pour se défendre ; il se prépara à mourir. Ses ennemis ne purent s'empêcher d'admirer son sang-froid, sa bonne mine et la dignité de son maintien.

Il monta sur l'échafaud, le 15 février, en même temps que de Lorimier, Hindelang, Daunais et Narbonne. Il parla à la foule, mais ses paroles sont rapportées de manières si différentes par les journaux du temps qu'on ne sait pas au juste ce qu'il a dit. Les uns prétendent qu'il exprima le regret d'avoir pris part à la rébellion, d'autres disent que ses dernières paroles furent les suivantes :

« Je ne regrette qu'une chose, c'est de mourir avant d'avoir vu mon pays libre, mais la providence finira par en avoir pitié, car il n'y a pas un pays plus mal gouverné dans le monde. »

L'*Ami du Peuple* publia, quelques jours après, une lettre portant la signature de Nicolas, dans laquelle le patriote déplorait ses erreurs, blâmait l'insurrection et condamnait la conduite des Américains. Mais on prétend *que c'était une lettre forgée…*

DAUNAIS

Daunais n'avait que vingt ans. Il était de la paroisse de Sainte-Marguerite de Blairfindie qui a produit tant de patriotes. Petit et brun, il avait une bonne figure, l'air distingué. Après avoir été acquitté du meurtre de Chartrand, il retourna dans sa famille et résolut d'y vivre tranquille. Mais quand il vit Nelson franchir la frontière, le drapeau de l'indépendance à la main, il ne put résister à l'entraînement général, il prit son fusil et se joignit aux patriotes.

Arrêté après la défaite de Nelson à Odelltown, il comprit comme Nicolas qu'il n'échapperait pas à la vengeance des bureaucrates.

On était bien décidé à exécuter tous ceux qui avaient pris part au meurtre de Chartrand.

Aussi, Daunais reçut sa condamnation en homme qui s'attendait à tout et qui avait fait le sacrifice de sa vie. Il était généralement calme et parlait peu. C'est seulement lorsqu'il voyait ses parents et amis que l'émotion s'emparait de lui et que le regret de mourir si jeune pénétrait dans son âme.

CHARLES HINDELANG

Hindelang appartenait à une excellente famille d'origine suisse et protestante établie à Paris depuis longtemps et devenue française.

Il avait quitté la France pour venir faire fortune en Amérique. Il était ambitieux, intelligent, vif, avide d'émotions. Des Canadiens réfugiés à New-York, entre autres M. Duvernay, lui racontèrent ce qui se passait au Canada, lui parlèrent de la lutte des patriotes pour conquérir leur indépendance. Haïssant l'Angleterre, aimant la liberté, enthousiaste, brûlant de sortir de l'oisiveté où il se trouvait, il sourit à l'idée de prendre part à ce mouvement d'émancipation et de se battre avec ces Français d'Amérique contre l'Angleterre.

Il partit, alla rejoindre Nelson à Rouse's-Point, et, le 8, il était à Odelltown, commandant l'une des colonnes d'attaque et remplissant les fonctions de général. Il se battit en brave, toujours en avant, encourageant par son exemple les patriotes et criant à ceux qui hésitaient : « Courage, mes amis, les balles ne vous feront pas plus de mal qu'à moi. »

C'est lui qui, après la bataille, conduisit à Napierville la poignée d'hommes qui lui restait. Là on tint conseil et on décida que chacun devait chercher son salut dans la fuite.

Hindelang partit pour les États-Unis à travers les bois avec une quinzaine d'autres patriotes. Après avoir marché toute la nuit, la petite bande se trouva le matin presqu'au même endroit. Hindelang, accablé de fatigue, pouvant à peine marcher, se décida tout à coup à se livrer aux autorités, et se fit en effet arrêter par deux sentinelles. Conduit à la prison de Montréal, il subit son procès, seul, le 22 janvier, et fut condamné, le même jour, à être pendu. Mais il ne fut exécuté que trois semaines plus tard, le 15 février, en même temps que de Lorimier, Narbonne, Daunais et Nicolas.

Moins sérieux et moins chrétien que de Lorimier, cherchant à s'étourdir, il montra jusqu'au dernier moment la plus grande insouciance, et cacha sous une gaieté bruyante les émotions qu'il éprouvait, surtout lorsqu'il pensait à sa vieille mère.

La veille de l'exécution, les prisonniers obtinrent la permission de donner un banquet à leurs infortunés compatriotes. C'était le souper des Girondins. On mangea peu à ce souper, les cœurs étaient trop serrés, mais la scène fut émouvante. Au dessert, l'héroïque de Lorimier proposa le toast suivant :

« Ma patrie – puisse-t-elle ne jamais oublier que nous sommes morts pour elle sur l'échafaud ! Nous avons vécu en patriotes et nous mourrons en patriotes ! À bas les tyrans ! Leur règne achève. »

Hindelang, ayant été appelé à répondre à ce toast, fit un discours pathétique.

« Mes frères, par l'infortune, dit-il, je suis presque un étranger pour vous, nos relations ne datent que de quelques semaines ; c'est au camp de Napierville et sur le champ de bataille d'Odelltown que je vous ai connus la plupart. Mais notre attachement n'en est pas moins profond, car nous sommes liés par le même amour de la liberté, et nous sommes les enfants de la même mère, la France ! Ô France chérie, tu as reçu mon premier soupir, ton fils qui va mourir demain sur une terre étrangère, t'aime toujours ! Oui, je ne puis penser à toi, ma noble patrie, sans verser une larme, mais une larme d'affection. Adieu ! terre des braves et des héros ! Je ne t'ai pas déshonorée. J'ai été fidèle à la devise d'un Français : « La mort plutôt que le déshonneur ! » J'ai pris les armes en faveur de l'opprimé contre l'oppresseur. J'ai été vaincu et je suis tombé entre les mains de cruels ennemis ; ils pourront m'enlever la vie, mais jamais ce qu'il y a dans mon âme. Je meurs dévoué comme toujours à la cause sacrée de la liberté, la conscience tranquille, convaincu d'avoir fait mon devoir en combattant pour la liberté canadienne. »

Puis, après une tirade enflammée contre l'Angleterre et un appel à la vengeance, il redevint plus calme, parla de sa mère avec tendresse et termina dans les termes suivants :

« Mon Dieu ! donnez à ma mère infortunée le courage dont elle aura besoin pour apprendre la nouvelle de la triste mort de son fils. Mes amis, vous lui écrirez, n'est-ce pas ? Vous lui direz combien j'ai été résigné à mon sort ; vous lui direz que je suis mort en Français. Mais il est temps de finir ; j'ai déjà trop parlé, vu les circonstances dans lesquelles nous sommes placés. Avant de terminer, laissez-moi vous dire que la liberté de votre pays ne peut être payée trop cher et que je lui sacrifie ma vie sans regret. »

Se tournant vers ceux qui devaient périr avec lui sur l'échafaud, il ajouta :

« Ô mes amis ! braves compagnons d'infortune, demain sera un jour de chagrin non pas pour nous, mais pour nos amis. Prenons courage en songeant que nos noms seront gravés en lettres d'or sur l'autel de la liberté. Ô Canada ! puisse au moins notre mort te délivrer de l'esclavage ! C'est le vœu de celui qui demain va mourir pour toi. Un jour viendra où tes fils se souviendront, dans les jours de fête, que Charles Hindelang, un étranger, mourut martyr pour eux et victime de la vengeance anglaise. »

Lorsqu'Hindelang cessa de parler, tous ceux qui étaient présents pleuraient, sanglotaient. Des officiers anglais et des journalistes qui avaient voulu assister par curiosité à ce banquet mortuaire, ne purent contenir leur émotion.

Il fallut se séparer, la nuit approchait, et le lendemain, le terrible lendemain n'était pas loin.

Lettres écrites par Hindelang, la veille et le jour de son exécution.

« Prison de Montréal,
« 14 février 1839.

« *Mon cher baron,*

« Dans quelques heures, tout sera dit pour moi dans ce monde, nous venons de nous séparer. J'ai reçu ton dernier baiser de frère et d'ami et l'envie de bavarder me tient encore. Causons donc.

« C'est une chose vraiment plaisante que la manière d'agir de ceux qui se croient les maîtres du pays. L'on vient de me dire que les officiers de service à la prison, en nous trouvant à table ont fait grand cas de mon courage. Cela ne m'étonne pas, car c'est un champ de bataille sur lequel ces messieurs les Anglais aiment mieux tomber, que retraiter. Mais cependant il faut leur rendre justice ; les volontaires loyaux ont encore sur eux un grand avantage ; à la même valeur ils joignent un talent de première force en narration. Je te renverrai pour les preuves à la magnifique histoire de la bataille d'Odelltown pour le lieutenant-colonel Taylor. Il faut un vrai toupet de volontaire pour oser mentir si agréablement ; ils ont la réputation de forfanteurs dans ce régiment-là, M. Taylor y mérite mieux que le grade de colonel. Il est plaisant de l'entendre raconter de quelle manière ses frères soldats se sont acquittés de leur devoir ; ce cher colonel a fait un beau rêve et les charges brillantes de ses hommes n'ont pas usé leurs souliers. Nous sommes partis de Napierville cinq à six cents, et comme il est probable qu'il est doué de la double vue, il en compte neuf à onze cents. Quelques hommes seulement sont bravement sortis de leur maison de pierre, et je certifie que le seul McAllister s'est exposé parmi toute cette armée d'officiers ; lui et cinq de ses gens ont appris à leurs dépens qu'il y avait aussi des hommes parmi les Canadiens. C'est vraiment honteux pour un homme d'oser se vanter à si peu de frais.

« En définitive, la masse des volontaires n'est qu'un composé de meurt-de-faim, qui crient "vive la reine ", parce qu'il faut qu'ils mangent.

« Montrez-vous, Canadiens, et ces êtres-là rentreront sous terre.

« Je serais curieux de voir aux trousses de tous ces gueux-là quelques centaines de ces hommes de cœur, comme nous en connaissons et comme il y en a tant en ce pays ; oh ! qu'ils veuillent donc une fois et tout ira bien.

« Je ne puis écrire, mes pensées se multiplient et ne peuvent s'accorder. Ce que je puis dire seulement, c'est que demain matin nous devons servir de spectacle à ces gredins-là et que j'ai bonne envie de leur rire au nez.

« Je meurs content et j'emporte la douce satisfaction d'avoir fait ce que j'ai pu. L'on me prend pour servir d'exemple, dit-on, je le souhaite ; que chaque étranger y apporte autant de bonne volonté que moi, et les penseurs seront les pendus, chacun son tour ; c'est Juste !

« Baron, si jamais il te tombe sous la main un de ces habits rouges, fais lui prendre le même chemin, afin qu'il m'apporte de tes nouvelles ; mais souviens-toi que je suis général et qu'il me faut quelque chose de bien, au moins un colonel, sans cela, je te le renvoie.

« À force de dire des bêtises, on se lasse ; il est minuit, et à neuf heures il faut partir, adieu ! Je sais qu'il te fallait une lettre sérieuse ; mais à l'impossible nul n'est tenu ; je ne puis ; la soirée a été trop orageuse.

« Déchire tout cela et n'en parle plus. Je me réveille et recommence avec l'espoir de mieux faire.

« Chs Hindelang. »

« Prison de Montréal, 15 février 1839,
5 heures du matin.

« *Cher baron,*

« Avant que la vengeance et la cruauté aient tout à fait détruit les pensées d'un homme qui méprise ces deux sentiments et les laisse à ses bourreaux, je veux te communiquer encore ma manière de voir quoique tu la connaisses. Il est certaines gens qui savent se comprendre, il suffit pour cela d'un coup d'œil et d'un mot.

« La potence réclame sa proie ; – c'est une main anglaise qui l'a dressée.

« – Nation cruelle et sauvage, êtres arrogants et sans générosité, en rappelant dans ce malheureux pays, en surpassant même en atrocité les siècles de la Barbarie, que n'en avez-vous aussi conservé les usages ? Il manque encore quelque chose à votre joie – la torture ! Ah si vous l'aviez ! N'êtes vous pas les maîtres ? Que craignez-vous donc ? Un forfait de plus ne doit rien coûter à des âmes comme les vôtres ? Je ris de votre potence, je rirai de vos efforts à tourmenter vos victimes ! Liberté, liberté, qu'il serait beau de souffrir pour toi, qu'il serait beau de faire comprendre aux Canadiens, tout ce que tes amants reçoivent de force et de courage en te servant !

« Réveille-toi donc, Canadien, n'entends-tu pas la voix de tes frères qui t'appellent ? Cette voix sort du tombeau, elle ne te demande pas vengeance, mais elle te crie d'être libre, il te suffit de vouloir. Arrière, Anglais, arrière, cette terre que vous foulez, vous l'avez baignée d'un sang généreux, elle ne veut plus te porter, race maudite, ton règne est passé ! Puis quand ils se réveilleront mes bons Canadiens, tu seras avec eux, baron, tu les aideras, et moi je te bénirai, toi et tous ceux qui feront comme toi.

« Et toi, France, tes généreux enfants n'ont-ils pas encore compris qu'ils ont ici des frères ? Rappelle toute ta haine si bien méritée contre les Anglais, s'ils le pouvaient eux, ils ne t'épargneraient pas !

« Adieu ! cher baron, adieu ! mon digne ami, pour toi je ne meurs pas tout entier, je vivrai dans ton cœur, comme dans celui de tant de généreux amis. Non, non la mort n'a rien d'affreux, quand elle laisse derrière elle de longs et glorieux souvenirs. Mon corps aux bourreaux, mais mes pensées et mon cœur appartiennent à ma famille et à mes amis...

« Sois homme et n'oublie jamais un de tes bons et vrais camarades.

« Chs Hindelang. »

Hindelang était occupé à écrire une copie du discours qu'il voulait prononcer sur l'échafaud, quand on entra dans sa cellule, vers huit heures du matin, pour lui demander s'il était prêt.

—Oui, répondit-il, je suis prêt, accomplissez votre œuvre infâme.

Il était agité, nerveux. Il le fut encore davantage quand le bourreau lui lia les mains. Lorsqu'il sortit de sa cellule, il aperçut le noble, le généreux de Lorimier qui lui cria :

—Courage, mon ami, ce sera bientôt fini.

Hindelang, reprenant son sang-froid, répondit.

—La mort n'est rien pour un Français.

Les prisonniers étaient accourus dire adieu à leurs malheureux amis. Quel spectacle déchirant ! On arracha les condamnés aux embrassements, aux étreintes désespérées de leurs compagnons, et on leur donna ordre de se diriger vers l'échafaud. De Lorimier marchait en tête suivi d'Hindelang, Nicolas, Narbonne et Daunais.

Une foule considérable se pressait autour des murs de la prison pour assister au lugubre spectacle. Il y avait dans cette foule des hommes qui pleuraient; d'autres – les scélérats! – riaient; leur vengeance était assouvie.

Rendu sur l'échafaud, Hindelang adressa à la multitude les paroles suivantes:

«Sur cet échafaud élevé par des mains anglaises je déclare que je meurs avec la conviction d'avoir rempli mon devoir. La sentence qui m'a condamné est injuste, mais je pardonne volontiers à ceux qui l'ont rendue. La cause pour laquelle je meurs est noble et grande; j'en suis fier et ne crains pas de mourir. Le sang versé pour elle sera racheté par le sang. Puissent les coupables en porter la responsabilité! Canadiens, en vous disant adieu, je vous lègue la devise de la France: "Vive la liberté."»

Ces dernières paroles, prononcées d'une voix forte, agitèrent profondément la foule.

Un instant, après, tout était fini.

L'infortuné jeune homme avait, par son testament, donné son corps à son ami le Dr Vallée, à la condition que son cœur serait envoyé à sa mère, mais les autorités s'opposèrent à la réalisation de ce vœu, et les restes mortels d'Hindelang furent livrés à LeBlanc de Marconnay, qui les fit inhumer dans le cimetière protestant du faubourg Québec, de Montréal.

Le vœu qu'Hindelang formait avant de mourir a été exaucé. Son nom est inscrit sur nos monuments, dans les pages les plus glorieuses de notre histoire, il est gravé dans la mémoire du peuple. Toujours on se souviendra de ce généreux enfant de la vieille France, mort si jeune pour la liberté de notre pays, toujours le cri sublime qu'il nous a jeté du haut de l'échafaud retentira à nos oreilles et se répercutera de génération en génération.

DE LORIMIER

Marie-Thomas Chevalier de Lorimier descendait d'une noble famille française qui resta au Canada après la cession, et consentit même à accepter des emplois sous le gouvernement anglais.

Il naquit en 1805, à Montréal, eut des succès au collège, étudia la loi sous M. Ritchot et devint son associé, son ami et le protecteur de sa famille. En 1832, il épousait Mlle Henriette Cadieux, fille aînée de M. Cadieux, l'un des notaires les plus estimés de Montréal.

Nous pourrions répéter ce que nous avons dit de Cardinal : il avait tout ce qu'il faut pour aimer la vie, pour être heureux.

Tout lui souriait. Pas une ombre ne paraissait planer sur son avenir. Mais des natures chevaleresques comme celle de de Lorimier, des caractères aussi généreux, aussi ardents, des âmes aussi susceptibles de dévouement pour le triomphe d'une grande idée, d'un noble sentiment, sont toujours en danger.

De Lorimier était de cette éternelle famille des martyrs qui meurt, depuis que le monde existe, pour toutes les saintes causes, la religion, la patrie, la liberté, le bonheur et le progrès de l'humanité.

Il n'aurait pu, l'eut-il voulu, s'empêcher de prendre part à la lutte que la Chambre d'assemblée soutenait contre une bureaucratie violente et tyrannique. Présent à toutes les assemblées, toujours au premier rang dans les élections, les discours de Papineau l'exaltaient, les propositions les plus énergiques avaient son approbation. Dans l'élection du quartier ouest de Montréal en 1832, élection où les bâtons, les pierres et les balles jouèrent un si grand rôle, de Lorimier fut un des partisans les plus enthousiastes et les plus utiles du candidat des patriotes, M. Tracey. Plus d'une fois sa vie fut en danger, un jour une balle brisa le manche du parapluie qu'il portait à la main. Il prit encore une part encore plus active aux élections générales de 1834 en faveur des candidats qui approuvaient les 92 *résolutions*.

Nommé secrétaire de presque toutes les assemblées qui précédèrent l'insurrection et du comité central chargé de surveiller les actes du gouvernement et de diriger les comités de la campagne, il déploya une grande activité et un esprit remarquable d'organisation. Santé, repos, clientèle et fortune, il sacrifia tout à la cause libérale. Dans la bagarre qui eut lieu entre le *Doric Club* et les Fils de la liberté, il se conduisit bravement et reçut une balle dans la cuisse.

Lorsque les mandats d'arrestation furent émis, il s'en alla dans le comté des Deux-Montagnes se mettre sous les ordres de Chénier pour organiser la résistance. Il était à Saint-Eustache, le 14 décembre, mais voyant que la résistance était inutile, il fut un de ceux qui conseillèrent à Chénier de mettre bas les armes. Quand il vit que ses instances étaient inutiles, il partit pour Saint-Benoît, et de là se dirigea vers les États-Unis en passant par Trois-Rivières.

Il était l'un des chefs de l'expédition du 27 février que les autorités américaines firent avorter en arrêtant les armes et les munitions des patriotes. Il retourna a Plattsburgh où sa femme alla le rejoindre et vécut avec lui jusqu'au mois d'août.

Il rentra plusieurs fois dans le pays pour visiter les patriotes des Deux-Montagnes et de Beauharnois et préparer le mouvement du mois de novembre 1838. Personne plus que lui n'était convaincu du succès de ce mouvement, personne ne croyait avec plus d'enthousiasme à la réalisation du beau rêve qui lui faisait entrevoir l'indépendance du pays. Il communiquait aux autres sa confiance et leur inspirait l'ardeur qui l'animait.

Il était à Beauharnois, le 3 novembre, lorsque les bureaucrates de ce village furent arrêtés et que les patriotes s'emparèrent du bateau à vapeur *Brougham*. Il passa plusieurs jours au camp Baker où les patriotes reçurent l'ordre de se concentrer à Napierville. Mais rendus à Lapigeonnière, ils apprirent la défaite de Robert Nelson, à Odelltown, et décidèrent de se disperser. Les uns retournèrent à Beauharnois et les autres, sous la conduite de de Lorimier, se dirigèrent vers les États-Unis.

Près de la frontière, de Lorimier et ses compagnons passèrent à une portée de fusil d'un corps de garde qui tira sur eux. De Lorimier, au lieu de continuer son chemin avec les autres, eut la malheureuse pensée de revenir sur ses pas, il s'égara et fut arrêté, le matin du 12 novembre. Conduit à pied à Napierville et de là à la prison de Montréal, il comparaissait devant la cour martiale, le 11 novembre, avec les chefs du soulèvement de Beauharnois. C'étaient: Jean-Bte Brien, médecin; Ignace-Gabriel Chevrefils, cultivateur; Louis Dumouchel, hôtelier, de Sainte-Martine; Toussaint Rochon, voiturier, et Jacques Goyette, tous deux de Saint-Clément; F.-X. Prieur, marchand, de Saint-Timothée; Joseph Watier, de Soulanges; Jean Laberge, charpentier, et F.-X. Touchette, de Sainte-Martine.

Le procès dura du 11 au 20; pendant neuf jours, les patriotes furent sur la sellette, au pilori, en butte à la mauvaise volonté des juges, à la vengeance des témoins, à la haine et au mépris de tous ceux qui les entouraient. Tous les matins, quand ils arrivaient à la cour, et, le soir, quand ils partaient, une foule de fanatiques enragés les accueillaient par des hurlements de bouledogues et des vociférations de cannibales

C'est à de Lorimier qu'on en voulait surtout, c'est sur lui qu'on s'acharna pour le faire trouver coupable. Le juge-avocat, M. Day, le prit à partie, dans son adresse à la cour martiale, et le représenta comme un homme des plus dangereux, l'un des fauteurs de la rébellion, celui qui méritait le plus de mourir sur l'échafaud.

Les journaux bureaucrates annoncèrent avec plaisir que de Lorimier serait condamné. Ils ne se trompèrent pas. Tous les accusés furent condamnés à mort, mais de Lorimier seul fut exécuté.

Le 12 février, pendant la soirée, les condamnés qui, depuis trois semaines, s'attendaient tous les jours à ce qu'on les avertit de se préparer à monter sur l'échafaud, apprirent que les autorités avaient fait une commande de sept cercueils. Il y en aurait donc sept d'exécutés, les sept premiers sur la liste, savoir: de Lorimier, Brien, Dumouchel, Rochon, F.-X. Prieur, Wattier et Laberge.

Quoique habitués à l'idée de mourir sur l'échafaud, les prisonniers dormirent mal dans la nuit du 12 au 13. Ces cercueils leur firent faire de mauvais rêves.

Le lendemain, à 3 heures, ils apprirent que les juges-avocats venaient d'entrer au bureau du geôlier pour signifier aux victimes choisies que le jour de l'exécution était fixé au vendredi suivant. On était au mercredi; l'avis était court.

Nous croyons devoir laisser maintenant M. Prieur raconter le dernier acte de ce drame émouvant:

«Quelques instants après, la porte de notre prison s'ouvrit et le geôlier, s'arrêtant au milieu de la porte ouverte par son aide, appela:

«–Charles Hindelang!»

«Environ dix minutes après, la porte s'ouvrit de nouveau et le geôlier appela:

«–Chevalier de Lorimier!»

Celui-ci sortit avec les gardiens et la porte se referma une seconde fois.

«Une troisième fois, la porte s'ouvrit. J'étais occupé au fond de la salle à faire cuire quelque chose dans une casserole, je m'entendis appeler. Laissant là mon ustensile, je me rendis auprès du geôlier, en disant à mes compagnons:

«–C'est mon tour! mais le geôlier me dit en anglais:

«Ce n'est pas vous que j'ai appelé, c'est M. Lepailleur, et c'est simplement pour lui remettre des provisions que lui envoient ses parents.

«Nos deux malheureux compagnons, de Lorimier et Hindelang, revinrent bientôt vers nous, et nous dirent, en entrant dans le groupe que nous avions formé pour les recevoir:

«–Réjouissez-vous, nous sommes les deux seules victimes choisies dans cette section; mais il y en a trois prises dans les autres parties de la prison, ce sont Rémi Narbonne, François Nicolas et Amable Daunais.

« Il y avait, en ce moment, au milieu de nous, deux dames parentes de l'infortuné de Lorimier, sa sœur et sa cousine, accompagnées d'un monsieur de la famille ; ces pauvres dames fondaient en larmes. La victime les consolait par des paroles angéliques, pleines de foi et de résignation :

« — Mon sacrifice est fait, disait-il, et j'ai l'espoir d'aller voir mon Dieu ; une seule chose assombrit mes derniers moments, c'est la pensée du dénuement de ma femme et de mes enfants ; mais je les confie à la divine Providence.

« Vers six heures du soir, les guichetiers vinrent nous dire qu'il fallait entrer dans nos cachots. Nos visiteurs se retirèrent alors, la douleur dans le cœur. J'ai déjà dit que nous étions deux par deux. Le compagnon de cachot de de Lorimier avait été, jusque là, le Dr Brien ; dans ce moment, celui-ci vint me prier de vouloir bien changer de cellule, disant qu'il ne se sentait pas la force de partager le cachot de la victime.

« Ah ! c'est que, voyez-vous, il y avait un remords dans la conscience de ce malheureux qui avait obtenu un demi-pardon au prix honteux de la délation, comme nous l'apprîmes plus tard. On conçoit, en effet, quel voisinage ce devait être pour lui que celui de l'homme qui allait mourir victime de sa trahison.

« Je devins donc le compagnon de cellule de Chevalier de Lorimier. Le soir, son confesseur vint le voir et demeura seul avec lui pendant une heure, durant laquelle je me retirai dans le corridor. En sortant de ce sublime tête-à-tête du chrétien repentant avec l'homme du pardon, de Lorimier était calme, sa figure semblait même respirer une douce gaieté.

Nous fûmes de nouveau renfermés ensemble ; je priai avec lui une partie de la nuit, puis nous nous endormîmes paisiblement l'un à côté de l'autre.

« Le matin, je le trouvai tranquille et reposé ; il pria longtemps, puis il me parla longuement de sa femme et de ses enfants ; il les confiait à la Providence. C'est à peine si je pouvais répondre à sa parole si touchante, si résignée, si chrétienne, tant l'émotion me dominait.

« Lorsque les cellules furent ouvertes, le matin, à l'heure ordinaire de dix heures, tous les regards se tournèrent, avec un intérêt mêlé de tristesse, vers les deux victimes que le jeune Guillaume Lévesque, compagnon de cachot d'Hindelang, et moi compagnon de de Lorimier, conduisîmes par le bras vers les groupes discrètement formés de nos camarades d'infortune. De Lorimier était résigné et digne, Hindelang, courageux et bruyant. Je préparai quelque chose pour notre déjeuner ; mais de Lorimier mangea peu. Il se promenait d'un pas mesuré dans le corridor, et souvent nous parlait de sa femme qui devait le venir visiter dans l'après-midi ; il redoutait cette entrevue pour son infortunée compagne.

« Vers les trois heures de l'après-midi, Mme de Lorimier, accompagnée de la sœur et de la cousine de son mari, et conduite par un M. de Lorimier, cousin du condamné, entrèrent dans notre cellule. Mme de Lorimier portait sur sa figure une expression de douleur à fendre le cœur, mais elle ne pleurait pas ; ses deux compagnes fondaient en larmes.

« Nous avions pris des arrangements pour donner à nos deux malheureux amis, un dîner d'adieu. La table, chargée de mets préparés, sur notre ordre, par le geôlier, avait été placée dans une pièce située près de la porte et qui donnait sur le corridor. À quatre heures, on se mit à table. Hindelang présidait au banquet. De Lorimier n'occupa pas le siège qui lui était réservé ; mais il vint prendre avec nous un verre de vin. Pendant le repas, il se promenait dans le corridor ayant Mme de Lorimier au bras ; les autres membres de sa famille occupaient des sièges, tantôt dans sa cellule, tantôt dans le corridor. Les dames, de temps à autre, prodiguaient à la malheureuse épouse des paroles de consolation.

« Il régnait à notre table une certaine gaieté triste qu'Hindelang, pour sa part, rendait parfois bruyante. Pendant ces instants de récréation, furent admis, par les autorités de la prison, six curieux, parmi lesquels, me dit-on, se trouvait le rédacteur du journal *The Herald* ; ils se tinrent en dedans, près de la porte, visiblement étonnés de l'aspect de cette scène. Après s'être fait indiquer ceux qui devaient, le lendemain monter sur l'échafaud, ils se retirèrent sans mot dire.

« Un instant après, on vint nous dire que Mme de Lorimier venait de perdre connaissance ; elle gisait, en ce moment, dans un état de complet évanouissement, dans le cachot de son mari.

« Le confesseur de de Lorimier vint, au commencement de la soirée, et passa quelque temps seul avec lui dans sa cellule ; puis il dit : « courage » aux deux victimes, offrit quelques paroles de consolation à Mme de Lorimier, et prit congé de tous.

« On nous avaient laissés, les deux condamnés, M. Lévesque et moi, en dehors de nos cellules plus longtemps que d'ordinaire ; à dix heures le geôlier vint nous dire qu'il fallait entrer. C'était le moment que ce pauvre de Lorimier redoutait tant, et que nous aussi, nous voyions venir avec un déchirement de cœur. Quelques parents et amis étaient venus s'ajouter aux trois personnes de la famille qui accompagnaient Mme de Lorimier, et qui devaient être chargées de la pénible mais charitable mission de la reconduire en ville.

« La pauvre jeune femme allait donc dire à son mari un éternel adieu ! À la suite de bien des hésitations, de sanglots et de larmes, elle se jeta à son cou et s'évanouit de nouveau. De Lorimier la souleva dans ses bras et, la tenant comme un enfant qu'on va déposer dans son berceau, il se dirigea vers la porte, les yeux attachés sur cette figure agonisante de la compagne de sa vie. Arrivé sur le seuil, il déposa un baiser sur le front décoloré de sa femme, la remit entre les bras de ses parents, et leur recommanda d'en avoir tous les soins possibles et la porte se referma sur nous.

« De Lorimier me dit, en regagnant l'entrée de notre cachot :

« – Le plus fort coup est donné !... Il était ferme, mais pâle comme la mort.

« Il passa une partie de la nuit en prières et à écrire une lettre qui était comme son testament politique ; puis il se coucha. Je veillai près de lui ; il dormit à peu près trois heures fort tranquillement.

« Vers les sept heures (vendredi 15 février 1839), son confesseur arriva ; il venait lui apporter le Saint-Viatique et devait attendre pour l'accompagner à l'échafaud. Le condamné reçut la divine communion avec ferveur dans son cachot, où il demeura jusqu'à huit heures, en actions de grâces avec son confesseur. Le temps était venu pour de Lorimier de se préparer à marcher au supplice ; le prêtre se retira pour quelque temps. Ce fut moi qui aidai mon malheureux ami à faire sa toilette de victime... Comme je lui fixais au cou une petite cravate blanche, il me dit :

« –Laissez l'espace nécessaire pour placer la corde.

« Les larmes me partirent en torrents des yeux.

« Aussitôt que sa toilette fut terminée, de Lorimier sortit du cachot, et s'adressant à tous les prisonniers leur demanda de dire en commun la prière du matin. Ce fut lui-même qui la fit d'une voix haute, ferme et bien accentuée. À l'invitation de de Lorimier, Hindelang, qui jusque-là était resté dans sa cellule, en sortit et se joignit à nous, pour assister à la prière ; il ne se mit pas à genoux comme les autres, mais il se tint, tout le temps, debout, la tête inclinée en avant et les mains jointes sur la poitrine. Oh ! comme nous le plaignîmes alors, et comme nous remerciâmes Dieu de nous avoir fait la grâce d'appartenir à son Église sainte !

« À la suite de la prière, les deux condamnés prirent une tasse de café.

« J'avais demandé à nos infortunés amis de me laisser comme souvenir quelque chose venant directement d'eux, ce fut alors que chacun me remit une mèche de ses cheveux ; ceux de de Lorimier étaient contenus dans un billet dont voici la copie :

« *Prison de Montréal, 15 février 1839.*

« Cher Prieur,

« Vous me demandez un mot pour souvenir. Cher ami, que voulez-vous que je vous écrive, je pars pour l'échafaud. Soyez courageux et je meurs votre ami.

« Adieu,

« Chevalier de Lorimier. »

« À huit heures trois quarts environ, le geôlier, accompagné de quelques officiers militaires, de plusieurs soldats et d'un bon nombre de curieux, vint chercher les deux victimes. De Lorimier, en voyant apparaître ce cortège, dit au geôlier, d'une voix ferme : « Je suis prêt ! » Il m'embrassa, salua tous les amis, auxquels il avait déjà dit adieu, et partit avec son compagnon Hindelang. »

« De grands efforts avaient été faits pour sauver de Lorimier. Tout avait échoué.

« De Lorimier avait adressé au gouverneur Colborne une requête lui demandant de retarder au moins de quelques jours l'exécution de sa sentence, afin de lui permettre de régler certaines affaires importantes qui lui avaient été confiées en sa qualité de notaire. Il disait, dans cette requête, que plusieurs riches familles avaient mis entre ses mains l'avenir de leur fortune, et qu'il ne voulait pas mourir sans justifier la confiance qu'elles avaient mise en lui.

« Ce n'est pas un pardon que je demande, disait-il, je sais que je ne puis y compter, c'est un répit, un délai « de quelques jours. J'ai fait le sacrifice de ma vie, j'ai fait ma paix avec mon créateur et je suis prêt à paraître devant mon Dieu. Mais averti hier seulement que je n'avais plus que trois jours à vivre, je n'ai pas le temps de régler mes affaires, et cette pensée est la seule qui trouble ma conscience et mon esprit. Que Votre Excellence remette au jour qu'il lui plaira l'exécution de ma sentence, et je mourrai content et convaincu que je « pars pour un monde meilleur où la tyrannie n'est pas connue. »

« Mme de Lorimier avait, elle aussi, adressé au farouche gouverneur une requête à laquelle il ne répondit pas. Elle disait, dans cette requête écrite en termes touchants, que l'affection qu'elle portait à son mari infortuné et l'intérêt de ses trois pauvres petits enfants, dont l'aîné n'avait que quatre ans, l'engageait à s'adresser à Son Excellence pour implorer sa pitié et sa miséricorde.

« Votre Requérante, disait-elle, n'avait pour vivre et supporter ses pauvres petits enfants que le produit du travail et de la profession de leur père ; elle ne peut, sans la plus grande anxiété penser au moment fatal où elle sera laissée seule sans aucuns moyens d'existence.

« Votre Requérante n'a pas l'intention de faire l'éloge des vertus de son mari, de parler des services que sa famille a rendus au gouvernement anglais pendant longtemps ; c'est comme épouse et comme mère qu'elle s'adresse à Votre Excellence, au moment où elle est menacée de perdre celui pour lequel elle a une affection dont ses paroles ne peuvent donner l'idée. »

« De Lorimier monta sur l'échafaud d'un pas ferme et ne donna jusqu'au dernier moment aucun signe de faiblesse. Lorsque Hindelang prononça le discours qu'il termina par le cri de "Vive la liberté !", de Lorimier sourit plusieurs fois et approuva de la tête les paroles enthousiastes de son compagnon d'infortune.

« Hindelang avait à peine fini de parler que le signal était donné, et la trappe tombait.

« De Lorimier avait cessé de vivre. La patrie avait perdu l'un de ses plus nobles, de ses plus généreux enfants, un homme dont le nom vivra et sera honoré aussi longtemps qu'il y aura dans le cœur des Canadiens français le sentiment de l'honneur, du patriotisme et de l'amour de la liberté. Le jour où notre population aura cessé d'admirer ce qu'il y avait de grand, de sublime dans l'âme de de Lorimier, elle ne méritera plus de vivre.

Dernières paroles et dernières volontés de de Lorimier.

Ayant appris qu'un de ses amis avait préparé pour ses restes mortels une tombe, dans un endroit du cimetière qui lui appartenait, il lui écrivit :

«Prison de Montréal,
«15 février 1839, à 4 hrs.

«Mon cher ami,

«Je n'ai plus que quelques instants à vivre; dans cinq heures, je monterai sur l'échafaud. J'ai encore un devoir précieux à remplir, c'est celui de la reconnaissance. Je suis plus calme que jamais. La seule chose qui m'attriste est de laisser ma famille dénuée de tout. Pourquoi me plaindre pour moi personnellement de ce qui arrive ? Mon pays me connaît, et j'ai la consolation, en mourant, de savoir que j'ai l'estime et l'approbation de mes compatriotes. Cette pensée remplit mon cœur de joie. On me condamne à mourir sur l'échafaud, mais mourir d'une façon ou de l'autre, par la corde, le feu, l'épée ou la guillotine, quelle est la différence ? Ce n'est pas le mode de mort, l'instrument du supplice qui crée le déshonneur.

«Je vous prie, mon cher ami, d'accepter mes plus sincères remerciements pour la faveur que vous êtes à la veille de faire à mes restes inanimés après qu'ils auront été descendus de l'échafaud, et veuillez croire que je serai jusqu'à mon dernier soupir,

«Votre ami infortuné. – Adieu.

«Chevalier de Lorimier.»

Lettre écrite par de Lorimier à sa femme, le matin de son exécution, et trouvée sur son cœur, après sa mort.

« Prison de Montréal, 15 février 1839,
à 7 heures du matin.

« Ma chère et bien-aimée femme,

« À la veille de quitter mon lugubre cachot pour monter sur l'échafaud déjà rougi du sang des nobles victimes qui m'ont précédé, mon cœur et le devoir m'engagent à t'écrire un mot, avant de paraître devant Dieu, le juge suprême de mon âme. Dans le peu de temps qui s'est écoulé depuis le jour de notre union sacrée jusqu'à ce jour, tu m'as rendu, ma chère femme, vraiment heureux. Ta conduite envers moi a toujours été irréprochable et dictée par l'amitié, la bonté et la sincérité.

« J'ai toujours su apprécier tes vertus. Aujourd'hui même des hommes altérés de sang, m'arrachent à tes bras ; mais ils ne réussiront jamais à effacer mon souvenir de ton cœur, j'en suis convaincu. Ils t'enlèvent ton appui et ton protecteur et le père de tes chers pauvres petits enfants. La Providence et des amis de mon pays en auront soin. Ils ne m'ont même pas donné le temps de voir mes chères petites filles, de les presser sur mon cœur et de leur dire un éternel adieu. Ô cruelle pensée ! Cependant je leur pardonne de tout mon cœur.

« Quant à toi, ma chère, tu dois prendre courage et te pénétrer de la pensée qu'il faut que tu vives pour l'amour de tes enfants infortunés qui auront grandement besoin des soins d'une mère tendre et dévouée. Pauvres enfants ! Ils n'auront plus mes caresses et mes soins.

« Je t'assure, ma chère Henriette, que si des régions célestes, il m'est permis de veiller sur toi et de t'aider, je fortifierai ton cœur brisé. Mes chers petits enfants seront privés de mes caresses, mais tu leur donneras doublement les tiennes afin qu'ils ressentent moins la perte qu'ils auront faite. Je ne te verrai plus dans ce monde. Oh! quelle pensée! Mais toi, ma chère Henriette, tu pourras me voir encore une fois, mais alors mon corps sera froid, inanimé, défiguré. Je finis, ma chère Henriette, en offrant à Dieu les prières les plus sincères pour ton bonheur et celui de mes chers petits enfants. Hier soir, tu as reçu mes derniers embrassements, mes adieux éternels; cependant du fond de mon cachot humide et sinistre, au milieu des appareils de la mort, je sens le besoin de te dire un dernier, dernier adieu. Ton tendre et affectueux mari enchaîné comme un meurtrier, dont les mains seront bientôt liées, te souhaite, ma chère Henriette, de jouir de tout le bonheur dont ton cœur brisé sera susceptible à l'avenir.

« Sois donc heureuse, ma chère et pauvre femme ainsi que mes chers petits enfants, c'est le vœu le plus ardent de mon âme. – Adieu, ma tendre femme, encore une fois adieu; vis et sois heureuse.

« Ton malheureux mari,

« Chevalier de Lorimier. »

Lettre de de Lorimier à M. Trefflé Cherrier.

« Prison de Montréal, 15 février 1839,
à 6 $^3/_4$ heures du matin.

« Mon cher Trefflé,

« Vous m'avez demandé un mot, je vous l'ai promis, je ne puis manquer à ma parole. Je l'ai respectée en tous lieux, cher ami; avant de mourir, je vous prie de penser à moi ainsi qu'à ma famille qui va perdre son protecteur et son appui. Veillez sur leur sort, c'est la prière de votre ami sincère qui va périr sur l'échafaud pour la cause commune de notre patrie.

« Adieu pour toujours,
« Chevalier de Lorimier. »

Testament politique de de Lorimier écrit la veille de son exécution.

« Prison de Montréal, 14 février 1839
à 11 heures du soir.

« Le public et mes amis en particulier, attendent, peut-être, une déclaration sincère de mes sentiments ; à l'heure fatale qui doit nous séparer de la terre, les opinions sont toujours regardées et reçues avec plus d'impartialité. L'homme chrétien se dépouille en ce moment du voile qui a obscurci beaucoup de ses actions, pour se laisser voir en plein jour ; l'intérêt et les passions expirent avec sa dépouille mortelle. Pour ma part, à la veille de rendre mon esprit à son créateur, je désire faire connaître ce que je ressens et ce que je pense. Je ne prendrais pas ce parti, si je ne craignais qu'on ne représentât mes sentiments sous un faux jour ; on sait que le mort ne parle plus, et la même raison d'état qui me fait expier sur l'échafaud ma conduite politique pourrait bien forger des contes à mon sujet. J'ai le temps et le désir de prévenir de telles fabrications et je le fais d'une manière vraie et solennelle à mon heure dernière, non pas sur l'échafaud, environné d'une foule stupide et insatiable de sang, mais dans le silence et les réflexions du cachot. Je meurs sans remords, je ne désirais que le bien de mon pays dans l'insurrection et l'indépendance, mes vues et mes actions étaient sincères et n'ont été entachées d'aucun des crimes qui déshonorent l'humanité, et qui ne sont que trop communs dans l'effervescence de passions déchaînées. Depuis 17 à 18 ans, j'ai pris une part active dans presque tous les mouvements populaires, et toujours avec conviction et sincérité. Mes efforts ont été pour l'indépendance de mes compatriotes ; nous avons été malheureux jusqu'à ce jour. La mort à déjà décimé plusieurs de mes collaborateurs. Beaucoup gémissent dans les fers, un plus grand nombre sur la terre d'exil avec leurs propriétés détruites, leurs familles abandonnées sans ressources aux rigueurs d'un hiver canadien. Malgré tant d'infortune, mon cœur entretient encore du courage et des espérances pour l'avenir, mes amis et mes enfants verront de meilleurs jours, ils seront libres, un pressentiment certain, ma conscience tranquille me l'assurent. Voilà ce qui me remplit de joie, quand tout est désolation et douleur autour de moi. Les plaies de mon pays se cicatriseront après les malheurs de l'anarchie et d'une révolution sanglante. Le paisible canadien verra renaître la liberté sur le Saint-Laurent ; tout concourt à ce but, les exécutions mêmes, le sang et les larmes versés sur l'autel de la liberté arrosent aujourd'hui les racines de l'arbre qui fera flotter le drapeau marqué des deux étoiles des Canadas. Je laisse des enfants qui n'ont pour héritage que le souvenir de mes malheurs. Pauvres orphelins, c'est vous que je plains, c'est vous que la main ensanglantée et arbitraire de la loi martiale frappe par ma mort. Vous n'aurez pas connu les douceurs et les avantages d'embrasser votre père aux jours d'allégresse, aux jours de fêtes ! Quand votre raison vous permettra de réfléchir, vous verrez votre père qui a expié sur le gibet des actions qui ont immortalisé d'autres hommes plus heureux. Le crime de votre père est dans l'irréussite, si le succès eut accompagné ses tentatives, on eut honoré ses actions d'une mention honorable. "Le crime et non pas l'échafaud fait la honte." Des hommes, d'un mérite supérieur au mien, m'ont battu la triste voie qui me reste à parcourir de la prison obscure au gibet. Pauvres enfants! vous n'aurez plus qu'une mère tendre et désolée pour soutien; si ma mort et mes sacrifices vous réduisent à l'indigence, demandez quelque fois en mon nom, je ne fus jamais insensible aux malheurs de mes semblables. Quant à vous, compatriotes, mon exécution et celle de mes compatriotes d'échafaud vous seront utiles. Puissent-elles vous démontrer ce que vous devez attendre du gouvernement anglais!... Je n'ai plus que quelques heures à vivre, et j'ai voulu partager ce temps précieux entre mes devoirs religieux et ceux dus à mes compatriotes; pour eux je meurs sur le gibet de la mort infâme du meurtrier, pour eux je me sépare de mes jeunes enfants et de mon épouse sans autre appui, et pour eux je meurs en m'écriant: *Vive la liberté, vive l'indépendance!*

«Chevalier de Lorimier.»

Lettre de de Lorimier à sa sœur après son emprisonnement.

« Montréal, Prison Neuve, 20 décembre 1838.
« Ma chère sœur,

« Notre prison offre aujourd'hui un aspect terrible; immédiatement sous nos yeux les valets altérés de sang d'un gouvernement cruel et despotique s'occupent joyeusement à dresser l'échafaud sur lequel doivent d'abord périr deux de nos braves compatriotes qui seront suivis d'un plus grand nombre. Les deux infortunés et généreux patriotes qui doivent être sacrifiés demain, sont messieurs Joseph-Narcisse Cardinal, notaire public, et Joseph Duquet. François-Maurice Lepailleur et Maurice Thibert qui ont été condamnés dans le même temps, ont obtenu un sursis. Ils sont tous de Châteauguay. À chaque minute je m'attends à être séparé de mes compagnons de prison et d'être mis dans une autre pièce pour y attendre mon procès qui aura probablement lieu bientôt. L'échafaud dressé devant moi ne jette pas de terreur dans mon âme, car depuis longtemps je suis résigné à mon sort. La plate-forme est érigée au-dessus de la porte principale de la prison. On la peut voir de la rue près des grands arbres qui sont au sud. J'espère que lorsqu'arrivera le jour où le sanguinaire gouverneur ordonnera qu'on m'ôte la vie sur l'échafaud, toute ma famille et tous mes amis viendront me voir rendre le dernier soupir, ce que je ferai avec joie pour relever mon pays de sa dégradation politique actuelle. Je prends la liberté de les inviter dès maintenant; peut-être ne le pourrai-je pas plus tard. Je puis les assurer qu'ils n'auront pas lieu de craindre que je montre un signe de faiblesse, mais qu'au contraire ils me verront calme et serein, marcher avec courage vers ma tombe prématurément creusée. J'ai dit que depuis longtemps je suis préparé au sacrifice de ma vie; oui, de ma part le sacrifice est volontairement fait; mais il y en a un plus grand que je ne puis faire, et je crains de ne le pouvoir jamais, c'est d'avoir à abandonner une femme et des enfants que je chéris, que j'idolâtre et que j'estime mille fois plus que mon existence en ce monde. Comment puis-je volontairement renoncer à l'attachement qui me lie à eux ? c'est complètement impossible!!! Hélas! comment ma chère et bien-aimée Henriette va-t-elle recevoir le coup terrible qui l'attend ? Je souhaite, ma chère sœur, que vous essayiez tous les moyens de la consoler et de la porter à jeter le voile noir de l'oubli sur la mémoire d'un époux qui l'aimait si tendrement. Mais, Ô Dieu! que dis-je? Non, non, elle n'oubliera jamais son malheureux et tendre époux!! Non, non, elle gardera sacrée la mémoire de son compagnon bien-aimé. Mais que va-t-elle devenir, elle et mes chers petits enfants? Quel sera leur sort? Je vais les laisser sans fortune, sans protection? Qui les soutiendra? Ô Dieu! ces pensées rendent mon agonie terrible. À qui puis-je recommander ces tendres objets de mon amour? Ô mes compatriotes, je vous confie mes enfants. Je meurs pour la cause de mon pays, de votre pays; ne souffrez donc pas que ceux que je suis obligé de quitter, souffrent de la pauvreté après ma mort! C'est probablement ma chère sœur, la dernière fois que je pourrai vous écrire. Recevez donc, ma chère sœur, le dernier adieu de votre frère le plus affectionné et le plus infortuné. Mes tendres amitiés à tous mes amis Soyez tous heureux – conservez votre courage. Quant a moi, je suis calme et plein de force. Adieu pour toujours!

    « Votre tendre frère,

        « Chevalier de Lorimier. »

Le 12 février 1839, un mardi, M. de Lorimier reçut l'avis qu'il serait exécuté, le vendredi suivant, et écrivit à un de ses cousins, à Montréal, la lettre que voici :

    « Montréal, Prison Neuve, 12 février 1839.

    « Mon cher cousin et ami.

« Quelque pénible que soit pour moi l'obligation de vous faire connaître la triste nouvelle qui ma été annoncée aujourd'hui, je sens qu'il est de mon devoir de le faire sans hésitation. L'obligation dans laquelle vous m'avez mis par votre bonté et votre générosité et le souvenir des services que vous m'avez rendus me portent à vous faire connaître que ma fin est proche. Je m'acquitte d'un devoir, je le sais, qui va causer de la peine à votre cœur. M. Day, juge-avocat de la cour martiale, m'a dûment donné avis de me préparer à la mort pour vendredi prochain. Tous les efforts que vous avez faits pour arracher votre malheureux cousin au vil et odieux bourreau ont été vains. Mais à ce moment solennel de ma courte existence, je ne vous en suis pas moins reconnaissant de vos tentatives. Nous ne devons pas juger les choses d'après le succès ou le non succès qu'elles ont rencontré. Pour moi vous avez fait tout ce qui était en votre pouvoir, c'est ce que je considère, et ce pourquoi je vous prie d'accepter l'expression de ma plus vive reconnaissance. J'ai encore un service, allez sans délai, voir ma chère Henriette. C'est à vous qu'il convient de lui offrir les consolations qu'elle peut recevoir sur cette terre de malheur. Pauvre malheureuse femme ! De ma prison, il me semble voir son pauvre cœur brisé s'abandonner à la douleur et au désespoir. Mais à quoi serviront ses douleurs et ses larmes ? Mon sort est irrévocablement réglé. Ma mort est résolue et est très importante pour mes meurtriers. Il faut le mieux possible faire face à la mort. Plus un homme se montre faible, plus il trouve redoutables les horreurs de la mort. Est-ce que les hommes ne doivent pas tous mourir ? Je ne fais que ce que tous les hommes doivent faire un jour ou l'autre. Personne n'y peut échapper. Si ma mort arrive plus tôt que je n'étais en droit de l'attendre, c'est pour des motifs qui sont très honorables et dont je me glorifie. Je meurs, c'est un sacrifice sanglant à ma patrie. Je meurs martyr de la cause sacrée de la rédemption politique de mon cher pays ! Puisse la cause malheureuse retirer quelque bénéfice de ma mort violente ! ! Puissent les tyrans qui l'oppriment subir bientôt le sort cruel qu'ils infligent maintenant à des victimes comme Cardinal, Duquet, Hamelin, Robert et les deux Sanguinet et comme ceux qui le subiront avec moi vendredi prochain. Les motifs ont été honorables. Le ciel un jour ou l'autre couronnera nos efforts de succès ; et alors les tories hautains et oppresseurs quitteront ce malheureux pays pour toujours, et la paix régnera sur la terre fertile de mon pays bien-aimé. Ayez la bonté de présenter mon amitié constante, mon respect inaltérable à votre aimable femme. Quant à vous, mon cher cousin, vivez heureux et quelquefois pensez à un homme qui a été plus malheureux que coupable et qui a offert un sacrifice sanglant à son pays.

« Je demeure avec un tendre souvenir,

« Votre affectionné et votre fidèle ami

« Chevalier de Lorimier. »

Lettre écrite par de Lorimier à un ami.

« Montréal, Prison Neuve, 12 février 1839.

« Mon cher ami,

« Je n'ai plus que deux devoirs à remplir ; le premier c'est de me tenir prêt pour le long voyage de l'éternité, le second d'écrire à mes amis et de leur faire mes derniers adieux. Quand un homme est attaché à ce monde par des liens aussi forts que ceux qui m'y retiennent, il est bien dur pour lui de mourir avant sa fin naturelle. Mais le sacrifice n'est pas aussi pénible qu'on pourrait le croire, quand on n'a pas considéré sa mort très prochaine. Plus nous pensons que la mort est proche, moins nous trouvons dur de mourir, et plus nous nous sentons résignés à notre sort. Si beaucoup d'hommes craignent, c'est qu'ils n'ont pas sérieusement pensé à mourir. Pour moi, mon cher ami, je suis résigné à mon sort aussi cruel que peu mérité. Je suis ferme et tout à fait déterminé à mourir comme un homme qui sacrifie sa vie à une bonne cause. Je remercie le Ciel de m'avoir donné autant de courage. Je ne pouvais entreprendre ce long voyage vers l'éternité sans vous remercier des nombreux services que vous m'avez rendus. Permettez-moi, avant de vous quitter pour toujours, de vous assurer, que je vous ai toujours estimé comme un ami, et de vous exprimer aussi ma reconnaissance des secours que vous m'avez apportés durant mon malheureux emprisonnement. Puisse la Providence vous donner sur cette terre de misère une carrière longue et heureuse! Puissiez-vous voir le jour où le sort cruel des nombreux martyrs qu'a faits notre sanguinaire et barbare Gouverneur Sir John Colborne, aura sa complète revanche sur les coupables qui ont versé le sang innocent! Puissiez-vous prospérer autant que vous le méritez et vous rappeler quelquefois la mémoire de votre ami malheureux mort sur l'échafaud pour racheter son pays opprimé.

« Adieu pour toujours.

« Votre ami sincère et dévoué,

«Chevalier de Lorimier. »

Lettre écrite par de Lorimier à un ami qui avait montré beaucoup de bienveillance et d'égards à sa femme et à ses enfants pendant son emprisonnement.

« Montréal, Prison-Neuve, 14 février 1837,
10 heures a.m.

« Cher monsieur et estimable ami,

« Vous et votre femme m'avez témoigné tant de bienveillance pendant ma cruelle captivité, que je me sens très obligé envers vous. Ce que je ne pourrai surtout oublier, même au-delà de la tombe, c'est votre bonté pour ma malheureuse femme et mon fils chéri. Veuillez accepter mes plus sincères remerciements. Dans quelques heures je ne serai plus ! Mais je me flatte que j'emporterai avec moi dans l'autre vie un cœur que l'ingratitude n'aura jamais souillé. Vous avez été pour moi un ami véritable et dévoué, et vous avez généreusement assisté la femme éplorée d'un homme qui souffre dans les cachots pour la cause sacrée de la liberté de son pays. Puisse le Dieu tout-puissant vous récompenser comme vous le méritez et vous accorder ses bénédictions et sa protection ! Mon dernier soupir sera pour ma patrie, ma femme et mes enfants et les bonnes âmes qui les ont secourus dans leur malheur. Si dans le monde des esprits il m'est donné de voir vos mérites et votre bonté envers des orphelins, j'offrirai pour vous au roi du Ciel les prières les plus ardentes.

« Assurez votre belle-sœur et sa charmante fille de ma plus tendre amitié. Soyez heureux, vous et votre femme ; c'est le vœu d'une âme malheureuse mais patriotique qui dans quelques heures défiera les tortures des tyrans anglais et ira dans l'éternelle demeure des justes où les tyrans ne sont jamais admis.

« Adieu pour toujours ! Prenez courage ; notre pays sera délivré du joug de l'Angleterre. Vous verrez cela, mais moi !...

« Adieu encore une fois pour toujours ! Je ferme cette lettre. Gardez-la comme souvenir.

« Chevalier de Lorimier. »

Lettre écrite par de Lorimier, le jour de son exécution, à une dame qui lui avait demandé d'écrire dans son album quelques lignes qu'elle garderait comme souvenir.

« Montréal, Prison-Neuve, 15 février 1839, 5 heures a.m.

« Vous voulez, madame, que j'écrive un mot dans votre album. Que puis-je écrire, je vous le demande ? Vais-je abandonner mon âme à des sentiments de regret, à de tristes pensées ? Vous diriez que ces sentiments ne sont pas dignes d'un homme qui meurt pour la liberté de son pays. Vous dirai-je, pour vous attendrir, tout ce que j'ai souffert dans mon cachot depuis que je suis tombé dans les mains de mes cruels ennemis ? Ce serait, comme je viens de le dire, peu digne de la position que j'occupe devant le monde. Vous m'avez visité dans ces noirs cachots où les rayons du soleil sont inconnus aux pauvres victimes de la tyrannie anglaise. Il n'est pas nécessaire de parler ni d'écrire, pour faire comprendre l'état le plus misérable auquel la nature humaine puisse être réduit. Vous dirai-je tout le respect que j'ai pour vous, quand vous en avez eu tant de preuves ? Cependant ce serait honteux de ma part de ne pas me rendre à vos désirs. Permettez-moi alors, madame, de vous demander une faveur, c'est de garder une place pour moi dans vos pensées, après que l'heure terrible du sacrifice sera passée. Quand je serai parti, vous vivrez encore. Dans quatre heures, je mourrai sur l'échafaud érigé par les ennemis de notre chère patrie. Oh ! quels mots enchanteurs je viens de prononcer ! – « Ma patrie ! » Ô ma patrie ! à toi j'offre mon sang comme le plus grand et le dernier des sacrifices que je puisse faire pour te délivrer du joug odieux de tes traîtres ennemis. Puisse le Tout-Puissant agréer mon sanglant sacrifice ! Vous verrez des jours meilleurs. Cette conviction intime et l'espoir que vous, madame, votre mari et tous mes amis, penserez quelquefois à moi, quand je ne serai plus, seront pour moi une source de consolation et de force dans les dernières tortures de l'agonie. La grande cause pour laquelle je suis à la veille de souffrir, triomphera.

« Adieu, madame ! Soyez heureuse ainsi que votre mari, vous le méritez tous deux. C'est le vœu d'un homme qui dans quelques heures aura sacrifié sa vie au salut de sa malheureuse patrie et à la liberté qu'il préfère à la vie. Je vous dis encore une fois adieu, madame.

« Votre malheureux mais sincère ami,
« Chevalier de Lorimier. »

De Lorimier avait eu pour compagnon de cellule, dans les premiers temps de son emprisonnement, le Dr Brien. Brien avait pris part au soulèvement de Beauharnois, mais il n'avait pas l'âme des Cardinal, des Duquet et des de Lorimier. C'était un homme à l'esprit distingué mais au cœur froid. Pour échapper à l'échafaud, il fit des révélations importantes qui compromirent les chefs patriotes plus que les témoignages qui furent rendus contre eux. De Lorimier ne sachant pas ce qui s'était passé, incapable d'ailleurs de croire à la trahison d'un ami, était sensible aux marques d'affection que Brien lui avait données, et lorsqu'après sa condamnation il apprit que

Brien avait demandé qu'on le mit dans une autre cellule, il attribua à la sensibilité, ce qui n'était que le résultat du remords. Il écrivit donc à son ancien compagnon de cellule la touchante lettre qui suit :

« Montréal, Prison-Neuve, 15 février 1839,
6 heures a.m.

« Mon cher Brien,

« Il faut que je vous quitte ; le glas de la mort m'appelle sur l'échafaud. Le sort en est jeté ; il faut que je meure. Gardez la mémoire d'un ami fidèle. Je vous souhaite, si on vous épargne, de vivre longtemps et d'être heureux. Vous avez été mon compagnon dans les cachots ; nous avons habité la même cellule, nous avons longtemps partagé le même lit. Vous avez toujours été empressé à me donner des consolations dont j'avais tant besoin. Je vous en remercie ; le Ciel vous récompensera de votre charité chrétienne.

« Avant de mourir, je prie Dieu de vous accorder une vie longue et heureuse. Vous direz à mes amis comment je suis mort, vous leur direz que l'échafaud qui me fit perdre la vie ne m'enleva pas mon courage.

« Adieu, cher ami, adieu.

« Chevalier de Lorimier. »

Nous avons pensé que le meilleur moyen de faire connaître le patriotisme, le dévouement et la grandeur d'âme de Chevalier de Lorimier, était de publier ces lettres émouvantes – ces reliques glorieuses qu'on devrait garder comme des trésors.

L'histoire honore ceux qui sont morts pour la liberté de leur patrie, elle recueille leurs dernières paroles, leurs derniers soupirs, et offre tout ce qu'ils ont dit et fait à l'admiration des générations futures. Eh bien !

les lettres de Chevalier de Lorimier prouvent que jamais cœur plus tendre, plus dévoué, plus admirable ne battit dans une poitrine de patriote, que jamais victime ne fut plus pure, plus digne de la reconnaissance d'un peuple.

De Lorimier est mort consolé par la pensée que Dieu et les hommes lui tiendraient compte de son sacrifice. Dieu l'a déjà récompensé, et l'histoire dira, nous en sommes sûr, qu'il a eu raison d'espérer que son souvenir ne s'effacera jamais de la mémoire de ses compatriotes.

LES EXILÉS DE 1838

Cent douze patriotes subirent leur procès, devant la cour martiale, du mois de novembre au mois d'avril; quatre-vingt-dix-huit furent condamnés à mort, douze furent exécutés, douze mis hors de cause ou acquittés, trente libérés sous caution, et cinquante-huit exilés.

Comme nous l'avons dit, les prisonniers condamnés à mort languirent des semaines et des mois, sous le coup de la terrible sentence, dans les angoisses de l'incertitude. Chaque fois qu'on ouvrait la porte de leurs cellules, ils se demandaient si c'était pour les avertir de se préparer à monter sur l'échafaud. On peut se faire une idée des inquiétudes mortelles de leurs familles, de la tristesse de leurs entrevues avec leurs femmes, leurs enfants et leurs amis.

Que de larmes! Que d'adieux désespérés! Que de pauvres mères, de malheureuses femmes, brisées par la douleur, tombaient évanouies aux pieds d'un fils bien-aimé, d'un époux chéri! Pauvres femmes!

devaient-elles souffrir quand pour se rendre à la prison ou en sortir, il leur fallait passer sous l'échafaud où la veille, le matin même, Cardinal, de Lorimier ou Nicolas avaient subi le terrible supplice! Les cordes souvent étaient encore pendantes!

Lorsque les prisonniers se voyaient, le lendemain de ces lugubres holocaustes, ils se saluaient en disant: «À quand notre tour?» Un grand nombre préférant la mort à cette effrayante incertitude, en étaient venus à envier le sort de ceux dont la sentence avait été exécutée.

Cependant l'opinion publique s'agitait en Angleterre, des protestations éloquentes s'étaient fait entendre dans le parlement anglais contre ces exécutions dont la légalité était fortement contestée. Le gouvernement anglais jugea à propos d'arrêter le bras de Colborne, d'interrompre son œuvre de répression et de vengeance. Dans le mois de juin, les condamnés apprirent que leurs sentences seraient probablement commuées et que la mort ferait place à l'exil. Des mois passèrent cependant encore avant que ces nouvelles fussent confirmées; un été, un long été, s'écoula.

Enfin, le 25 septembre 1839, à trois heures de l'après-midi, cinquante-huit de ces infortunés prisonniers reçurent avis qu'ils étaient condamnés à l'exil pour la vie et qu'ils eussent à se préparer à partir, le lendemain matin. On n'avait pas voulu leur laisser le temps de voir leurs familles, leurs amis.

Ce n'était pas la mort, mais plusieurs l'auraient préférée.

L'idée de partir pour toujours sans avoir le temps de voir au moins tout ce qui les attachait à la vie, à la patrie, les écrasait. On avait voulu prévenir par cette précipitation indécente et cruelle toute cause d'agitation. Il n'y avait pourtant pas de danger, la population était paralysée par la terreur.

La plupart des exilés passèrent leur dernière soirée à écrire des lettres d'adieu à leurs familles. Bien des larmes tombèrent sur ces lettres; et celui qui aurait collé l'oreille aux portes des cellules, pendant la nuit du 25 au 26 septembre, eut entendu bien des soupirs.

Voici les noms des cinquante-huit exilés: F.-M. Lepailleur, Jean-Louis Thibert, Jean-Marie Thibert, Joseph Guimond, Louis Guérin-Dussault, Léandre Ducharme, Charles Huot, Joseph Paré, D.-D. Leblanc, H.-D. Leblanc, Joseph Hébert, P.-H. Morin, A.-G. Morin, Pas. Pinsonneault, Théophile Robert, Jos. Dumouchel, G.-Ignace Chèvrefils, L. Dumouchelle, F.-X. Touchette, Jean Laberge, Jacques Goyette, Toussaint Rochon, F.-X. Prieur, Frs-B. Bigonesse, P.-Maurice Lavoie, Joseph Marceau, A. Coupal-Larène, Théodore Béchard, Louis Turcot, Charles Roy, D. Bourbonnais, André-M. Papineau, David Gagnon, Frs-X. Prévost, J.-Bte Bousquet, F.-X. Guertin, Louis Bourdon, Chs-Guillaume Bouc, Ed.-Paschal Rochon, Hypolite Lanctot, Ls Pinsonnault, Etienne Langlois, Frs Languedoc, Jos.-David Hébert, Louis Défaillette, René Pinsonnault, Moïse Longtin, Samuel Newcomb, J.-Bte Trudel, Chas-B. Langevin, Constant Bisson, Jérémie Rochon, Joseph Goyette, Bazile Roy, Jos. Longtin, Louis Julien, Michel Alarie, Benjamin Mott.

M. Prieur vient de publier, sous le titre de *Notes d'un condamné politique*, l'histoire des souffrances endurées par ces pauvres gens, pendant la traversée et les longues années de leur triste exil. Quel lugubre enchaînement d'humiliations, de privations, d'angoisses et de tortures physiques et morales! On ne peut se faire une idée de ce que ces hommes bien nés, honnêtes et appartenant à des familles honorables, eurent à souffrir de l'insolence et des mépris de leurs geôliers, du contact des brigands et meurtriers auxquels ils étaient assimilés. Un homme de cœur ne peut lire sans attendrissement les pages qui contiennent le récit de leur long martyr, mais un Canadien français constate avec orgueil qu'ils surent faire honneur à leur nationalité et finirent par forcer leurs maîtres à les respecter.

On pensait à eux dans la patrie; leurs parents et leurs amis imploraient sans cesse leur pardon, et quand les hommes qui avaient combattu avec eux pour la liberté et les avaient même poussés à la révolte, furent au pouvoir, ils se souvinrent de ceux à qui le pays devait en grande partie les bienfaits du gouvernement responsable.

En 1844, sous le ministère Viger-Draper, l'œuvre du pardon commença, et, deux ans après, cinquante-cinq exilés étaient rentrés dans la patrie; deux étaient morts en exil et un nommé Marceau, s'étant marié, avait jugé à propos de rester en Australie.

ROBERT NELSON

Pendant que Wolfred Nelson se distinguait à Saint-Denis par sa science médicale et ses idées libérales, son frère Robert Nelson en faisait autant à Montréal.

Il donna, dès son bas âge, des preuves d'une rare intelligence, d'un caractère fortement trempé. Après des études sérieuses sous le docteur Arnoldi, médecin célèbre de son temps, il s'établit à Montréal et se fit en peu de temps une clientèle considérable. Il se livra surtout à l'étude de la chirurgie et acquit dans cette science une immense réputation.

C'était l'homme des cas difficiles, des grandes opérations ; le bruit de ses succès se répandant au loin, on venait à lui de toutes les parties du pays. Ses cures remarquables et ses écrits portèrent son nom jusque dans les pays étrangers, et en Angleterre comme aux États-Unis, on le considérait comme un des premiers médecins de l'époque.

Un jour, dans un voyage qu'il fit en France, il assistait, dans un hôpital, à une opération des plus délicates. Un moment vint où le médecin opérateur parut embarrassé et menaça de faire fausse route. Robert Nelson ayant pris la liberté d'en faire la remarque, le médecin français lui remit son instrument entre les mains et lui dit :

– Eh bien ! faites vous-même, monsieur.

Nelson se mit à l'œuvre et fit l'opération au milieu des applaudissements des médecins et étudiants présents.

Un homme marquant de ce pays, l'un de ses amis avait reçu une balle dans la cuisse, en se battant en duel. Nelson n'ayant pu lui extraire cette balle, malgré tous ses efforts, alla en Angleterre consulter les meilleurs chirurgiens de ce pays.

Ceux-ci lui dirent que l'opération était impossible, et l'un d'eux ajouta que si elle eut été possible, Robert Nelson l'aurait faite.

Il lui arriva plusieurs fois d'étonner les médecins étrangers du plus grand mérite par la hardiesse et la justesse de ses idées.

Le premier dans le pays il fit l'opération de la pierre et réussit complètement dans plusieurs cas.

Mais les succès professionnels ne suffisaient pas à cette nature militante, à cette intelligence active.

Ami des Canadiens français dont il avait appris à apprécier le caractère loyal, il ne put rester longtemps indifférent au spectacle de cette brave population aux prises avec l'arbitraire. Naturellement porté à soutenir la liberté contre la tyrannie, le droit contre l'injustice, il épousa notre cause et devint l'un des champions les plus ardents du parti libéral.

Les Canadiens crurent bon d'envoyer un pareil homme les représenter dans la Chambre d'assemblée ; ils l'élirent pour Montréal, en 1827, avec l'hon. Louis-Joseph Papineau. Robert Nelson, qui était plutôt un homme d'action qu'un orateur, parla peu, mais il prit place parmi les chefs de la majorité, fut toujours du côté des résolutions hardies, de la résistance au mauvais vouloir du gouvernement. Cependant les exigences de sa nombreuse et riche clientèle l'empêchant de vaquer à ses devoirs de député comme il l'aurait désiré, il quitta la Chambre.

Néanmoins, aux élections générales de 1834, il fut élu de nouveau avec M. Papineau dans la division-ouest de Montréal.

L'élection dura trois semaines. Comme il n'y avait qu'un poll et que l'officier-rapporteur était obligé de le tenir ouvert tant qu'il ne s'écoulait pas une heure sans qu'un vote fut donné, on s'explique les lenteurs et les désordres qu'entraînait un pareil système. Tous les jours c'étaient des rixes, des batailles à coups de poing, de bâton ou de pierre. Enfin l'officier-rapporteur, le docteur Lusignan, qui avait bravement fait son devoir, déclara qu'il ne pouvait plus tenir le poll ouvert sans danger pour sa vie et celle des électeurs et proclama Papineau et Nelson élus.

Comme nous avons déjà parlé des événements qui précédèrent l'insurrection de 37, nous nous contenterons de dire que Robert Nelson fut un de ceux qui persistèrent le plus énergiquement à refuser les subsides au gouvernement, tant que justice n'aurait pas été faite conformément aux 92 résolutions. Il fut un des membres les plus actifs du comité central, l'un des orateurs les plus véhéments dans les assemblées qui eurent lieu.

Il ne prit aucune part cependant à l'insurrection de l'automne de 1837.

Il vaquait tranquillement à ses devoirs professionnels, lorsque, deux ou trois jours après la bataille de Saint-Denis, où son frère Wolfred avait battu les troupes, il fut arrêté et jeté en prison. Il sortit, peu de jours après, sous caution.

Mais cette arrestation et la nouvelle des mauvais traitements qu'on avait fait subir à son frère et des excès commis par les troupes à Saint-Charles, à Saint-Eustache et à Saint-Benoît, exaspérèrent cette nature fière et sensible. Il partit pour les États-Unis, la tête grosse de projets, le cœur plein de vengeance.

Il y trouva M. Papineau, le docteur Côté, Mailhot, Rodier, Davignon et cinq ou six cents patriotes, tous décidés comme lui à prendre leur revanche, à rentrer, les armes à la main, dans leurs foyers dévastés. Déjà, M. Papineau avait jeté dans les esprits l'idée d'une organisation en faveur de l'indépendance du pays et de l'établissement d'une république canadienne. Quelques-uns des hommes les plus importants de l'État de New-York avaient promis de favoriser ce mouvement, en fournissant des armes et de l'argent.

Des dissentiments ayant éclaté entre les chefs canadiens, Robert Nelson se mit à la tête du mouvement, rallia les Canadiens émigrés autour de lui et fit tous les préparatifs nécessaires pour envahir le Canada.

Tout le monde se mit à l'œuvre avec enthousiasme ; les uns fondaient des balles, les autres achetaient ou empruntaient des fusils, tous, le soir, se réunissaient pour faire l'exercice. Les encouragements qu'ils recevaient des citoyens américains et même des autorités militaires leur donnaient la plus grande confiance dans le succès. Aussi, à la fin du mois de février, Nelson franchit la frontière avec quelques centaines d'hommes, et lança la proclamation suivante :

« Déclaration

« Attendu que le solennel contrat fait avec le peuple du Bas-Canada et enregistré dans le livre des Statuts du Royaume-Uni de la Grande-Bretagne et d'Irlande, comme le ch. 31 de l'Acte passé dans la 31e année du règne du roi George III, a été continuellement violé par le gouvernement britannique, et nos droits usurpés ; – et attendu que nos humbles pétitions, adresses, protêts et remontrances contre cette conduite préjudiciable et inconstitutionnelle, ont été faits en vain ; – que le gouvernement britannique a disposé de notre revenu sans le consentement constitutionnel de notre législature locale, qu'il a pillé notre trésor, qu'il a arrêté et emprisonné grand nombre de nos concitoyens, qu'il a répandu par tout le pays une armée mercenaire dont la présence est accompagnée par la consternation et l'alarme, dont la trace est rougie du sang de notre peuple, qui a réduit nos villages en cendres, profané nos temples, et semé par tout le pays la terreur et la désolation; – et attendu que nous ne pouvons plus longtemps souffrir les violations répétées de nos droits les plus chers et supporter patiemment les outrages et les cruautés multiples du gouvernement du Bas-Canada: – Nous, au nom du peuple du Bas-Canada, reconnaissant les décrets de la divine Providence qui nous permet de renverser un gouvernement qui a violé l'objet et l'intention de sa création et de faire choix de cette forme de gouvernement qui rétablira l'empire de la justice, assurera la tranquillité domestique, pourvoira à la défense commune, augmentera le bien général, et garantira à nous et à notre postérité les avantages de la liberté civile et religieuse;

« Déclarons solennellement:

1° Que de ce jour et à l'avenir, le peuple du Bas-Canada est libre de toute allégeance à la Grande-Bretagne, et que le lien politique entre ce pouvoir et le Bas-Canada, est maintenant rompu.

2° Qu'une forme républicaine de gouvernement est celle qui convient le mieux au Bas-Canada, qui est ce jour déclaré être une république.

3° Que sous le gouvernement libre du Bas-Canada, tous les individus jouiront des mêmes droits: les sauvages ne seront plus soumis à aucune « disqualification » civile, mais jouiront des mêmes droits que tous les autres citoyens du Bas-Canada.

4° Que toute union entre l'Église et l'État est par la présente déclarée être dissoute, et toute personne aura le droit d'exercer librement telle religion ou croyance qui lui sera dictée par sa conscience.

5° La tenure féodale ou seigneuriale des terres est par la présente abolie, aussi complètement que si telle tenure n'eut jamais existé au Canada.

6° Que toute personne qui prendra les armes ou qui donnera autrement de l'aide au Canada, dans sa lutte pour l'émancipation, sera et est déchargée de toutes dettes ou obligations réelles ou supposées résultant d'arrérages des droits seigneuriaux ci-devant en existence.

7° Que le douaire coutumier est, pour l'avenir, aboli et prohibé.

8° Que l'emprisonnement pour dettes n'existera pas davantage, excepté dans certains cas de fraude qui seront spécifiés, dans un acte à être plus tard passé à cette fin par la Législature du Bas-Canada

9° Que la condamnation à mort ne sera plus prononcée ni exécutée, excepté dans les cas de meurtre.

10° Que toutes les hypothèques sur les terres seront spéciales, et pour être valides seront enregistrées dans des bureaux à être établis pour cette fin par un acte de la Législature du Bas-Canada.

11° Que la liberté et l'indépendance de la presse existeront dans toutes les matières et affaires publiques.

12° Que le procès par jury est assuré au peuple du Bas-Canada, dans son sens le plus étendu et le plus libéral, dans tous les procès criminels, et aussi dans les procès civils au-dessus d'une somme à être fixée par la législature de l'État du Bas-Canada.

13° Que comme une éducation générale et publique est nécessaire et est due au peuple par le gouvernement, un acte y pourvoyant sera passé aussitôt que les circonstances le permettront.

14° Que pour assurer la franchise électorale, toutes les élections se feront au scrutin secret.

15° Que dans le plus court délai possible, le peuple choisira des délégués, suivant la présente division du pays en comtés, villes et bourgs, lesquels formeront une convention ou corps législatif, pour formuler une constitution suivant les besoins du pays, conforme aux dispositions de cette déclaration, sujette à être modifiée suivant la volonté du peuple.

16° Que chaque individu du sexe masculin, de l'age de vingt et un ans et plus, aura le droit de voter comme il est pourvu par la présente, et pour l'élection des susdits délégués.

17° Que toutes les terres de la Couronne, et aussi celles qui sont appelées Réserves du Clergé, et aussi celles qui sont nominalement en la possession d'une certaine compagnie de propriétaires en Angleterre, appelée : « La Compagnie des Terres de l'Amérique Britannique du Nord », sont de droit la propriété de l'État du Bas-Canada, et excepté telles parties des dites terres qui peuvent être en possession de personnes qui les détiennent de bonne foi, et auxquelles des titres seront assurés et accordés en vertu d'une loi qui sera passée pour légaliser la dite possession et donner un titre pour tels lots de terre dans les townships qui n'en ont pas et qui sont en culture ou améliorés.

18° Que les langues française et anglaise seront en usage dans toutes les affaires publiques.

Et pour l'accomplissement de cette déclaration, et pour le soutien de la cause patriotique dans laquelle nous sommes maintenant engagés avec une ferme confiance dans la protection du Tout-Puissant et la justice de notre conduite, – nous, par ces présentes, nous engageons solennellement les uns envers les autres nos vies et nos fortunes et notre honneur le plus sacré.

Par ordre du gouvernement provisoire.

ROBERT NELSON, Président.

Cette déclaration porte naturellement l'empreinte d'une situation où les esprits étaient surexcités, où les idées avaient plus de fermeté que de justesse, mais on y trouve des sentiments et des intentions qui méritent d'être respectés, et plusieurs des mesures proposées sont passées dans nos lois.

Mais les projets des patriotes avaient transpiré et des mesures avaient été prises par les autorités canadiennes et américaines pour faire avorter leur entreprise. Ils avaient à peine mis le pied sur le sol canadien qu'ils se trouvèrent entre deux feux, attaqués d'un côté avec énergie par les loyaux anglais et poursuivis de l'autre par les troupes américaines. Ils regagnèrent la frontière et furent presque tous arrêtés et désarmés par les troupes américaines.

Nelson et les autres chefs canadiens ne se découragèrent pas. Voyant que leur expédition avait avorté, faute de discrétion et de préparatifs nécessaires, ils eurent l'idée d'unir tous ceux qui voudraient contribuer à l'indépendance du Canada par les liens d'une vaste société secrète.

Ils fondèrent l'association des « Chasseurs » qui, partout aux États-Unis comme au Canada, fit de nombreux adhérents et recruta ses membres dans toutes les classes de la société. L'association avait quatre degrés : « L'Aigle » dont le rang correspondait à celui de chef de division ; le « Castor » qui avait l'autorité d'un capitaine ; la « Raquette » qui avait neuf hommes sous son commandement; le «Chasseur» ou simple soldat. Chaque degré avait ses signes particuliers. Par exemple, pour savoir si la personne à qui on parlait faisait partie de l'association, on lui disait: «Chasseur, c'est aujourd'hui mardi. " La personne devait répondre: «mercredi.» Il y avait aussi une certaine manière de se donner la main, qui était l'un des signes de l'association. Toute personne qui voulait entrer dans les «Chasseurs» prêtait le serment suivant:

«Je, A. D., de mon consentement et en présence de Dieu Tout-Puissant, jure solennellement d'observer les secrets, signes et mystères de la société dite des «Chasseurs», de ne jamais écrire, peindre ou faire connaître d'une manière quelconque les révélations qui m'auraient été faites par une société ou une loge de Chasseurs, d'être obéissant aux règles et règlements que la société pourra faire, si cela se peut sans nuire grandement à mes intérêts, ma famille ou ma propre personne; d'aider de mes avis, soins, propriétés, tout frère Chasseur dans le besoin, de l'avertir à temps des malheurs qui le menacent. Tout cela je le promets sans restriction et consens de voir mes propriétés détruites et d'avoir moi-même le cou coupé jusqu'à l'os.»

Le but de l'association était de conquérir l'indépendance du Canada, au moyen d'un soulèvement général qui devait avoir lieu au commencement de l'automne 1838, en même temps que l'invasion du pays en plusieurs endroits par des bandes armées de Canadiens émigrés et de citoyens américains. Le Haut-Canada sous la direction de McKenzie et de McLeod, devait prendre part au mouvement, et les patriotes comptaient beaucoup encore sur l'aide ou du moins la neutralité des Américains.

Le lecteur trouvera ailleurs le récit des événements de 1838 et du combat d'Odelltown. C'est une triste affaire dont les résultats furent déplorables.

Robert Nelson ruiné, couvert de dettes, sous le coup d'une accusation de haute trahison, qui lui fermait les portes de la patrie, et fortement soupçonné d'avoir manqué de courage à Odelltown, partit pour la Californie, ce pays de l'or et des illusions, d'où l'on ne rapporte souvent ni l'un ni l'autre.

Nelson n'eut pas besoin de creuser la terre pour trouver de l'or, on lui en apporta, tous les jours, plein les mains, en paiement de ses services comme médecin et chirurgien. Il avait un champ vaste pour exercer son talent dans cette Babel où tout se prêtait au développement des passions et des vices de ces millions d'hommes qu'aucun lien ne retenait, qu'aucune loi ne gouvernait. Au bout de quelques années, il était en possession d'une belle fortune ; mais il n'en jouit pas longtemps, car un agent infidèle lui vola cette fortune qui lui avait coûté tant de travaux et de fatigues.

Revenu à New-York, il se remit à exercer sa profession qui put lui procurer encore une existence honorable. À des hommes comme Robert Nelson il reste toujours une chose qu'on ne peut enlever, que partout l'on recherche et l'on admire... le talent, cette science médicale surtout qui fait que l'univers entier est leur patrie.

C'est là, à New-York, que Robert Nelson passa les dernières années de sa vie, dans l'étude et la méditation. Lorsque M. Lafontaine eut fait tomber l'accusation de haute trahison qui pesait sur lui, ses parents et amis essayèrent vainement de le faire revenir au Canada. Il refusa avec obstination, disant qu'il *ne reviendrait jamais tant que le Canada serait sous la domination anglaise.* Il y vint cependant, deux ou trois fois, pour faire des opérations importantes.

Robert Nelson était brun, de moyenne taille, mais vigoureux; il avait l'œil perçant, le regard vif et profond, la physionomie sévère. Il parlait peu; ses discours étaient concis mais énergiques. Il allait droit à son but, sans ménagement, sans déguisement. Il était d'un caractère énergique, hardi, original, aventureux et indépendant, entier dans ses opinions et ses sentiments.

Troisième partie

L'ŒUVRE DE LA RÉPARATION

La voix publique demandait non-seulement qu'on amnistiât les patriotes, mais qu'on réparât en partie les pertes causées à la population par l'insurrection. En 1843 et en 1845, sous le ministère Viger-Draper on s'était occupé de cette question, et une commission avait été nommée pour faire rapport sur la nature et l'étendue des pertes, la justice des réclamations.

Ce rapport fait, M. Lafontaine prépara un projet qu'il proposa pendant l'orageuse session de 1849. Ce projet ministériel accordait £100,000 destinés au paiement des dommages causés par la *destruction injuste, inutile ou malicieuse des habitations, édifices et propriétés des habitants et par la saisie, le vol ou l'enlèvement de leurs biens et effets*.

Quoique les torys eussent approuvé la nomination de la commission, ils attaquèrent avec fureur les propositions de M. Lafontaine. Le rapport de la commission était trop favorable aux patriotes, malgré les efforts faits pour les priver autant que possible des avantages de la loi d'indemnité au profit des bureaucrates. D'ailleurs, c'était une excellente occasion de soulever contre le nouveau ministère les flots du fanatisme.

La tempête éclata furieuse, menaçante ; le spectacle fut émouvant, dramatique.

On vit aux prises, dans la mêlée, les anciens bureaucrates et patriotes de 1837-1838, heureux enfin de se trouver face à face, pour se demander compte réciproquement de leur conduite, et plaider la cause pour laquelle ils avaient combattu et souffert. C'était la lutte commencée sur les champs de bataille de 1837-1838, qui se terminait dans l'arène parlementaire par un combat moins dangereux mais aussi acharné !

Aux Canadiens français qui ne voient dans les patriotes que des rebelles indignes d'estime et de sympathie, rappelons, pour les faire rentrer en eux-mêmes, les témoignages rendus en leur faveur par des Anglais.

Le Dr Wolfred Nelson était là.

Quand il entendit hurler à ses oreilles les cris de traître et de rebelle, il se leva comme un lion en furie, et lança à ses adversaires, d'une voix tremblante de colère et d'émotion, l'apostrophe suivante :

« Je déclare à ceux qui nous appellent, moi et mes amis, des traîtres, qu'ils en ont menti par la gorge et je suis prêt à prendre ici ou ailleurs la responsabilité de ce que je dis. Mais, M. l'Orateur, si l'amour que je porte à mon pays, si l'attachement que j'ai pour la couronne anglaise et notre glorieuse souveraine, constituent le crime de haute trahison, oh ! alors, vraiment je suis un rebelle. Mais je dis à ces messieurs en pleine figure que ce sont eux et leurs pareils qui font les révolutions, renversent les trônes, foulent aux pieds dans la poussière les couronnes et brisent les dynasties. Ce sont leurs iniquités qui soulèvent les peuples et les jettent dans le désespoir.

Je renonce volontiers à toute réclamation pour les pertes considérables qu'on m'a si cruellement infligées, car j'espère, avec la grâce de la divine Providence que je pourrai, à force de travail et malgré mon âge avancé, m'acquitter de mes obligations et payer ce que je dois. Mais indemnisez ceux dont on a détruit les biens à cause de moi; il y a des centaines de braves gens aujourd'hui réduits à la misère, dont le seul crime fut d'avoir confiance dans l'homme qu'ils aimaient; rendez à ces infortunés ce qu'ils ont perdu, indemnisez-les, je ne demande rien de plus. »

Comme le Dr Nelson avait pris part à l'insurrection, donnons la parole à des Anglais dont le témoignage sera moins suspect.

Répondant à M. Sherwood qui avait dit qu'on ne pouvait indemniser ceux qui avaient pris part à l'insurrection, sans justifier leur conduite et inviter ouvertement à la révolte, M. Hincks (maintenant sir Francis Hincks), s'écria:

« L'honorable député s'est laissé emporter par son indignation contre les individus qui ont pris les armes en 1837-1838; mais je le demande: à qui la responsabilité de ces troubles si ce n'est aux députés qui sont en face de moi, et le parti qu'ils appuyaient alors? Oui, et de l'aveu de deux lords d'Angleterre, la manière inconstitutionnelle dont le gouvernement se conduisait alors, justifiait pleinement la prise d'armes contre le gouvernement. Ces messieurs ont vraiment bonne grâce de s'indigner, quand il est notoire que les événements de ces jours malheureux doivent leur être attribués... »

Un autre Anglais, un député du Haut-Canada, M. Price, parla dans le même sens.

Puis vint M. Blake qui plaida la cause des patriotes avec une éloquence admirable et lança à leurs détracteurs des apostrophes qui les firent bondir plus d'une fois sur leurs sièges. Voyons comme ces dernières paroles corroborent ce que nous disions au commencement de ce livre :

« Depuis les premiers jours de la conquête jusqu'au temps de lord Durham, toutes les espèces d'oppressions furent librement exercées. L'administration de la justice, les droits les plus chers à l'homme étaient violés avec impunité; les personnes n'étaient pas même protégées; et pis que cela, mille fois pis; une loyale mais pitoyable minorité accaparait toutes les situations qui dépendaient de la couronne et méprisait journellement des hommes supérieurs à eux dans toute la force du terme. Et quel fut le remède proposé par lord Russell dans ses huit propositions qui furent dénoncées par lord Brougham, dans un langage qui aurait du faire impression sur les députés de l'opposition ? Que disaient ces huit propositions ? De prendre au Bas-Canada par la force du sabre l'argent que la législature refusait de donner, pour l'appliquer aux besoins d'une autre province, et cela dans un temps où le ciel écrasait le Haut-Canada de ses malédictions.

« Je dirai à ces honorables et loyaux gentilshommes qui se sont si fortement offensés l'autre jour, quand on les appela "rebelles" que je les appelle "rebelles", moi aussi, et qu'ils ne doivent pas s'attendre à avoir d'excuse de ma part. »

M. Blake termina son discours au milieu d'une véritable tempête d'applaudissements, de bravos, de sifflets et de grognements. L'excitation gagna les galeries où une rixe violente éclata.

M. Holmes, ancien bureaucrate, volontaire même, de 1837, fit, en faveur du projet ministériel, un discours énergique qu'il termina par les paroles suivantes sur lesquelles nous appelons l'attention d'un certain nombre de Canadiens français plus dignes de pitié que de colère.

« On a beaucoup parlé de loyauté, des devoirs envers le souverain, on a prétendu que nuls actes de tyrannie et d'oppression ne justifient les rebelles. On pourrait insulter le peuple, lui ôter ses libertés, et il se laisserait dépouiller de tous ses droits sans rien dire.

« Je marchais de bonne foi avec les loyaux en 1837 et 1838, mais je n'avais pas suffisamment étudié les causes de la rébellion, si je les avais connues, j'aurais eu honte d'adopter ce parti, car je ne suis pas d'opinion que l'on doive se soumettre aux volontés de la couronne quand elles sont trop tyranniques. *Je suis heureux de voir que nous devons à cette rébellion les bienfaits d'une constitution semblable à celle de la mère-patrie...* »

Inutile de dire que pas un député canadien-français ne se leva alors pour dire ce que des compatriotes dévoyés osent publier de nos jours. Le pays tout entier se serait voilé la face si un seul Canadien français avait eu l'audace de dénoncer ses frères, quand des étrangers les défendaient avec tant d'éloquence.

M. Papineau prit naturellement la parole; il dit en terminant:

« Nul autre pays constitutionnel, dans des circonstances semblables à celles où nous avons souffert, n'a été traité avec plus de barbarie. C'est le seul pays au monde où le droit criminel étant en force et les cours de justice accessibles à tous, de nombreux citoyens sans procès, sans le verdict d'un seul corps de jurés, aient perdu la vie et péri sur l'échafaud. Compatriotes infortunés, ils sont tombés victimes innocentes de la haine et des plus mauvaises passions! Ont-ils cessé pour cela d'être chers à ceux qu'ils ont laissés derrière eux sur le sol de la patrie? Leur mémoire est chère au peuple canadien et le sera toujours. Ils sont morts en braves comme ils avaient vécu, répétant à l'envie les mots: "Dieu, mon pays et sa liberté". Il faudrait bien peu de courage moral ou civil pour ne pas applaudir au patriotisme constant dont ils ont donné la preuve la plus éclatante...»

M. Papineau n'avait pas prévu qu'un jour viendrait où l'on ne pourrait applaudir à ce patriotisme loué même par des Anglais, sans être accusé de sentiments révolutionnaires, où des Canadiens français oseraient flétrir la mémoire des héros de nos libertés politiques.

Après M. Papineau, M. Lafontaine fit un long et solide discours dans lequel il déclara qu'il ne croyait pas à la légalité de la cour martiale et des condamnations qu'elle avait portées.

Enfin, après des jours et des nuits de discussion, d'interpellations et d'apostrophes sanglantes, de menaces et de tumulte, la loi fut votée par une majorité de soixante et onze voix contre vingt-cinq. Vingt-quatre députés anglais votèrent avec la majorité.

Alors on assista à un spectacle étrange, alors on eut la preuve de la sincérité de tous les prêcheurs de loyauté et de respect à la loi. Prenant plaisir, en quelque sorte, à se confondre eux-mêmes et à venger les patriotes, que le sentiment au moins doit excuser, ils devinrent rebelles par fanatisme. Vaincus dans la

Chambre, ils descendirent dans la rue, ces défenseurs du trône et de l'autel, et marchant sur les traces de Colborne et des volontaires de 1837-1838, eurent recours à l'outrage et a l'incendie pour se venger.

Le 25 avril, lord Elgin se rendit à la Chambre d'assemblée pour sanctionner le bill d'indemnité. Il fut accueilli, à son départ, par des cris de mort, des sifflets et les insultes d'une foule ivre de haine et de boisson, qui le reconduisit jusqu'à sa demeure et le couvrit d'œufs pourris.

Le soir, les émeutiers se réunirent sur le Champ-de-Mars et décidèrent d'adresser à la reine une requête lui demandant de désavouer le bill d'indemnité et de rappeler lord Elgin. Enflammés par des discours incendiaires ces forcenés se dirigent vers le parlement; ils pénètrent dans la Chambre en lançant une grêle de pierres sur les députés qui fuient en désordre, brisent les pupitres et les fauteuils, s'emparent de la *masse*, et un de leurs chefs proclame alors la dissolution du parlement. Après avoir tout brisé, ils mettent le feu, et se retirent quand les édifices du parlement ne forment plus qu'un monceau de cendres et de décombres.

Pendant plusieurs jours, plusieurs semaines mêmes, Montréal fut à la merci de la canaille, qui parcourait les rues, l'insulte à la bouche et la torche à la main.

Un soir, ils partirent, au nombre de quelques centaines, pour brûler les maisons de MM. Lafontaine et Drummond. Ils se dirigèrent d'abord sur celle du premier ministre. Mais des amis courageux s'y étaient rendus pour le défendre, entre autres sir Étienne-Pascal Taché. Le chef de la bande tomba frappé d'une balle, au moment où il franchissait la grille du jardin:

c'était un jeune forgeron du nom de Mason. Les émeutiers retraitèrent à la hâte, emportant le cadavre de leur ami, qu'ils promenèrent en triomphe dans les rues de la ville au milieu d'un grand tumulte.

Une enquête eut lieu à l'hôtel Nelson, sous la direction de MM. Jones et Coursol. M. Lafontaine, appelé comme témoin, était à donner son témoignage, lorsque les cris de « Au feu ! au feu ! » retentirent. Quelques minutes après, la maison était enveloppée dans un tourbillon de feu et de fumée. M. Lafontaine put s'échapper, grâce à la protection et au sang-froid de M. Coursol.

Le gouvernement s'étant enfin décidé à montrer de la vigueur et à accepter les services des citoyens, les émeutiers effrayés disparurent comme des ombres.

Les patriotes de 1837 ont-ils jamais commis des actes aussi sauvages de révolte et de destruction ?

La loi d'indemnité ne fit pas tout le bien qu'on espérait. Le montant accordé n'était pas suffisant pour couvrir toutes les pertes, et il ne fut pas toujours distribué avec justice. Et comme tous ceux qui avaient subi des condamnations pour haute trahison avaient été privés des bénéfices de la loi, les plus à plaindre n'eurent rien du tout. Néanmoins, le pays doit être reconnaissant au ministère Baldwin-Lafontaine de cette œuvre de réparation patriotique.

LE MONUMENT
DES VICTIMES DE 1837-1838

Dans un endroit pittoresque de la Côte-des-Neiges, et dominant le champ des morts, s'élève sur une base massive et un piédestal grandiose, une colonne de granit de soixante pieds de hauteur.

C'est le monument dédié par la reconnaissance publique à la mémoire des patriotes morts pour la liberté de leur pays, en 1837 et 1838. Aux quatre faces du piédestal, on lit les inscriptions suivantes gravées sur un fond noir:

1° «Aux victimes politiques de 1837-1838. –Religieux souvenir.

«Les 92 *résolutions* adoptées par la Chambre d'assemblée du Bas-Canada, le 1er mars 1834.

«Lord Gosford dispose des deniers publics, malgré le refus des subsides.

«Ce monument religieux et historique a été érigé sous les auspices de l'Institut canadien, en 1858.

2° «Batailles de Saint-Denis et de Saint-Charles, 23 et 25 novembre 1837.

«Charles-Ovide Perrault, avocat et membre du parlement provincial. Ses cendres reposent ici. Les restes des autres victimes, au nombre de 41, reposent dans les cimetières de Saint-Denis, de Saint-Charles, de Saint-Antoine et de Saint-Ours.

3° «Bataille de Saint-Eustache, 14 décembre 1837.

«Jean-Olivier Chénier. Ses cendres reposent ici.

«Les restes des autres victimes reposent dans le cimetière de Saint-Eustache.

4° «Exécutés à Montréal, par arrêt de la cour martiale: Joseph-Narcisse Cardinal, notaire, et Joseph Duquet, étudiant en droit, 21 décembre 1837.

«Pierre-Théophile Decoigne, notaire, Joseph Robert, Amable Sanguinet, Charles Sanguinet, François-Xavier Hamelin, cultivateurs, 18 janvier 1839.

«François-Marie-Thomas Chevalier de Lorimier, notaire, François Nicolas, instituteur, Amable

Daunais, cultivateur, Pierre-Rémi Narbonne, peintre, et Charles Hindelang, militaire, natif de Paris (France) dont les cendres reposent ailleurs.

« C'est une sainte et salutaire pensée de prier pour les morts. » M. L. II, c. xii, v. 40.

Dès 1853, des hommes généreux avaient songé à réunir les cendres des pauvres victimes de 1837-1838, dans le cimetière de la Côte-des-Neiges, et à leur élever un monument. L'Institut canadien avait pris l'initiative de cette entreprise nationale : et un comité avait été nommé pour la mettre à exécution.

Le 14 novembre 1858, eut lieu l'inauguration de ce monument.

Une procession composée des principales sociétés nationales de Montréal, se rendit, musique en tête, au cimetière. La démonstration fut imposante. M. Euclide Roy, qui était président de l'Institut, termina un éloquent discours par les remarques suivantes :

« Ce monument sera pour nos enfants comme une page toujours ouverte où ils puiseront tous les beaux sentiments qu'inspire le patriotisme. Ce sera comme un de ces tableaux où l'on a retracé quelque grand drame et devant lequel on s'est senti animé des sentiments qui y sont peints. Glorifier les grands hommes c'est le premier devoir d'un peuple éclairé et intelligent. Tenir toujours élevée l'image des héros et des martyrs d'une sainte cause, c'est le moyen de créer cette noble émulation qui fait que d'âge en âge, l'histoire peut regarder en arrière avec orgueil et signaler ces grandes et illustres figures de citoyens qui, oubliant tout intérêt égoïste et personnel, s'exposent aux derniers périls pour défendre le sol menacé ou des principes compromis. Glorifier le dévouement c'est créer des héros. »

Des discours patriotiques furent ensuite prononcés par l'hon. A.-A. Dorion, M. Wilfrid Dorion, M. Hector Fabre et quelques autres.

Le temps était froid, le ciel sombre, tout était triste comme les événements dont on évoquait le souvenir.

Un homme distingué a écrit à la marge du livre de M. Globenski : « On ne verra jamais sur une tombe : Volontaires de 1837. »

C'est cela.

Il est des sentiments immuables, éternels contre lesquels il est aussi inutile que dangereux d'essayer de réagir. Les détruire serait détruire les forces les plus vives de la société.

LA SOUSCRIPTION DE LORIMIER

Dans le mois de février 1883, le Dr Fortier, de Sainte-Scholastique, publiait dans la *Tribune* de Montréal, une lettre qui émut profondément le cœur de notre population. Il levait, dans cette lettre, un coin du voile qui cachait, depuis près de quarante-cinq ans, l'existence humble de la famille d'une des victimes les plus nobles, les plus admirables de 1837-1838. Il disait que dans le joli village de l'Assomption vivaient, dans le deuil et l'abnégation, la femme et les deux filles de de Lorimier. Il demandait s'il n'était pas temps de payer en partie la dette sacrée que nous avons contractée le jour où de Lorimier, à la veille de monter sur l'échafaud, recommandait en termes si éloquents sa femme et ses enfants à la sympathie de ses compatriotes. « Ô mes

compatriotes, s'écriait-il, je vous confie mes enfants.
Je meurs pour la cause de mon pays, de votre pays;
ne souffrez donc pas que ceux que je suis obligé de
quitter, souffrent de pauvreté après ma mort!»

Dans le testament politique qu'il écrivit, la veille
de sa mort, à 11 heures du soir, il disait:

«Pauvres enfants, vous n'aurez plus qu'une mère
tendre et désolée pour soutien! Si ma mort et mes
sacrifices vous réduisent à l'indigence, demandez
quelquefois en mon nom, je fus jamais insensible à
l'infortune.»

Comment résister à des appels aussi déchirants?
Comment rester sourd aux accents pathétiques de
cette voix d'outre tombe?

Mais la situation était délicate. La femme de cœur
qui, pendant quarante-quatre ans, avait souffert en
silence, vécu dans la gêne, sans se plaindre, et refusé
l'aisance plutôt que de renoncer au nom glorieux de
celui dont elle était la digne épouse, cette femme
avait des sentiments qui méritaient d'être respectés.

Ce n'était pas un acte de charité mais une œuvre
de réparation nationale qu'il fallait accomplir.

L'auteur de ce livre ayant obtenu certains renseignements nécessaires, entreprit d'organiser une
souscription publique au profit de la veuve et des
deux filles du patriote de Lorimier. Aidé de M. Beaugrand, propriétaire de la *Patrie*, de M. Fréchette et de
quelques-uns des principaux citoyens de Montréal, il
réussit à recueillir en peu de temps le montant requis. Il s'agissait d'avoir un millier de piastres; on en
trouva trois cents de plus, qui furent divisées entre
les veuves du capitaine Jalbert et d'Ambroise Sanguinet.

Cette souscription donna lieu à plusieurs soirées
et démonstrations qui eurent pour effet de réveiller

le souvenir un peu endormi d'une des époques les plus intéressantes de notre histoire. On s'émut au récit des souffrances des infortunées victimes de 1837-1838, et la lecture des lettres d'adieu de de Lorimier et de Cardinal firent verser bien des larmes.

C'est le 15 juillet 1883 qu'eut lieu la présentation à Mme de Lorimier et à ses feux filles de la somme souscrite en leur faveur. Voici comment M. Chapman, un écrivain de talent, rendit compte de cette belle démonstration dans la *Patrie* du 17 juillet:

«Dimanche matin, le vapeur *Terrebonne*, tout pavoisé, laissait le quai de la compagnie Richelieu aux accords d'une fanfare guerrière.

«Une foule de touristes couvrait le pont, le salon et la dunette du bateau, les toilettes jetaient des rayonnements, et les femmes, éblouissantes de grâce, gazouillaient, et leur rire sonore, argentin, éclatait en tout sens comme des trilles d'oiseau.

«Le ciel était radieux, la brise pleine de parfums, de chants et de murmures, et le Saint-Laurent, enivré de l'effluve matinal, allongeait sa vague brodée d'écume.

«Il y avait de la joie sur tous les visages.

«Pourquoi cette joie?

«Parce que les promeneurs allaient accomplir une noble action, réparer l'ingratitude de tout un peuple, donner à la veuve d'un martyr de la liberté un peu d'or et de gloire pour essayer de la consoler de quarante-quatre années de deuil, de souffrance et d'humiliation.

«Parmi tant de voyageurs, il y en avait un surtout qui jouissait beaucoup. C'était M. L.-O. David, de *La Tribune*, celui dont le nom est désormais uni à ceux des héros de 1837, dont la parole et le zèle ont réchauffé les cœurs, ont fait que les Canadiens se sont souvenus qu'à quelque distance de Montréal la femme et les filles d'un héros vivaient dans l'oubli. M. David était heureux, car il avait rencontré des hommes dévoués qui lui avaient aidé dans son œuvre philanthropique, car, à son côté, M. Beaugrand tenait en portefeuille la somme de mille dollars, le produit de diverses contributions, qu'il allait, dans un instant, remettre à la veuve de Thomas Chevalier de Lorimier.

« Quand le vapeur toucha le quai de l'Assomption, une foule immense, accourue sur le rivage, salua chaleureusement les visiteurs, et des salves de mousqueterie éclatèrent dans l'espace.

« À ce moment, l'immortel Thomas Chevalier de Lorimier dut tressaillir dans sa tombe, quand l'écho répéta de ravins en ravins les applaudissements de ceux qui manifestaient leur reconnaissance aux excursionnistes venus lui prouver que son testament politique était enfin exécuté.

« Les Montréalais purent assister à la messe, et, lorsque les sons si graves et si touchants de l'orgue firent tressaillir la pieuse enceinte, tous les fidèles étaient visiblement émus, et sans doute plus d'une femme demanda alors au divin crucifié le repos de l'âme de ce fou sublime qui expia sur le gibet le crime d'avoir trop aimé son pays.

« Dans l'après-midi, les membres du comité de la souscription de Lorimier, dont M. David était le président, allèrent offrir à Mme de Lorimier le don qu'on lui destinait.

« La scène qui eut lieu, lors de la présentation de cette adresse, est indescriptible.

« M. L.-O. David, chargé de lire l'adresse qu'il avait écrite, n'a pu le faire, empêché qu'il était par l'émotion, et quand M. Beaugrand remplaça M. David, et se fit l'interprète de la foule venue pour témoigner sa gratitude à la veuve du grand patriote mort pour la liberté, tout le monde pleurait.

« Voici l'adresse :

« *À Mme Thomas Chevalier de Lorimier et à ses enfants.*

« Thomas Chevalier de Lorimier, mourant pour la liberté de son pays, avait confié sa mémoire et ses enfants à son épouse et à ses compatriotes.

« Quarante-quatre années de deuil et de dévouement démontrent que sa confiance en vous était bien placée. Vous avez dignement porté son nom et fidèlement exécuté ses dernières volontés.

« À la nation incombait le devoir sacré de faire sa part, d'acquitter la dette immense qu'elle a contractée envers ceux qui sont morts pour lui donner la liberté dont elle jouit maintenant. « Ô mes compatriotes, avait dit de Lorimier, je meurs pour vous, pour mon pays ; j'espère que ma mort vous sera utile. »

« Oui, sa mort nous a été utile, elle a appris à respecter une nation capable de produire de pareils dévouements. Elle a montré que sur les échafauds comme sur les champs de bataille, nous savions mourir pour nos droits et nos libertés.

« La mort de votre époux, madame, a été celle d'un héros. Ses dernières paroles mériteraient d'être inscrites sur nos monuments et nos édifices publics ; car jamais leçons plus éloquentes de patriotisme ne furent données à un peuple.

«Oh! madame, il faut lire les pages qui contiennent ses dernières pensées pour apprécier la grandeur de la perte que vous avez faite, et les souffrances que vous avez si généreusement supportées.

« Ce que nous vous offrons est peu de chose pour tant de sacrifices, mais au moins ce sera pour vous, madame et mesdemoiselles, la preuve que la nation s'est souvenue enfin de celui que vous avez tant pleuré.

«Puisse notre modeste offrande être une consolation pour vous et un encouragement pour tous ceux qui se dévouent à la patrie.

«Recevez, madame et mesdemoiselles, les vœux sincères que nous formons pour votre bonheur.

«L.-O. DAVID,
Président du comité,
Louis FRÉCHETTE,
Vice-président,
H. BEAUGRAND,
Secrétaire. »

«Durant la lecture de l'adresse, Mme de Lorimier était au comble de l'émotion. Cependant elle put dompter cette émotion, et prononça d'une voix grave ces paroles:

«–Je vous remercie, messieurs, en mon nom et au nom de mes enfants. Les paroles me manquent pour vous dire ce que mon cœur éprouve, mais vous devez le comprendre.

«Jamais je n'oublierai ce que vous faites pour moi et pour la mémoire de mon mari. »

«Quelques instants après, Mme de Lorimier, brisée par cet effort, tomba évanouie.

«La lecture de l'adresse terminée, il y eut une séance musicale et littéraire à laquelle prirent part

MM. David, Beaugrand, Archambault, Fréchette, Saint-Pierre, Desève, Mme Saint-Pierre et Melle Peltier. Après qu'on a mis de pareils noms sous les yeux du public, il est parfaitement oiseux de parler du résultat de cette séance.

« La journée de dimanche a été splendide, la démonstration si importante, qu'elle aura un retentissement extraordinaire par tout le Canada. Elle a eu un triple but: de donner du soulagement à une famille pauvre, d'honorer la mémoire d'un patriote, de faire voir à la génération la récompense réservée à ceux qui se dévouent pour les saintes causes; et, comme le temps ne fait parfois que donner de l'éclat aux choses véritablement grandes, ceux qui vivront dans un quart de siècle, en parlant de cette démonstration, diront avec orgueil:

« – J'étais là ! »

Conclusion

Nous disions au commencement de ce livre que notre intention n'était pas de démontrer que les patriotes de 1837 avaient eu droit de se révolter, mais uniquement de prouver que leurs griefs étaient sérieux, leurs motifs honorables, leur patriotisme incontestable, leurs sacrifices et leur dévouement héroïques, le résultat de leurs actes utile à la liberté, à l'avenir de leur pays.

Nous croyons avoir établi notre thèse par des faits que jamais on ne pourra contredire sérieusement, par des citations dont la valeur n'est pas contestable.

Nous avons pris plaisir à nous appuyer autant que possible sur l'opinion d'hommes étrangers et souvent peu sympathiques à notre nationalité, d'ennemis déclarés même des patriotes, afin que jamais on ne puisse nous accuser d'exagération.

Nous nous sommes bornés à raconter les faits, louant autant que possible les patriotes sans dénigrer leurs adversaires, évitant de rappeler des souvenirs qui auraient pu être désagréables à des familles dignes de respect. Nous aurions même voulu passer sous silence le malheureux livre de M. Globenski et les deux ouvrages qu'il cite à l'appui de ces appréciations, mais nous en avons déjà dit un mot, et nous croyons devoir en parler encore en terminant. On pourrait nous reprocher plus tard de n'avoir pas mentionné des ouvrages dont nous devons avoir eu connaissance.

M. Globensky, pour réhabiliter la mémoire de son père auquel personne ne pensait, a tiré de la poussière deux écrits qui auraient du y dormir éternellement. Nous voulons parler du fameux *Journal des événements arrivés à Saint-Eustache en* 1837 *par un témoin oculaire*, et des *Mémoires* de M. Paquin. On a toujours pensé que le *témoin oculaire* était M. Paquin lui-même, mais nous croyons avoir prouvé dans la *Minerve* que c'était M. Desève, alors vicaire à Saint-Eustache. Nous avons cité les propres paroles de M. Paquin qui dit dans ses *Mémoires* :

« Nous répéterons ici pour cette bataille ce qu'en a dit dans le journal des événements de Saint-Eustache un témoin oculaire, M. Desève, maintenant curé de Saint-Augustin, et alors vicaire de M. Paquin curé de Saint-Eustache. »

Pour persister à dire que ce n'est pas M. Desève, il faut supposer que M. Paquin aurait eu recours à un mensonge pour rejeter la responsabilité d'un ouvrage dont il avait honte. Il faut croire aussi que M. Paquin était capable de se contredire grossièrement du jour au lendemain sur les points les plus importants. En effet, voici ce qu'on lit dans le *Journal* :

« La conduite de sir John Colborne pendant toute cette campagne a été remplie d'une douceur admirable, et ses troupes, officiers et soldats, méritent de grands éloges. »

Voici maintenant ce qu'on lit dans les *Mémoires* de M. Paquin :

« Il en fut à Saint-Benoît comme à Saint-Eustache, encore plus, car pas une maison ne fut sauvée... Voilà ce que c'est que de recevoir la visite des Visigoths et des Vandales... Depuis ces jours de désolation et de calamité, nous n'avons cessé de réclamer et rien encore n'a été fait. Ce qui fait voir que sir John Colborne n'avait pas une âme d'homme ni un cœur anglais en causant des pertes si affreuses pour rien. »

Plus loin il le traite de génie malfaisant et lui applique les vers suivants de Rousseau :

Des remparts abattus, des palais mis en cendre,
Sont de la cruauté les plus doux ornements ?
Tigre à qui la pitié ne peut se faire entendre,
Tu n'aimes que le meurtre et les embrasements
La frayeur et la mort vont sans cesse à ta suite,
Monstre nourri de sang, cœur abreuvé de fiel.

Comment prétendre sérieusement que le même homme ait pu se rendre coupable d'une pareille contradiction ?

D'ailleurs, que le *Journal* et les *Mémoires* aient été écrits ou non tous deux par M. Paquin, peu importe ; ces deux ouvrages ne valent guère mieux l'un que l'autre et portent la même marque, le même cachet, le cachet de l'esprit de parti le plus injuste. L'éloge que l'auteur des *Mémoires* fait de la *générosité*, de la *douceur* du vieux *brûlot* Colborne, devait seul faire condamner à mort ce livre.

Il est un spectacle que nous trouvons plus beau que celui de M. Paquin, c'est celui du noble et courageux curé de Saint-Charles bénissant les patriotes agenouillés à ses pieds avant le combat. Nous voulons parler de M. Blanchet que son patriotisme n'a pas empêché de devenir un saint évêque, un missionnaire dont la religion et la patrie sont fières.

Entre le prêtre qui prêche la paix et l'écrivain qui se laisse dominer par le ressentiment, il y a une distinction à faire. Nous respectons le premier, il remplissait un devoir; nous condamnons le second, l'homme de parti, c'est notre droit.

S'il fallait en croire M. Globenski et ses autorités, le beau rôle en 1837 n'a pas été joué par les patriotes, mais par les bureaucrates!

C'est le renversement de l'histoire, la contradiction monstrueuse de toutes les idées reçues, l'anéantissement des traditions les plus populaires. Ce ne sont pas les victimes qui auraient droit à nos sympathies, mais leurs bourreaux!

Ce ne sont pas les volontaires et les soldats qui ont brûlé les villages, jeté sur les chemins publics des centaines de femmes d'enfants, pillé, tué et volé; on dirait que ce sont les patriotes.

On s'enthousiasmait au récit de la mort héroïque de Chénier; on pleurait en lisant le testament politique et national de de Lorimier; on s'apitoyait sur le sort de l'infortuné Duquet.

Erreur! erreur profonde!

C'étaient, paraît-il, des insensés, des ambitieux, des révoltés.

Les héros de l'époque, les bienfaiteurs de notre pays sont Colborne et ses braves soldats, les volontaires, les bureaucrates et tous ceux qui ont combattu par la parole ou les armes leurs compatriotes. C'est à eux qu'on devrait adresser nos hommages, élever nos monuments.

Pauvre de Lorimier! Toi qui, à la veille de mourir, ne nous demandais, en retour de tes sacrifices, que de croire à la sincérité de ton patriotisme, tu ne t'attendais pas que les Canadiens français refuseraient d'écouter ta prière, d'accepter l'offrande de ton sang. Mais ils sont si peu nombreux ces Canadiens français, que leur opinion ne compte pour rien.

C'était une lutte inutile, insensée, dit-on.

À qui la faute ? Qui a rendu cette lutte inutile en empêchant le soulèvement d'être général ? Ceux mêmes qui aujourd'hui reprochent aux patriotes leur insuccès et se font une gloire de les avoir affaiblis !

Il y eut un moment où la cause de l'indépendance américaine ne tenait qu'à un fil ; aurait-on eu le droit de dire, si le fil eut cassé, que Washington était un fou, un imbécile ? Daulac et sa poignée de héros se vouent à une mort certaine pour sauver la colonie naissante de Montréal ? Était-ce de la folie ?

Notre histoire est pleine de ces actes héroïques enfantés par la folie du dévouement, du sacrifice.

N'appelle-t-on pas le plus grand sacrifice dont le monde et le ciel aient été témoins « la folie de la croix ? »

Jésus-Christ a été vaincu, lui aussi, vaincu par le nombre, par les bureaucrates, les soldats de César ? Il est le modèle, le patron, le soutien de tous ceux qui meurent pour une cause qu'ils croient juste, sainte, nationale.

Plus on blâme l'imprudence et la témérité des patriotes, plus on trouve absurde qu'ils aient songé à entreprendre une lutte aussi inégale, plus on devrait au moins louer leur courage et leur énergie.

Que resterait-il dans l'histoire, si on en faisait disparaître toutes les causes vaincues, tous les héroïsmes écrasés par la force ? Qu'auraient à nous montrer la Pologne et l'Irlande ?

Si l'insurrection eût triomphé, dit-on, le Canada eut été annexé aux États-Unis, et l'annexion c'était la ruine de notre religion, la mort de notre nationalité.

Lorsque les patriotes américains invoquèrent l'aide de la France, des voix indignées s'élevèrent contre cet appel aux armes étrangères. On disait que c'était une honte, qu'on paierait cher les secours qu'on obtiendrait. Aujourd'hui, les fils des puritains et bureaucrates qui combattaient avec tant d'acharnement Washington, élèvent presque des autels à ce grand homme et proclament la sagesse et ses actions. On peut affirmer sans crainte que si l'insurrection de 1837-1838 eût réussi, ceux qui blâment si sévèrement les patriotes, seraient les plus ardents à bénir le résultat de leurs sacrifices.

Jusques à quand se servira-t-on dans notre pays du spectre de l'annexion pour faire excuser toutes les faiblesses, toutes les trahisons et flétrir les convictions les plus nobles ?

Les patriotes étaient, disent leurs détracteurs, des révolutionnaires, des hommes violents, imbus de mauvaises idées, ils organisèrent même des sociétés secrètes.

Quel enfantillage !

Quand et dans quel pays a-t-on vu des insurgés commettre aussi peu d'excès, traiter avec tant de douceur ceux qui les combattaient ?

M. Paquin et M. Desève qui essaient de faire croire que leur vie a été en danger, admettent que tous les jours ils allaient et venaient au milieu des patriotes qui se contentaient de les prier de rester avec eux pour leur donner l'absolution avant le combat. Dans quel pays, encore une fois, des insurgés auraient-ils ainsi traité des ennemis déclarés de leur cause ? Ignore-t-on que pendant des mois plusieurs centaines de familles anglaises se sont trouvées à la merci d'une population soulevée en grande partie et provoquée tous les jours par leur fanatisme et leur orgueil ?

N'est-il pas étonnant qu'il y ait eu aussi peu d'actes de violence ?

Nous les avons connus d'ailleurs ces hommes dangereux, il en vit encore plusieurs. Existe-t-il de meilleurs citoyens, des chrétiens plus sincères, des amis plus fidèles de leur religion et de leur patrie ? Les Morin, les Girouard, les Lafontaine, les Cartier et les Fabre étaient-ils des hommes bien dangereux ?

Le clergé lui-même ne les a-t-il pas reconnus comme les chefs du peuple pendant quarante ans ?

Ceux qui moins heureux ont péri dans la tourmente et ont poussé le sacrifice jusqu'à la mort, sont-ils moins dignes de notre estime ?

On pousse la malice jusqu'à faire un crime à de Lorimier et à quelques autres patriotes d'avoir essayé d'échapper aux fureurs de la cour martiale en niant la vérité des accusations portées contre eux. Est-ce raisonnable, et cette accusation mérite-t-elle d'être relevée ? Depuis quand, sous la loi anglaise, fait-on un crime à l'accusé de plaider « non coupable ? » Du reste, en supposant même que pour sauver leur vie, ils auraient eu un moment de faiblesse, ils ne seraient pas les premiers qui avant d'être tout à fait résignés à mourir auraient dit: « Éloignez de moi ce calice. »

On prétend aussi que plusieurs ont reconnus leur erreur et demandé pardon de s'être révoltés. On devrait avoir honte de faire un usage aussi scandaleux des déclarations faites, à la veille de mourir, par de pauvres gens qui abandonnés des hommes, ont dit tout ce qu'ils ont cru nécessaire pour mourir en paix avec Dieu.

Mais pourquoi les défendre davantage ? Il y a déjà longtemps que l'opinion publique et le sentiment national ont rendu jugement en leur faveur.

De Lorimier, Cardinal et Duquet ! vous avez offert à Dieu vos souffrances et votre martyr pour le bonheur et la liberté de votre patrie. Vous saviez que Dieu regarde avec complaisance les pays où le sang a coulé pour les causes saintes et nationales, et qu'il pardonne beaucoup aux nations qui ont beaucoup souffert.

Le sang que vous avez versé pour la liberté mérite d'être mêlé à celui que nos ancêtres ont répandu pour la foi et la civilisation. Vos sacrifices font partie de notre héritage national.

Acceptez l'offrande de ce livre.

Puissent les larmes que le récit de vos souffrances fera couler et les sentiments généreux qu'il inspirera vous prouver que le patriotisme n'est pas éteint dans le cœur de vos compatriotes, et que votre souvenir vivra aussi longtemps que la nationalité canadienne-française sur les rives du Saint-Laurent. Pardonnez à ceux qui vous insultent, car ils ne savent ce qu'ils font.

Appendice

LES SOUFFRANCES DES PATRIOTES EXILÉS

Le 26 septembre, à 4 heures de l'après-midi, les 58 exilés, enchaînés deux par deux, étaient conduits, sous forte escorte, au vaisseau qui les attendait au Pied-du-Courant. Avec quelle angoisse ils jetèrent un dernier regard vers les lieux où des êtres chéris étaient plongés dans la douleur !

Le 28 septembre, ils partaient de Québec à bord du vaisseau chargé de les transporter en Australie.

Ce qu'ils eurent à souffrir pendant la traversée et leur séjour en Australie a été raconté par l'un d'eux, M. F.-X. Prieur, dans un livre intitulé *Notes d'un condamné politique*, et verbalement par plusieurs des exilés après leur retour au pays. Je viens de mettre la main sur les notes écrites jour par jour par M. F.-M. Lepailleur depuis son départ pour l'exil jusqu'à son retour.

J'ai bien connu ces deux patriotes qui vécurent longtemps après leur retour au pays. Le premier était, en 1837, marchand à Saint-Timothée ; ruiné par son dévouement à la cause des patriotes, il obtint du gouvernement, à son retour de l'Australie, un emploi qui lui permit de vivre et de soutenir sa famille. Plusieurs enfants et petits-enfants vénèrent sa mémoire.

J'ai vu souvent, au palais de justice, M. le Pailleur qui occupait la position d'huissier de la Cour du

Banc de la Reine. C'était un brave et charmant homme, poli, courtois, estimé de tous ceux qui le connaissaient. Il épousa, à son retour de l'exil, la veuve de son ami Cardinal, et mourut à un âge avancé.

Ces deux patriotes ont raconté les souffrances des exilés depuis leur départ de Québec jusqu'à la fin de leur exil.

Les prisonniers à bord du *Buffalo,* en y comprenant les déportés du Haut-Canada et quatre forçats, étaient au nombre de cent quarante-quatre. Ils furent entassés dans un entrepont de quatre pieds de hauteur sur une longueur de soixante-quinze pieds entre deux cloisons, où l'air et la lumière manquaient. C'est là, dans ce taudis infect et empesté, qu'ils devaient coucher quatre par quatre dans des compartiments ayant deux pieds de hauteur, sur des matelas affreux; c'est là qu'ils devaient pendant cinq mois vivre, dormir et manger. Et quelle nourriture ! Elle était la plupart du temps dégoûtante et si au moins elle avait été suffisante ! Mais non, on leur en donnait juste assez pour les empêcher de mourir de faim. Ajoutons à cela les menaces, les mauvais traitements, les insultes les plus grossières, les souffrances causés par une vermine impitoyable et une chaleur suffocante, et on aura une idée de ce que durent souffrir ces hommes honorables accoutumés au confort, au bien-être de nos bonnes familles canadiennes. Une des choses qu'ils supportaient avec le plus de peine était le plaisir que prenaient certains officiers anglais à les traiter comme de vils criminels, à sembler même leur préférer les forçats auxquels ces braves gens étaient associés.

Si au moins, pendant cette traversée épouvantable, ils avaient pu espérer qu'ils seraient mieux traités et plus heureux sur la terre de leur exil! Mais ils ne se faisaient pas illusion sur le sort qui leur était réservé.

Arrivés à Sydney, dans les derniers jours du mois de février, ils restèrent enfermés, quatorze jours, dans les flancs infects du *Buffalo*, pendant que les autorités délibéraient sur l'endroit où ils seraient installés. Il avait d'abord été question de les envoyer à l'île Norfolk, située à cent milles de Sydney, connue dans le pays sous le nom mérité de « l'Enfer. » On y envoyait les criminels les plus redoutables, les plus dangereux. Or, des lettres venues du Canada avaient convaincu les autorités officielles de l'Australie que nos compatriotes étaient des criminels de cette espèce, des brigands capables et coupables des crimes les plus odieux. Ils trouvèrent heureusement dans la personne de Mgr Polding, l'évêque de Sydney, un protecteur puissant et dévoué qui avait appris en peu de temps à les connaître, à les estimer. Aidé du père Brady, il réussit à les préserver du danger qui les menaçait; il alla jusqu'à se porter caution de leur conduite future.

Enfin, après des pourparlers et des délibérations presque interminables, il fut décidé de les envoyer à Long Bottom, à quelques milles de Sydney. Ce n'était pas l'enfer, non, c'était le purgatoire. Ils y furent entassés dans des bâtisses où ils souffrirent beaucoup du froid et de l'humidité, la nuit surtout, vu qu'ils furent condamnés à coucher sans couvertures sur des planchers mal joints et humides. L'eau de pluie et la nourriture qu'on leur donnait ne pouvaient être plus malsaines, plus infectes.

Avant de les mettre à l'ouvrage, on les soumit à un procédé qui les humilia profondément en achevant de les confondre avec les forçats. « On nous fit mettre en rang, dit M. Prieur, et au moyen de peinture et un fer à marquer, on inscrivait sur nos habits, à plusieurs endroits, les lettres de la servitude pénale : L B qui étaient les initiales du nom de l'établissement que nous habitions, Long Bottom ».

C'est là dans le voisinage de Long Bottom, à une petite distance de la rivière Paramata, qu'ils furent employés pendant plusieurs mois, à extraire, casser et transporter la pierre destinée au macadam des grandes routes voisines, sous la conduite et la surveillance d'employés grossiers et violents.

Leur seule consolation était de pouvoir de temps à autre entendre la messe dans un hangar qu'ils avaient réussi à convertir en chapelle et d'y recevoir la communion des mains du bon évêque Polding ou du dévoué père Brady. M. Prieur et M. Le Pailleur se plaisent à dire que la religion les aida puissamment à supporter les misères et les souffrances de leur exil.

Après un certain temps, leurs maîtres et leurs gardiens les trouvant si paisibles, si patients et si laborieux, finirent par les estimer et les traiter avec plus d'égard, avec moins de sévérité.

« Il y avait, dit M. Prieur, vingt mois que nous étions à Long Bottom, lorsque l'ordre vint de nous louer à des habitants du pays, selon l'usage des colonies pénales de l'Australie. Les conditions de notre louage étaient qu'on devait nous payer sept chelins et six deniers par semaine et de plus dix livres de bœuf, dix livres de farine de blé, une livre de sucre et quatre onces de thé noir, comme ration alimentaire. Les loués sont tenus de préparer et de faire cuire eux-mêmes leurs aliments et ils sont logés dans de petites cases séparées de la demeure des propriétaires ; à peu près comme les esclaves noirs dans les plantations du sud de l'Amérique ».

Inutile de dire que les *loués* restent soumis aux autorités militaires du pays, à une vigilance et à des règlements sévères.

Nos infortunés compatriotes réussirent presque tous à se louer et furent plus ou moins heureux et bien traités selon le caractère et la mentalité de leurs maîtres. Mais il vint un temps où la plupart furent congédiés et obligés d'avoir recours à toutes sortes d'expédients pour vivre.

Pendant ce temps-là, au Canada comme en Angleterre, des âmes charitables travaillaient à obtenir leur pardon et à les rapatrier. Un comité d'hommes importants de Montréal organisait à cette fin une souscription, et ce comité avait pour trésorier M. Raymond Fabre, un patriote éprouvé, l'un des hommes les plus estimés de Montréal. Le gouvernement anglais finit par céder aux instances, aux supplications de tous ceux qui, en Angleterre comme au Canada, s'intéressaient au sort des exilés, mais il procéda lentement, et comme l'argent souscrit pour subvenir aux dépenses du retour était déposé en Angleterre, ils étaient obligés de s'y rendre, à leurs frais, avant de pouvoir le toucher. La joie qu'ils éprouvèrent, lorsqu'ils apprirent l'heureuse nouvelle de leur délivrance, fut indicible, mais elle fit place chez un bon nombre à la tristesse lorsqu'ils songèrent qu'ils n'avaient pas les moyens de payer les frais du retour. Ils eurent recours à tous les expédients, se soumirent aux travaux les plus durs, aux besognes les plus grossières afin de se procurer les fonds requis. On peut imaginer le chagrin de ceux qui restaient, lorsqu'ils voyaient partir plusieurs de leurs compagnons d'exil qui avaient réussi à se procurer l'argent qu'on leur demandait pour les transporter en Angleterre. Le gouverneur sir George Gipps leur avait pourtant annoncé que la souscription au Canada était assez forte pour permettre au gouvernement anglais de payer les frais de voyage de tous les exilés. Mais l'argent promis n'arrivait pas et nos malheureux compatriotes s'énervaient dans une attente cruelle.

Enfin, en 1846, tous les exilés avaient réussi à réintégrer la patrie, à l'exception toutefois de MM. Ignace Chèvrefils et Louis Dumouchel qui étaient morts, et d'un nommé Marceau qui s'étant marié avait décidé de demeurer en Australie.

Comme les exilés, leurs familles et leurs amis avaient vécu, depuis plusieurs mois, dans l'espoir que bientôt l'amnistie serait proclamée, mais les jours, les semaines, les mois s'étaient écoulés et rien n'était venu confirmer l'heureuse rumeur. Leur anxiété était grande. Aussi, lorsqu'ils apprirent que les exilés étaient en route vers la patrie, ils furent heureux et se préparèrent à les recevoir les bras ouverts. Mais les joies du retour furent parfois mêlées de chagrins amers. La mort avait fait des victimes, elle avait enlevé des êtres chéris, et, dans plusieurs cas, les exilés avaient été dépouillés de leurs biens; leur ruine était complète. Heureusement ils retrouvèrent des amitiés et des sympathies qui les consolèrent et les aidèrent à refaire leur vie. Les Canadiens français ne pouvaient ignorer que si ces braves gens avaient tant souffert, c'était pour eux, pour leur procurer les libertés politiques et nationales dont ils jouissaient.

Lorsqu'on étudie l'histoire des événements dramatiques de 1837-1838, on ne peut s'empêcher de regretter que le changement de la peine de mort en emprisonnement n'ait pas eu lieu avant l'exécution de Cardinal, de de Lorimier et de leurs dix compagnons d'infortune. Ils n'étaient pas plus coupables que les exilés et méritaient autant qu'eux la pitié et la miséricorde. Leur exécution n'était pas nécessaire ; elle fut cruelle et plus inspirée par le fanatisme et l'esprit de vengeance que par les sentiments de justice et de loyalisme. Les autorités se croyaient naturellement obligés de sévir, mais vu les griefs dont les patriotes souffraient depuis longtemps, et vu les motifs patriotiques qui les animaient, l'emprisonnement aurait été bien suffisant.

Si le gouvernement anglais faisait monter à l'échafaud tous ceux qui depuis des mois sont en révolte ouverte contre l'autorité royale et se rendent coupables d'incendies, de pillages et d'assassinats, il n'y aurait pas assez de cordes pour les pendre.

En tout cas, les Canadiens français ne cesseront d'honorer la mémoire de ceux qui, en, 1837-1838, souffrirent et moururent pour l'honneur et la liberté de leur patrie.

Plus on étudie l'Histoire, plus on constate que rien de bon, de grand et d'utile ne s'accomplit dans le monde sans sacrifice, sans dévouement, sans effusion de sang Toutes les conquêtes de l'humanité, toutes les réformes et les révolutions religieuses, nationales ou sociales les plus bienfaisantes ont eu leurs martyrs. Nous ne pouvons pas échapper aux lois générales qui régissent le monde.

Plusieurs des condamnés à l'exil n'eurent même pas la consolation de voir leurs parents et leurs amis avant leur départ pour l'Australie, mais ceux de Montréal, et des environs, comme MM. Prieur et Le Pailleur, purent dire un dernier adieu à quelques-uns des membres de leurs familles. Inutile de dire que les adieux furent déchirants, les séparations cruelles. Les larmes, les sanglots des mères et des épouses faisaient pitié. M. Prieur dit qu'il remercia Dieu d'épargner à ses vieux parents, à sa mère spécialement, les terribles émotions de la séparation.

La plupart des déportés étaient des cultivateurs dont la participation à l'insurrection avait été bien légère. «Qu'avait-on à craindre, dit M. Prieur, de ces braves gens si paisibles? Si toutefois il y a des coupables, ce ne sont certainement pas eux.»

Il veut dire que les coupables étaient les chefs, les hommes dont les paroles éloquentes, violentes même, avaient soulevé, entraîné ces braves gens. Or tous ou presque tous avaient su se mettre en sûreté en franchissant la frontière.

N'auraient-ils pas dû, dit-on, rester avec ceux qui avaient répondu à leurs appels, pour les protéger et subir leur sort au besoin? Ils ont allégué pour leur défense qu'ils n'auraient pas sauvé leurs compatriotes en se perdant, et plusieurs qui avaient pris part plus ou moins à l'insurrection de 1837 avaient désapprouvé la révolution de 1838. Ajoutons enfin que quelques-uns avaient été exilés aux Bermudes.

On comptait parmi les déportés trois notaires: MM. Hypolite Lanctôt, Charles Huot et Louis Hénault; un médecin: Samuel Newcomb; un commis: Léandre Ducharme, un jeune homme de vingt-deux ans, appartenant à une famille bien connue à Montréal; deux ou trois marchands.

J'ai bien connu M. Lanctôt, lorsqu'il exerçait la profession de notaire à Laprairie. C'était un homme aimable, courtois, hospitalier, un gentilhomme à l'extérieur imposant, à la parole vive, éloquente. Il vivait à Saint-Rémi, lors de l'insurrection et lorsqu'il revint de l'exil il s'établit à Laprairie où il était l'un des chefs du parti libéral. Il parlait en termes amers des mauvais traitements dont il avait été victime, des tourments de l'exil, dont il garda le ressentiment jusqu'à sa mort. Il était le père de Médéric Lanctôt que son talent d'écrivain et d'orateur, aurait porté aux positions les plus élevées, s'il avait pu mettre un frein à son imagination, à son ardeur belliqueuse, s'il avait eu plus de patience. Mais il disait: « N'oubliez pas que je suis né presque à la porte de la prison où ma mère venait de voir mon père prisonnier ». C'est vrai, il était né et avait grandi dans une atmosphère enflammée, dans un milieu plein de germes de révolte: il avait dans le sang toutes les ardeurs de ces temps d'agitation.

J'ai dit qu'après vingt mois passés à casser de la pierre, les exilés s'étaient loués à des maîtres comme des esclaves, pour faire un travail souvent grossier et onéreux, et qu'ils furent ensuite obligés de gagner leur vie en se livrant à toute espèce d'occupations et de besognes plus ou moins désagréables, spécialement lorsqu'ils voulurent gagner assez d'argent pour payer les frais de leur retour.

M. Prieur, par exemple, dit qu'il fut tour à tour confiseur, jardinier, garçon de ferme, boulanger, commerçant et que, pendant plusieurs mois, ses compagnons d'exil furent à la recherche d'emplois quelconques. Mais une crise financière sévissait à Sydney et dans les villages voisins, et les pauvres exilés avaient toutes les peines du monde à trouver de l'ouvrage. La vie était dure à ceux qui n'avaient jamais manié une pioche, une pelle, jamais fait aucun travail manuel. Mais que n'auraient-ils pas fait pour se procurer les moyens de retourner dans leur patrie, de revoir parents et amis? Les nouvelles du pays étaient rares et elles étaient souvent tristes.

Gabriel-Ignace Chevrefils

Chevrefils était l'un des chefs de l'expédition chargée de prendre possession de Beauharnois. Il avait passé une partie de la nuit à visiter les maisons de Sainte-Martine, afin d'obliger à prendre part à l'expédition tous ceux qui étaient en état de porter un fusil. Et lorsqu'ils hésitaient, il les enlevait et les obligeait de marcher.

L'œuvre de la vengeance fut lamentable, sanglante. Des centaines de patriotes furent arrêtés, conduits à Montréal et entassés dans des prisons infectes, pendant que leurs maisons et leurs granges étaient incendiées et leurs femmes et leurs enfants lancés sur les chemins publics.

La femme de Chevrefils était une femme forte, énergique, comme son mari. Lorsque les bureaucrates se rendirent chez elle pour mettre le feu à la maison, ils lui ordonnèrent de sortir. Elle avait alors dans les bras, une enfant, une petite fille de quelques mois, qui vit encore, âgée de 85 ans, et dont M. Joseph Charlebois est le fils. Elle refusa de sortir et dit d'une voix ferme aux volontaires que s'ils mettaient le feu à la maison, elle y brûlerait avec son enfant. Un bureaucrate anglais, qui était présent, dit aux incendiaires qu'ils feraient mieux de s'en aller, car il déclara qu'il la connaissait et qu'elle ferait certainement ce qu'elle disait. Ils s'en allèrent et la maison fut épargnée.

Chevrefils, qui aurait pu s'enfuir comme d'autres aux États-Unis, fut arrêté et condamné à être pendu. Mais sa sentence fut commuée et il fut l'un des cinquante et un patriote exilés en Australie. C'était, comme je l'ai dit plus haut, un homme de forte stature et de haute taille, un colosse dont les rations ordinaires ne pouvaient satisfaire l'appétit. Ses compagnons avaient pitié de lui et lui donnaient partie de leurs rations. Mais les privations avaient affaibli son estomac, et ayant, un jour, mangé plus que d'habitude, il eut une indigestion qui lui donna la mort.

M. Prieur dit que lorsque Chevrefils tomba malade il fut transporté de Long-Bottom à Sydney, sur de la paille, dans un tombereau traîné par un bœuf. «Nous le déposâmes, dit-il, aussi doucement que possible dans cette dure voiture, et chacun de nous lui donna un serrement de main accompagné de larmes, car nous sentions bien que cet adieu était le dernier. En effet, il succomba à sa maladie et mourut sur la terre étrangère.»

J'ai parlé des souffrances de ces pauvres exilés de l'Australie, mais que dire des souffrances de leurs femmes, de leurs enfants chassés par l'incendie de leurs maisons, errant sur les chemins publics, à la recherche d'asiles qu'ils avaient souvent de la peine à trouver, souffrant du froid et de la faim. Et, ensuite, comment vivre? Où trouver l'aide nécessaire pour cultiver la terre ou continuer le négoce qui jusqu'alors avaient fait vivre la famille?

La plupart, heureusement, trouvèrent l'aide et les secours dont ils avaient besoin. Des hommes généreux, même des Anglais charitables avaient pitié de ces pauvres familles et se firent un devoir de les secourir.

Lorsqu'on pense aux sacrifices faits par nos ancêtres pour fonder la nation canadienne-française, assurer sa survivance et lui procurer les bienfaits de la civilisation et de la liberté, nous réalisons la grandeur de leur mérite et nous sentions le besoin de le reconnaître, de le glorifier.

Le fait est que rien de bon ne s'acquiert sans peine, sans douleur. Toutes les conquêtes de l'humanité, toutes les réformes qui ont assuré son progrès et son bonheur sont le résultat du dévouement, du sacrifice.

Le sacrifice divin de la Croix en fournit la preuve la plus éclatante.

Reconnaissance publique

Le monument grandiose érigé dans le Cimetière de la Côte des Neiges, la statue de Chénier sur la place Viger, le monument élevé à Saint-Denis à la mémoire des patriotes tués à Saint-Denis et celui qu'un comité se prépare, en ce moment, à édifier à l'endroit même où douze de nos infortunés compatriotes moururent sur l'échafaud, démontrent que les Canadiens français savent plus que jamais rendre hommage à ceux qui souffrirent et moururent pour conquérir les libertés politiques dont nous jouissons, pour obtenir le respect de notre origine, de nos traditions religieuses et nationales.

La question de l'érection d'un monument aux patriotes a éveillé l'attention et l'intérêt des descendants de tous ceux qui en 1837 et 1838 furent victimes de leur patriotisme et les a induits à fournir à l'auteur de ce livre des renseignements dans des lettres dont il croit devoir publier celles qui suivent.

LE PATRIOTE DESJARDINS

Lettre adressée par sa fille au président honoraire du Comité.

En ma qualité de fille d'un prisonnier d'État de 37-38, il m'est sensible de constater que votre comité a pris l'initiative, non seulement d'élever un monument à ces braves et malheureux patriotes, mais encore de faire sortir de l'ombre un grand nombre de ceux qui furent emprisonnés.

Mon père, F.-X. Desjardins, d'Ottawa Glass Work, comté de Vaudreuil, aujourd'hui appelé Como; mon père fut emprisonné, le 14 décembre 1838, pour avoir été trouvé coupable d'avoir en sa possession des fusils, des balles, des cartouches et de la poudre. Il n'en fallait pas plus pour allumer la haine de Colborne et de ses partisans. Mon père faisait partie du clan des patriotes de Saint-Benoît et de Saint-Eustache. C'était la nuit que les chefs se rencontraient, se consultaient, afin de mettre fin aux abus du temps. Malheureusement, les Canadiens n'étaient pas tous des patriotes, et plusieurs des chefs furent dénoncés par de prétendus amis.

Comme je suis née onze ans après la révolution j'étais trop jeune à la mort de mon père pour comprendre la portée de tels événements. J'aurais pu connaître plus; mais chaque fois que nous cherchions à évoquer le souvenir de cette triste épopée, les larmes inondaient sa figure, et c'est avec peine qu'il nous fit le récit que je vais à mon tour vous narrer : « Nous étions en prison, très mal couchés et mal nourris ; nous nous plaignîmes aux autorités, et moyennant vingt piastres par mois chacun, nous eûmes une bonne nourriture et des lits convenables », disait mon père. Il ajoutait qu'il recevait de sa famille des gâteaux dans lesquels il y avait des lettres, qui le mettaient au courant des faits et gestes des patriotes, et de ses affaires personnelles. Il était à la tête d'un immense commerce et cette détention le ruinait.

Chevalier de Lorimier, par sa jeunesse, son intelligence et son urbanité, s'était acquis la sympathie de ses compagnons de captivité. Lorsqu'il fit ses adieux à sa femme et à ses enfants, la veille de son exécution, de Lorimier retenait ses larmes, dit mon père, afin de ne pas offrir sa douleur en spectacle à ses geôliers. Il fut stoïque, mais il n'en fut pas de même de sa malheureuse épouse, qui ne voulait pas se séparer du compagnon de sa vie. Elle se cramponnait à lui et les gardes l'entraînèrent inconsciente. Alors la regardant s'éloigner, il dit aux amis qui l'entouraient et cherchaient à le consoler : « Ah ! la mort n'est rien auprès de cela » ! Tous le comprirent et partagèrent son immense douleur. Mais le destin est inflexible.

La nuit approchait ; l'exécution au dehors se préparait. Les plus favorisés de la fortune, afin de faire trouver la nuit moins angoissante aux condamnés qui, le lendemain, allaient payer de leur vie le crime d'avoir trop aimé leur patrie, avaient commandé un excellent réveillon : c'était le festin de la mort et tous firent des efforts pour leur faire oublier par tous les moyens leur fin prochaine. Plusieurs firent des discours et chantèrent.

Hindelang, ce jeune Français qui avait embrassé notre cause avec tant d'ardeur, dit: «J'ai écrit à ma mère: "quand tu recevras cette lettre, ton fils aura vécu. Mais, ne t'alarme pas, je meurs pour avoir voulu défendre des frères malheureux et opprimés, et je ne le regrette pas." »

L'aube pointait, le moment fatal approchait, l'angoisse se peignait sur la figure des condamnés et de leurs compagnons. Tous portaient leurs regards sur la porte qui devait livrer passage aux gardes. L'heure douloureuse des adieux était venue, ce fut déchirant, inoubliable! Jusqu'au dernier moment les condamnés avaient compté sur la clémence de cette reine de dix-huit ans. Mais vains espoirs. Par la libéralité des prisonniers les plus fortunés, la prison, pour triste circonstance, avait été drapée de noir. Les autorités permirent aux prisonniers de regarder par les fenêtres l'affreux spectacle; mais tous refusèrent avec énergie, et se jetèrent à genoux, priant Dieu, à haute voix, de leur donner la force de pardonner aux bourreaux qui coupaient le fil de vie de si précieuse existence.

Après cette affreuse exécution, les prisonniers attendirent avec angoisse la décision du fameux Colborne. Mais, plus heureux que leurs infortunés compagnons, les uns furent exilés, les autres graciés. Mon père fut libéré par l'intercession de ceux qui l'avaient dénoncé.

Plus tard, le gouvernement le nomma coroner, juge de paix et capitaine de milice.

Toutefois, il ne put jamais oublier ce que les patriotes avaient souffert et ne manqua jamais l'occasion de dénoncer leurs persécuteurs.

LE PATRIOTE FRÉCHETTE

La seconde lettre est de Mme David Dupuis, née Fréchette (Vitaline), de Granby. En voici le texte :

« J'ai lu avec le plus grand intérêt votre article dans la "Presse", intitulé "Le monument aux Patriotes de 1837-1838", car il me rappelle des souvenirs qui me sont bien chers, quoique bien tristes. Puisque vous désirez connaître les familles des patriotes de cette époque mémorable, je crois qu'il est de mon devoir de répondre à votre appel en vous donnant quelques renseignements.

« Mon père, Julien Fréchette, et son frère, David, étaient partis pour aller se battre, quittant leurs familles et leurs maisons. Le 23 novembre, des soldats et des volontaires arrivèrent et dirent aux femmes de s'en aller, car ils venaient mettre le feu à leurs maisons et autres bâtiments. En effet, les femmes étaient à peine sorties que le feu commençait à détruire tout ce qu'elles possédaient. Etant loin des voisins, ne sachant où aller, elles passèrent la nuit dans le bois avec huit petits enfants. Et, comme il pleuvait, on peut se faire une idée de leurs souffrances. Mon père, ayant pris part à la bataille d'Odeltown, fut arrêté quelques jours après, et mis en prison où il eut beaucoup à souffrir. Quoiqu'il n'ait pas été exécuté, il a droit, il me semble, d'être signalé à l'attention de ses compatriotes. Ma mère nous racontait souvent, en pleurant, les souffrances de la famille causées par la participation de mon père à l'insurrection de 1838. Elle est morte à l'age de 97 ans.

« Je suis heureuse de vous offrir mon humble souscription pour l'érection du monument aux patriotes de 1837-1838. »

Félix Poutré

Il est maintenant clairement certain que ce triste personnage était un traître. Ce n'est pas, comme il le prétendait, en simulant la folie qu'il obtint sa liberté, mais bien par ses délations. On a retrouvé à Ottawa, dans les archives publiques, les reçus signés par lui pour différentes sommes que lui payaient les autorités anglaises pour ses dénonciations. Fréchette avait popularisé de bonne foi la légende de Poutré dans une pièce amusante qu'on continue à représenter.

La presse française du temps et les « troubles »

La France nous avait bien vite oubliés. Plus encore que les Polonais de l'époque, nos Canadiens avaient raison de dire que la France était trop loin. Les premières nouvelles des troubles ne parvinrent en Europe qu'en 1838. Dans le «Constitutionnel» du 22 mai 1838, on parle de «Soulèvements en Amérique contre le gouvernement de S. M. la Reine, incités par les citoyens de la République des États-Unis.» Les dépêches, on s'en aperçoit, sont de source anglaise. Le gouvernement français d'alors est d'ailleurs anglophile, ce n'est pas des ministres de Louis-Philippe que les insurgés peuvent espérer du secours, même de la sympathie. Sait-on d'ailleurs si ce sont des Français qui se révoltent ainsi? Le «National», du 3 septembre de la même année dit: « Encore des colons anglais qui se révoltent! »

Toutefois on peut relever à la date du 1er novembre de cette même année dans les « Nouvelles de Flandre et de Brabant » une correspondance de Londres où la répression est fortement blâmée « comme inhumaine et digne des Russes. »

Table

Du même auteur

Biographies canadiennes, Montréal, 1872
Monsieur Isaac S. Desaulniers, Montréal, 1883
Monseigneur Plessis, Montréal, 1883
Sir Louis-Hippolyte Lafontaine, Montréal, 1872
Biographies et portraits, Montréal, 1876
Il y a cent ans, Montréal, 1876
Monseigneur Alexandre-Antonin Taché, Montréal, 1883
Mes contemporains, Montréal, 1894
Le Clergé canadien, sa mission, son œuvre, Montréal, 1896
Les deux Papineau, Montréal, 1896
L'Union des deux Canadas, 1841-1867, Montréal, 1898
Le Drapeau de Carillon, Montréal, 1923
Laurier et son temps, Montréal, 1905
Histoire du Canada depuis la Confédération, Montréal, 1909
Souvenirs et biographies, Montréal, 1911
Mgr Ignace Bourget et Mgr Alexandre Taché, Montréal, 1922
Mélanges historiques et littéraires, Montréal, 1917
Laurier, sa vie et ses œuvres, Beauceville, 1917
Les Gerbes canadiennes, Montréal, 1921
Au soir de la vie, Montréal, 1924
Croyances et Superstitions, Montréal, 1926
La Jeunesse et l'avenir, suivi de *Colonisation*, Montréal, 1926
D'Iberville et la Conquête de la Nouvelle-Angleterre, Montréal, 1926
La Croix et l'Épée au Canada, Montréal, 1926
Établissement d'un État français, Montréal, 1926
Mélanges historiques et autres, Montréal, 1926
La Question des drapeaux, Montréal, 1926
Tribuns et Avocats, Montréal, 1926
Salut au Canada, Montréal, 1927
France-Amérique, Montréal, 1927

M&E Handbooks

Law

Business and Management

Advertising/F Jefkins
Basic Economics/G L Thirkettle
Basic of Business/D Lewis
Business and Financial Management/B K R Watts
Business Mathematics/L W T Stafford
Business Systems/R G Anderson
Data Processing Vol 1: Principles and Practice/R G Anderson
Data Processing Vol 2: Information Systems and Technology/R G Anderson
Human Resources Management/H T Graham, R Bennett
International Marketing/L S Walsh
Managerial Economics/J R Davies, S Hughes
Marketing/G B Giles
Marketing Overseas/A West
Modern Commercial Knowledge/L W T Stafford
Modern Marketing/F Jefkins
Office Administration/J C Denyer, A L Mugridge
Operational Research/W M Harper, H C Lim
Production Management/H A Harding
Public Administration/M Barber, R Stacey
Public Relations/F Jefkins
Purchasing/C K Lysons
Retail Management/R Cox, P Brittain
Selling: Management and Practice/P Allen
Statistics/W M Harper
Stores Management/R J Carter

Accounting and Finance

Auditing/L R Howard
Basic Accounting/J O Magee
Basic Book-keeping/J O Magee
Company Accounts/J O Magee
Company Secretarial Practice/L Hall, G M Thom
Cost Accounting/W M Harper
Elements of Banking/D P Whiting
Elements of Insurance/D S Hansell
Finance of Foreign Trade/D P Whiting
Investment: A Practical Approach/D Kerridge
Investment Appraisal/G Mott
Management Accounting/W M Harper
Practice of Banking/E P Doyle, J E Kelly
Principles of Accounts/E F Castle, N P Owens

Humanities and Science

European History 1789–1914/C A Leeds
Land Surveying/R J P Wilson
World History: 1900 to the Present Day/C A Leeds

Dans la même collection

Dans la collection «Contre-feux»

(préface de Serge Halimi)

Dans la collection «Marginales»

Hors collection

ACHEVÉ D'IMPRIMER EN FÉVRIER
2001 SUR LES PRESSES
D'AGMV POUR LE COMPTE DE
COMEAU & NADEAU, ÉDITEURS
À MONTRÉAL À L'ENSEIGNE
D'UN CHIEN D'OR DE LÉGENDE
DESSINÉ PAR ROBERT LA PALME.

Distribution en France: Les Belles lettres
Tél. 01 44 39 84 20 — Fax. 01 45 44 92 88

Diffusion en France: Athélès
Tél.-Fax. 01 43 01 16 70

Diffusion-distribution au Canada
Prologue (450) 434-0306 — (800) 363-2864

Imprimé au Québec